PSYCHOLOGIE DE L'APPRENTISSAGE

TROISIÈME ÉDITION REVUE ET AUGMENTÉE

PRESSES DE L'UNIVERSITÉ DU QUÉBEC
2875, boul. Laurier, Sainte-Foy (Québec) G1V 2M3
Téléphone : (418) 657-4399 • Télécopieur : (418) 657-2096
Courriel : secretariat@puq.uquebec.ca • Internet : www.puq.uquebec.ca

Distribution :

CANADA et autres pays

DISTRIBUTION DE LIVRES UNIVERS S.E.N.C.
845, rue Marie-Victorin, Saint-Nicolas (Québec) G7A 3S8
Téléphone : (418) 831-7474 / 1-800-859-7474 • Télécopieur : (418) 831-4021

FRANCE

DIFFUSION DE L'ÉDITION QUÉBÉCOISE
30, rue Gay-Lussac, 75005 Paris, France
Téléphone : 33 1 43 54 49 02
Télécopieur : 33 1 43 54 39 15

SUISSE

GM DIFFUSION SA
Rue d'Etraz 2, CH-1027 Lonay, Suisse
Téléphone : 021 803 26 26
Télécopieur : 021 803 26 29

Louis Dubé

PSYCHOLOGIE DE L'APPRENTISSAGE

TROISIÈME ÉDITION REVUE ET AUGMENTÉE

2000

Presses de l'Université du Québec
2875, boul. Laurier, Sainte-Foy (Québec) G1V 2M3

Données de catalogage avant publication (Canada)

Dubé, Louis, 1917-

Psychologie de l'apprentissage

3ᵉ éd. rev. et corr.

Publ. antérieurement sous le titre : Psychologie de l'apprentissage de 1880 à 1980. 1986.
Comprend des réf. bibliogr. et des index.

ISBN 2-7605-0901-X

1. Apprentissage, Psychologie de l' – Histoire. 2. Béhaviorisme (Psychologie) – Histoire. 3. Cognition – Histoire. I. Titre. II. Titre : Psychologie de l'apprentissage de 1880 à 1980.

BF 318.D82 1996   153.1'5'09   C96-940186-8

Nous reconnaissons l'aide financière du gouvernement du Canada
par l'entremise du Programme d'aide au développement
de l'industrie de l'édition (PADIÉ) pour nos activités d'édition.

 Nous remercions le Conseil des arts du Canada
de l'aide accordée à notre programme de publication.

Révision linguistique : Raymond Deland

Mise en pages : Typo Litho composition

Conception graphique de la couverture : Atelier GOB

1 2 3 4 5 6 7 8 9 PUQ 2000 9 8 7 6 5 4 3 2 1

*À Roselle, qui a collaboré
à la réalisation de cet ouvrage.*

Préface

Dans la foulée d'une carrière active et fructueuse consacrée à l'enseignement supérieur, Louis Dubé, professeur de psychologie à l'Université Laval de Québec, tente ici de réinterroger et de réinterpréter le comportement humain en traquant sans pitié les théories les mieux établies de la psychologie de l'apprentissage.

Comme on le verra, c'est dans une perspective d'interdisciplinarité qu'il aborde les deux conceptions antagonistes les plus répandues, le behaviorisme et le cognitivisme.

Dans une pénétrante réflexion, Adrien Pinard[1] se livrait, il y a quelque temps, à une typologie des attitudes des chercheurs face aux théories classiques de l'apprentissage. Louis Dubé sait bien, avec Adrien Pinard, que « c'est sans doute la confrontation des théories (...) qui peut servir le mieux à mettre à jour leurs lacunes respectives, et conduire éventuellement à la construction d'un nouveau paradigme » (*op. cit.* p. 26).

Cependant dans le cas qui nous occupe, il convient, à mon sens, de ne pas s'arrêter là, un objectif étant bien capable d'en cacher un autre !...

Et aussi bien, si nous poussons l'auteur dans ses derniers retranchements par une lecture au second degré, non cantonnée, par

---

1. Pinard, A. (1983). « Réflexion sur deux paradigmes en psychologie génétique : cognitivisme et behaviorisme », *Revue québécoise de psychologie*, vol. 4, n° 3, p. 12-28.

conséquent, à l'inventaire critique des théories, il se découvre alors, sans ambiguïté possible, qu'une ambition plus haute et vaste habite Louis Dubé. C'est la raison pour laquelle, finalement, de façon de plus en plus consciente et assurée d'elle-même au cours de sa progression discursive, cette étude sur la *Psychologie de l'apprentissage* paraît ne constituer, en fait, que le support (nécessaire, certes, mais opportun assurément!) à une critique radicale de la science psychologique elle-même.

Autrement dit, pour reprendre l'opposition introduite par J. Ardoino[2] un «projet-programmatique» viendrait, ici, faire écran à un objectif plus profond, un «projet-visée», de l'ordre de la philosophie des sciences, ou plus exactement, de la philosophie tout court.

Car l'ambition finale de Louis Dubé (c'est d'ailleurs tout le sens de sa belle conclusion) n'est-elle pas, bel et bien, d'atteindre à une sorte de «regard intégrateur», selon cette visée fameuse – initiée dès l'aube de la philosophie, et servie, avec des fortunes diverses, par une lignée de penseurs illustres – d'un retour à la «sagesse» par non-séparation de l'être et de l'objet de connaissance?

Dès lors, et si cette hypothèse s'avère exacte, la recherche de Louis Dubé s'applique moins à rapporter les vicissitudes et aléas des conceptions de l'apprentissage, ni même à en tirer parti par option pour un nouveau modèle, qu'à dépasser, en réalité, l'opposition fameuse entre idéalisme et empirisme.

Cela est-il possible? Nous y reviendrons. Telles sont toutefois les «clés» d'une compréhension en profondeur de la réflexion qui nous est proposée. Mais laissons-en là la philosophie pour en examiner la problématique elle-même.

On l'a vu: la dichotomie constitutive de la psychologie dès sa naissance en tant que telle s'est révélée historiquement féconde (on dirait aujourd'hui «porteuse») de par ses contradictions et les mises en perspective dialectique qu'elle autorise et stimule encore. Louis Dubé y insiste d'ailleurs scrupuleusement, montrant que, si une théorie scientifique ne constitue pas une vérité, chacune cependant apporte sa pièce à l'édifice de la connaissance, jusques y compris dans les reniements auxquels elle ne peut manquer de conduire.

---

2. Ardoino, J. (1984). «Pédagogie de projet ou projet éducatif?», Revue *Pour*, n° 94, Toulouse, Paris.

Dans ces conditions, le problème devient le suivant. La dynamique induite par la coexistence des théories que nous appellerons «classiques» malgré leurs développements les plus actuels, peut-elle et doit-elle être évacuée, et partant, de quel profit épistémologique et heuristique serait un paradigme unifié?

C'est ce qu'il nous faudra précisément demander à Louis Dubé, après un regard rapide sur son œuvre.

Encore que nécessairement confronté, de par la richesse de son matériau, à des choix ultérieurs, le plus souvent douloureux et ressentis comme tels, l'auteur, dans une large introduction évoque le foisonnement des modèles et théories psychologiques. Il en propose un mode d'exposition diachronique plutôt que synchronique, tant il est vrai qu'en sciences, tout comme dans les autres domaines de la pensée, les problèmes se voient presque toujours repoussés, plutôt que résolus. N'est-ce pas d'ailleurs, le vice «psycho-logique» fondamental de l'esprit, que de croire une difficulté dénouée dès l'instant où l'on change de doctrine?

Au plan épistémologique, ce cheminement par stades ou étapes présente l'avantage non négligeable pour l'auteur de le conduire à une vision «en entonnoir» capable de guider et justifier ses positions ultérieures.

En attendant, dans une profonde intelligence de l'histoire de la psychologie, de ses passages et/ou ruptures successifs, Louis Dubé montre comment cette discipline se dégage péniblement de la problématique philosophique (centrée sur la nature de la connaissance, les fondements de la vérité, etc.), pour s'ériger de façon autonome en prenant pour objet l'étude de l'adaptation et de l'évolution des comportements.

Au plan de la recherche, il rappelle comment son histoire s'inscrit dans une oscillation constante, sorte de «mouvement de double frénésie» à la Bergson, entre les deux pôles précédemment évoqués:

- celui de l'interprétation a prioriste, innéiste, rationaliste des phénomènes perceptivo-moteurs;
- celui de leur conception empiriste, associationniste, environnementaliste.

Avec la rigueur intellectuelle qui le caractérise, il n'omet pas de remarquer que dès sa naissance, grâce à sa double empreinte physiologique et psychophysique, la psychologie « d'orientation scientifique »[3] reconnaît et combat une difficulté réelle et toujours sous-jacente, celle du « mentalisme »[4]. Il convient d'y insister d'autant plus, que ce sera l'une des critiques les plus fréquemment portées non seulement au cognitivisme, mais encore à la théorie de l'information elle-même, lorsqu'elle s'applique au psychisme.

À partir de ces considérations, sous le vocable générique de « théories associationnistes », l'auteur passe successivement en revue la réflexologie, le structuralisme, le fonctionnalisme, le connexionnisme, pour aboutir, comme il se doit, au behaviorisme, rendant à chaque « École » ce qui lui appartient.

Ainsi, si la réflexologie nous éclaire sur les mécanismes de l'adaptation et leur plasticité, le fonctionnalisme présente, quant à lui, l'intérêt de réintroduire l'individu dans son environnement global.

Il est frappant de retrouver, à la lecture, le même rapport entre connexionnisme d'un côté qui resserre le lien psychologie-physiologie (nourrissant la seconde d'hypothèses du plus haut intérêt), et behaviorisme de l'autre, lequel, avec le concept du conditionnement instrumental verra s'ouvrir à lui le champ extraordinaire de recherche et d'action que l'on sait.

Le moment vient cependant d'aborder la « psychologie cognitive ». Deux temps forts vont alors marquer l'exposition qu'en propose Louis Dubé.

La « Psychologie de la forme » constitue le premier. Peut-être pourra-t-on sentir ici la sympathie secrète que lui porte l'auteur, la parant de qualités et la créditant de résultats à propos desquels les discussions sont loin d'être terminées. La controverse connaît d'ailleurs un regain de vigueur en débordant la psychologie pour s'étendre désormais au domaine de l'éthologie.

L'examen attentif des thèses de J. Piaget clôt, comme il se doit, cette partie, encore que ce chercheur, plus préoccupé d'épistémologie génétique que de psychologie, trouverait difficilement sa place dans une classification des conceptions de l'apprentissage si, précisément, il

---

3. Il me faut remercier au passage Louis Dubé de n'avoir pas omis l'un de ces précurseurs-promoteurs, aujourd'hui oublié, l'universitaire rennais Benjamin Bourdon.

4. Cf. Richelle, M. (1966). *Le conditionnement opérant*, Delachaux et Niestlé, Neufchatel, p. 29 et 94.

n'avait, en quelque sorte, procédé à une « modélisation » des apports de la Gestalt.

Mais il est grand temps pour Louis Dubé d'entreprendre sa construction paradigmatique.

Les pierres en sont successivement :

- la physiologie, avec notamment sa pénétration de la « boîte noire » cérébrale ;
- la cybernétique et ses notions de régulation systématique, mais surtout la réflexion qu'elle initie sur les « niveaux » de la communication ;
- l'intelligence artificielle, permettant d'évaluer les énoncés théoriques-hypothétiques formulés à propos des processus mentaux.

Le paradigme culmine et s'achève enfin, avec la « Théorie de l'information » dans laquelle viennent s'unifier et s'intégrer les sous-ensembles précédents de la construction.

Ainsi, fût-ce même au prix de ce qui a déterminé la réflexion de Louis Dubé (l'apprentissage), pour la première fois, la théorie de l'information en renvoyant dos à dos des théories « vieillies », fournirait à la psychologie le moyen de son unité…

*
*　　*

Un paradigme peut être défini : « un modèle d'approche d'une réalité psychologique ou sociale donnée ». Cependant, le développement d'un paradigme rompt nécessairement avec une tradition scientifique, ou pour le moins, avec une théorie dominante. Il s'accompagne dès lors des complications nécessairement liées à tout processus de « passage ». C'est ce qu'a bien vu T. Kuhn qui signale, à cette occasion, les difficultés entraînées par :

- le foisonnement concurrentiel des modèles ;
- les difficultés et lenteurs de leur évaluation épistémologique ;
- l'embarras qui en découle, dans les choix méthodologiques ;
- l'apparition d'effets pervers (problèmes non traitables) ;
- et, couronnant le tout, les répercussions idéologiques et sociales provoquées (cf. le behaviorisme)[5].

---

5. Kuhn, T. (1972). *La Structure des révolutions scientifiques*, Paris, Flammarion.

C'est précisément ce que rappelle, plus récemment, G. Pineau[6]: « La sortie d'un paradigme est (…) difficile. Elle ne se réduit pas à une distanciation ponctuelle, à une unique rupture épistémologique, méthodologique ou idéologique. Elle implique un bouleversement structurel long et laborieux, concernant à la fois ces éléments, mais aussi les rapports entre eux. Investissement risqué (…) d'une recherche globale et extensive s'inscrivant dans une démarche à long terme de remplacement et non de reproduction ».

*
*   *

C'est un travail ingrat que de commenter un auteur, et tout particulièrement ici, non seulement à cause de la richesse des contenus, mais encore et surtout parce qu'il faut, dans le même mouvement, louer la fougue paradigmatique de Louis Dubé… tout en en tempérant les ardeurs.

C'est à ce point qu'il convient donc d'examiner, voire d'« élucider » les finalités visées par lui, au-delà de la simple volonté de faire œuvre d'historien (animé en cela, d'ailleurs, par la vision hégélienne d'une Histoire marquée par la rationalité).

C'est alors que se découvre un double projet-visée, de l'ordre de la connaissance scientifique d'une part et de la philosophie d'autre part.

La première de ces deux intentions semble se fonder sur un paradoxe. En effet l'auteur, qui voue une véritable passion à la biologie (au point d'en nourrir non seulement sa réflexion sur l'apprentissage, mais encore son enseignement tout entier), finit néanmoins par accorder sa préférence à une conception des processus mentaux inférée d'analogies souvent non vérifiables. Si l'on préfère, le raisonnement hypothético-déductif prend le pas sur l'expérimentation provoquée ou invoquée.

En fait, cela n'est qu'apparent et vient à l'appui d'une position épistémologique particulière.

D'une part, l'apprentissage ne peut être compris que dans le cadre d'une conception molaire. Chacune des deux théories classiques présente une certaine valeur ; celle-ci n'est que relative. Par ailleurs,

---

6. Pineau, G. (1983). « Crise paradigmatique et recherche en éducation permanente », *Actes du Colloque : « Sciences anthropo-sociales, Sciences de l'éducation »*, A.E.C.S.E., Paris, vol. annexe, p. 241.

l'une et l'autre recèlent une grande variété de sous-modèles. Les éléments pertinents du behaviorisme et du cognitivisme doivent donc se voir intégrés, articulés et finalement synthétisés dans un modèle unique, la théorie de l'information offrant le moyen de ce dépassement ainsi qu'une nouvelle orientation de pensée, capable de rendre compte de phénomènes contradictoires, incompris ou inexplorés jusqu'ici.

D'autre part, dans cette voie, la théorie de l'information elle-même ne représente pas un moyen d'achever l'édifice de la psychologie. Elle n'en est sans doute qu'un « moment heuristique ». Le mouvement est, dès lors, le suivant. Les concepts clés de la théorie en question deviennent les points nodaux de la connaissance psychologique. Ils prennent, à ce titre, un degré de généralité proche de celui d'une catégorie philosophique, le « transfert heuristique » de ces dernières dans le domaine de l'apprentissage devant permettre l'accroissement de nos connaissances.

Cependant, la théorie de l'information, en redistribuant les rapports entre matière et processus mentaux, en appelle, par conséquent, au plan méthodologique, à de nouveaux modes d'investigation, intériorisés, intuitifs, contemplatifs, et en un mot transrationnels. Et c'est bien ce à quoi nous convie Louis Dubé en conclusion à son travail. À l'analyse qui dessèche, il nous suggère de substituer l'élan d'une conscience participative, dans un mode de connaissance intime devenant « analogue » à la chose connue, si ce n'est pas fusion avec elle.

Mais nous atteignons là au cœur du projet philosophique de l'auteur, sa seconde intention. Dépassant l'idée d'union consubstantielle, sa philosophie consiste finalement à ramener, voire à absorber l'être dans la pensée. Ce faisant, il se rallie bien moins à un idéalisme dogmatique ou transcendental, qu'à un idéalisme rationnel : le monde extérieur résulte du développement des sujets pensants. La conscience n'est plus seulement coextensive à l'univers[7], l'être vient s'absorber dans la pensée...

*
*   *

On trouve donc, comme on l'a constaté, en filigrane à l'œuvre, une vision particulière, résultat d'un engagement philosophique. Si celui-ci est partout présent, Louis Dubé cependant, sait ne l'imposer à

---

7. Teilhard de Chardin, P. (1955). *Le phénomène humain*, Paris, Seuil, p. 344.

personne, ce qui est la marque même de l'humanisme. Il nous aura donc beaucoup appris, en nous faisant beaucoup réfléchir, ne serait-ce que par le processus de « distanciation » qu'il autorise, et même, nous ménage.

Ainsi peut-on rester attaché à d'autres schémas (tel par exemple, celui qu'offre aujourd'hui l'éthologie animale et humaine). Cependant, le travail de Louis Dubé ne peut pas ne pas attirer notre attention − outre le rôle des milieux sociopolitiques et de l'idéologie sur le développement de la psychologie − sur un point capital. Je veux parler de l'erreur, pour ne pas dire des errements d'une discipline pour laquelle, trop souvent encore, le mot « méthode » signifie : mode d'approche d'un sujet, qui est en même temps prise de position sur la nature de l'objet en question. Trop souvent encore, le psychologue interroge les faits, ou bien pis, les réarticule entre eux à la façon d'un juge ! La sagesse de Louis Dubé est d'être parfaitement conscient de ses propres engagements. Ce qui « autonomise » son lecteur − et se trouve être le propre d'un pédagogue authentique.

C'est d'ailleurs bien en pédagogue qu'il aura finalement répondu, de façon indirecte, à notre questionnement initial sur l'intérêt d'un paradigme unificateur. L'apparition et le développement d'un nouveau modèle ne résout pas les problèmes, puisqu'il en crée de nouveaux. Toutefois, il régénère son champ scientifique d'application en offrant d'autres outils, d'autres modes potentiels d'accès au réel, laissant le chercheur libre de ses options, tout en attirant son attention sur la détermination de ces dernières.

*

*   *

C'est sans doute à ce point que, de façon non manifeste, mais d'autant plus profonde, Louis Dubé nous atteint le plus sûrement, de par l'exemple qu'il contribue à ouvrir.

En effet, au plan individuel, en dehors des difficultés générales que nous avons examinées, proposer de nouveaux schémas explicatifs est angoissant à plus d'un titre.

Contrairement à ce qu'en pensait Popper[8], le sentiment de contradictions logiques internes n'y saurait suffire. À preuve ces errements que nous dénoncions à l'instant.

---

8. Popper, K.R. (1973). *La logique et la découverte scientifique*, Paris, Payot.

Car changer de modèle déclenche résistances et freins collectifs puissants, ceux qu'opposent, entre autres, les intérêts personnels ou groupaux des individus scientifiquement au pinacle, leur refus de voir taxée de caducité toute leur production antérieure, ou plus généralement, surtout l'angoisse de devoir apprendre de nouveaux systèmes de signes.

Par suite, le changement ne peut être initié et soutenu que par des individus jeunes, capables de décentration créative, comme l'a montré Feuer dans son livre sur Einstein[9], ou encore d'un non-conformisme méthodologique poussé à son plus haut point[10].

Or, jeunesse et originalité d'esprit, courage intellectuel et social ne sont-ils pas justement les qualités les plus immédiatement évidentes chez Louis Dubé, en tant qu'homme?

Un paradigme, nous l'avons vu, c'est une théorie dominante, qui induit le choix des problèmes à étudier, et par suite, celui des techniques à mettre en œuvre. C'est aussi, comme l'a écrit Louis Dubé, le principe catalyseur et dynamogénique de la recherche. C'est enfin, si l'on se réfère à la littérature anglo-saxonne, une philosophie personnelle, sorte de « Weltanschauung ».

Le mérite de Louis Dubé, et ce qui accroît prodigieusement le sens de son discours, c'est d'avoir su intégrer la triple acception du concept, et de nous avoir donné non seulement à réfléchir sur la psychologie dans son passé et son avenir, mais aussi de nous avoir révélé un penseur dans ses engagements et finalement, ses questionnements.

Il ne nous reste plus maintenant qu'à attendre son second ouvrage (il l'a promis) sur les applications pédagogiques concrètes de sa présente réflexion. En quoi la théorie de l'information appliquée du comportement facilite-t-elle les problèmes d'adaptation, en rendant les apprentissages à la fois plus faciles et plus performants?

Cela d'ailleurs, ne saurait qu'aller dans le sens de la motivation qui l'a conduit à publier l'étude que l'on va lire. Francophone dans l'âme, Louis Dubé a souhaité mettre entre les mains de ses étudiants un manuel français et écrit en français. Gageons qu'il sera lu par de

---

9. Feuer, L.S. (1978). *Einstein et le conflit des générations*, Bruxelles, Éd. Complexes.
10. Feyerabend, P. (1979). *Esquisse d'une histoire anarchiste de la connaissance*, Paris, Seuil.

nombreuses générations d'enseignants et d'apprenants québécois, mais aussi européens et africains.

Avant de devenir, qui sait? un « text-book » pour les autres. C'est le vœu ardent (et délibérément malicieux) que je forme pour conclure.

Daniel Chevrolet
Maître de Conférences en Sciences de l'Éducation
à l'Université de Rennes I
Chargé de Mission à l'AUPELF
(Association des universités partiellement ou entièrement de langue française)
Rennes, le 20 septembre 1985

Remerciements

Même si, habituellement, un auteur s'isole pour rédiger un ouvrage, les idées qu'il émet aussi bien que les positions qu'il adopte ne sont jamais entièrement siennes. Le volume que vous avez entre les mains en est un parfait exemple. Conçu à partir de recherches personnelles, son contenu a progressivement pris forme grâce aux échanges de vues avec des groupes d'étudiants qui, depuis 1964, ont permis une confrontation heureuse des conceptions élaborées par diverses écoles de psychologie de l'apprentissage. Il m'est agréable, aujourd'hui, de leur rendre un texte qu'ils m'ont aidé à formuler et qui, je l'espère, leur servira au cours de leur propre enseignement.

À un autre niveau, non moins important pour la réalisation de cette étude historique, j'exprime ma gratitude à tous mes collègues du Département de psychopédagogie de l'Université Laval. Ils ont été pleins d'attention et m'ont soutenu de leurs encouragements tout au long de ce travail ; certains m'ont apporté une aide précieuse : M. Claude Langevin et M. Henri Saint-Pierre m'ont permis de préciser certains aspects de la théorie de Piaget ; M. Roméo Miville, aujourd'hui professeur émérite, et M. Paul Goulet m'ont fait des commentaires judicieux sur la première partie du manuscrit. Ma gratitude s'adresse aussi à un professeur du Département de didactique, M. Jean-Claude Gagnon, qui m'a proposé d'heureuses modifications. Je tiens de plus à souligner l'influence qu'ont eue sur l'orientation de mes idées les séminaires dirigés par M. Jean-Yves Lortie et M. Robert Rousseau de l'École de psychologie de l'Université Laval. Quelques étudiants inscrits aux études supérieures à notre Département ont bien voulu apporter leur concours; Mme Diane Migneault et M. Raymond Arès ont fait une révision attentive du point de vue stylistique de quelques chapitres et M. Yvon Thériault en a rédigé les fiches de l'index.

Je dis en outre ma reconnaissance à un certain nombre de spécialistes qui font de l'enseignement et de la recherche dans d'autres universités et qui m'ont fourni des commentaires de nature à améliorer certains chapitres; ce sont Mme Bernadette Tanguay, professeur à l'Université de Montréal, M. Gabriel Fortier, professeur à l'Université du Québec à Trois-Rivières et M. Dany Laveault, professeur à l'Université d'Ottawa. Je dois ici souligner l'apport d'un groupe d'amis de l'Université de Rennes, en Bretagne, France, qui ont lu le manuscrit et m'ont amené à confronter les théories nord-américaines aux conceptions élaborées en Europe. Ce sont Mme Jeanne Urvoy, directrice du laboratoire de psychologie expérimentale, M. René Lebars, professeur de neurophysiologie et M. Claude Champaud, ex-président de l'Université de Rennes. Un merci bien particulier s'adresse à M. Daniel Chevrolet, maître de conférences en sciences de l'éducation à la même université, avec qui j'ai eu des échanges vifs et amicaux dans un esprit constructif, pour avoir fait de mon travail une analyse approfondie, comme le montre la préface qu'il a bien voulu rédiger.

Enfin, ce volume n'aurait pu voir le jour sans le travail soigné et méticuleux de Mme Diane L. Bégin qui a fait la dactylographie du manuscrit. Je suis heureux d'avoir l'occasion de lui dire ici ma reconnaissance.

L.D.

Université Laval
Le 2 février 1986

Table des matières

Table des figures et des tableaux

Introduction

L'homme désire naturellement connaître.
Aristote

La psychologie

S'il est vrai que la psychologie, comme l'avait remarqué Ebbinghaus, possède une courte histoire, mais jouit d'un long passé[1], n'y aurait-il pas lieu de rappeler, avant d'exposer les théories contemporaines de l'apprentissage, l'étendue du sujet et la manière dont certains problèmes débattus aujourd'hui se sont posés avant nous ? La psychologie[2], science moderne aussi ancienne que la philosophie dont elle est issue, fit son entrée au laboratoire en 1879, dans des circonstances que nous aurons à élucider plus loin. Depuis lors, grâce à un développement spectaculaire, elle pénètre peu à peu de nombreux domaines de la pensée et de l'action. Ce phénomène résulte pour une part de la situation privilégiée qu'elle occupe au sein des sciences humaines, mais aussi de l'affaissement et, dans certains cas, de la disparition des frontières qui avaient isolé les différentes sciences jusqu'à une époque récente.

---

1. En 1885, Ebbinghaus fait paraître un ouvrage important sur la mémoire, *Ueber das Gedächtnis*. Sous le titre, on peut lire une citation latine qu'on peut traduire ainsi : « Du plus ancien des sujets, nous tirerons la plus nouvelle des sciences ». Une vingtaine d'années plus tard, au début d'un abrégé de psychologie, Ebbinghaus lui donne une nouvelle forme : « La psychologie possède un long passé, mais n'a qu'une courte histoire ».

2. Plusieurs problèmes que nous traitons aujourd'hui en psychologie expérimentale relevaient autrefois de cette partie de la philosophie que nous appelons philosophie de la nature. On a pris l'habitude maintenant de distinguer les deux domaines par les expressions : psychologie rationnelle et psychologie expérimentale.

À l'intérieur même du champ de la psychologie, on assiste à un foisonnement de théories, de modèles, d'approches qui tentent tous d'expliquer l'être humain, d'analyser son comportement et d'étudier certains phénomènes qui lui sont propres. Ces tentatives ne font qu'illustrer par leur nombre et leur diversité, non seulement l'étendue du sujet, mais aussi ses difficultés.

Or, une bonne manière d'aborder ce sujet complexe, n'est-elle pas de dire comment il est né; de revenir à ces époques où le terme même « psychologie »[3] n'existait pas; de constater comment se posaient à la conscience des hommes cultivés des questions qui hantent encore nos esprits aujourd'hui.

> Il est impossible, dit Jean-Paul Benzécri, de ne pas partir de ce qui était auparavant, de ce qui est reçu a priori. Mais tout, dans l'héritage reçu, n'est pas également antique, ni également vénérable : des erreurs invétérées ont pu creuser comme des ornières que l'on suit sans y penser; des théories trop vite acceptées, pour être bientôt après rejetées, énervent la science comme les caprices de la mode énervent l'art (1973, p. 11).

Malgré la difficulté certaine que nous avons à cerner l'inconnu, la psychologie a néanmoins réussi, en raison de l'appareillage expérimental dont elle s'est équipée, à dégager un certain nombre de faits, à formuler des lois et à édifier des théories qui tentent d'expliquer la réalité humaine. Elle possède déjà un acquis important. « Il ne sied pas de tout détruire par le suc corrosif de la critique, ni de rester assis dans le scepticisme tandis que les idées courent » (Benzécri, 1973, p. 11).

Mais à travers l'enchevêtrement des systèmes du passé et des conclusions d'aujourd'hui, où en sommes-nous? La psychologie est-elle arrivée à une explication unique et complète de l'apprentissage, du développement, de l'affectivité, de la perception, de la personnalité, etc.? Les mêmes problèmes nous préoccupent toujours. Même si on a réussi à isoler en laboratoire un certain nombre de phénomènes, à identifier en clinique certaines tendances et à élaborer des interprétations, on en est

---

3. Selon l'étymologie, le mot psychologie (du grec ψυχή, âme, et λόγος, traité) signifie science de l'âme. Depuis les époques les plus anciennes, tous les grands systèmes de philosophie exposent un certain nombre de considérations relatives à ce sujet. Toutefois ce n'est qu'à une date récente qu'on voit apparaître l'appellation. Le logicien allemand, Rodolphe Goclenius (1547-1628) l'aurait utilisé une première fois au XVIᵉ siècle. Mais Jean Christian Wolff (1679-1754), philosophe et mathématicien allemand, le fit connaître lorsqu'il l'employa dans les titres de deux de ses ouvrages : *Psychologica empirica* (1732) et *Psychologica rationalis* (1734).

encore à poser les bases sur lesquelles s'édifieront de meilleures explications de l'être humain, quelles que soient l'assurance et parfois l'intransigeance avec lesquelles certains théoriciens affichent leur position.

L'esprit humain, c'est connu, progresse avec lenteur. La roue munie de son pneu radial qui tourne sur coussinet sous nos voitures est l'aboutissement moderne des méthodes qui consistaient pour les Indo-Européens à coucher des billes de bois sous les fardeaux dans les plaines caucasiennes. Et si nous regardons l'avenir, « les enfants de demain nous considéreront peut-être comme à peine plus avancés que l'homme de Neandertal, des créatures brutes, incapables de contrôler leurs sentiments et leur physiologie et incapables de jouer sur l'instrument du cerveau » (Luce et Peper, 1975, p. 62).

Les progrès du XXᵉ siècle en physique et en technologie peuvent paraître saisissants, mais la matière inanimée se laisse, semble-t-il, saisir avec plus de facilité que le vivant et l'humain. Depuis 1880, les théories psychologiques se succèdent et rivalisent; chacune tente de supplanter la précédente, s'efforce d'expliquer ce qui semblait avoir été laissé dans l'ombre, essaie d'apporter une réponse plus large aux problèmes posés. Ainsi, péniblement, nos connaissances s'étendent et la science progresse. Selon Hebb, psychologue canadien de l'Université McGill,

> [...] une théorie scientifique ne devrait jamais être crue, ni considérée comme l'exposé d'une vérité définitive, mais tout au plus regardée comme un énoncé sophistiqué de notre ignorance, une manière de formuler des idées acceptables (*possible ideas*), des hypothèses vérifiables de manière à pouvoir sur le terrain de la recherche en faire la vérification expérimentale (1966, p. 9).

C'est bien là le processus que certains philosophes, en particulier Hegel, et certains théoriciens ont décrit. Comment la psychologie y échapperait-elle? À regret, nous sommes contraints de partager l'opinion d'Hilgard, selon laquelle aucune théorie de l'apprentissage n'est pleinement satisfaisante, parce qu'aucune ne rend compte de la totalité des phénomènes. Là comme ailleurs, l'être humain avance avec lenteur; ce n'est qu'au prix de grands efforts qu'il parvient à surmonter l'erreur et à vaincre l'ignorance.

Un vieux problème

Depuis un lointain passé, l'être humain, dernier chaînon de l'évolution, s'est interrogé sur le phénomène humain. Parmi les problèmes posés, il en existe un déjà formulé par Socrate, il y a près de 2 500 ans, sous-jacent, sinon toujours plus ou moins présent derrière les systèmes et les théories, c'est celui de l'origine des connaissances.

Revenir ainsi à des époques antérieures et poser le problème en termes d'origine de la connaissance, c'est aller au-delà de la signification du concept d'apprentissage tel qu'on le comprend aujourd'hui pour s'orienter vers un sujet d'ordre épistémologique[4]. Cette incursion dans le passé, durant ces périodes où les notions modernes et les méthodes empiriques n'avaient pas fait leur apparition, comporte un intérêt certain. Le retour en arrière nous permet de constater que non seulement les anciens ont formulé à l'intérieur de la philosophie les mêmes problèmes que nous, mais qu'ils ont esquissé, avec une terminologie différente, des réponses qui ont fondamentalement peu évolué avec les époques et les écoles qui se sont succédé. Aujourd'hui, au XXe siècle, alors que « connaissance » a fait place à « apprentissage » et que les deux termes ne recouvrent pas tout à fait les mêmes aires de signification, les réponses se regroupent autour de deux pôles, toujours les mêmes comme nous le verrons.

L'unité des théories n'est pas faite. Récemment encore, Walter B. Weimer de l'Université d'État de la Pennsylvanie reposait la question :

> Les deux problèmes fondamentaux en psychologie comme en philosophie se rapportent à la nature[5] de la connaissance et à la nature de notre acquisition de la connaissance. Si désintéressés que puissent être nos chercheurs et si pures leurs intentions, la psychologie doit essayer de répondre sérieusement aux questions fondamentales concernant la nature de la connaissance humaine et les processus par lesquels elle est acquise (Weimer, 1973, p. 15).

En d'autres termes plus précis, il convient de se demander d'où viennent les connaissances que nous possédons. Sont-elles, d'une part, contenues en germe dans nos gênes, présentes dans le cortex cérébral du nouveau-né et susceptibles de se développer par la suite grâce à la

---

4. Le mot « épistémologie » assez régulièrement utilisé par certains psychologues, en particulier par Jean Piaget, est tiré de la langue grecque. Littéralement, il signifie discours (λόγος) sur la science (ἐπιστήμη). En réalité, il s'agit de cette discipline spéciale qui prend place à l'intérieur de la philosophie et traite de l'acquisition de la connaissance.

5. Certains auteurs américains utilisent de temps à autre, comme le fait ici W.B. Weimer, le mot « nature » dans des expressions du genre « la nature de l'apprentissage ». Il va de soi que ce mot « nature » ne peut s'entendre ici au sens de l'essence des choses. La psychologie expérimentale s'attache à la description des phénomènes, au « comment » des êtres, alors que la philosophie en recherche le « quoi » et le « pourquoi ».

stimulation de l'environnement? Ou, d'autre part, le cerveau de l'enfant à la naissance est-il parfaitement lisse et neutre, prêt à recevoir tout ce que le milieu lui offrira à l'occasion d'expériences qui lui fournissent progressivement l'information et les idées nécessaires à la survivance et au bien-être de l'individu?

On le sait, l'Antiquité grecque avait déjà posé le dilemme dans toute sa rigueur. Aristote (384-322 av. J.-C.), génie encyclopédique et philosophe, dont la pensée influencera l'Occident jusqu'au XVe siècle, adopte la position dite de la « table rase ». Ce procédé, souvent repris par la suite, consiste à considérer l'esprit « avant qu'il ne s'applique un objet de pensée, comme une tablette où rien actuellement n'est écrit » (Aristote, 1966, p. 81).

Pourtant, quelques années auparavant, Platon (427-347 av. J.-C.), maître illustre dont Aristote fut l'élève, avait adopté une position bien différente. Selon lui, l'âme conserve un souvenir flou des idées contemplées avant la vie présente[6]; il faut, dit-il,

> [...] admettre l'existence de « choses » qui ne soient qu'intelligibles; donner aux qualités, et même surtout à des qualités morales, le privilège de cette existence; prétendre que, loin d'être une sorte de sédiment des expériences de notre vie, ces purs intelligibles sont au contraire le principe éternel de la présence des qualités dans les êtres que nous percevons par nos sens et de l'existence qui, pour un temps limité, appartient à ces êtres; considérer ces essences formelles comme des réalités permanentes et exemplaires, dont ce que nous représentent nos perceptions n'est qu'apparence fuyante et copie imparfaite (Robin, 1935, p. 100).

Il serait vain de prétendre reconstituer par ces quelques lignes la richesse de pensée de ces deux grands philosophes grecs. Ces textes ne servent qu'à montrer que l'un des problèmes fondamentaux de la psychologie contemporaine, celui de savoir si nos connaissances sont innées ou acquises, avait déjà été formulé bien avant nous.

Au XVIe siècle, Raphaël en fit un rappel intéressant dans une composition célèbre intitulée *L'École d'Athènes*. Sous les voûtes d'un édifice antique dessiné par Bramante se déroule une scène à saveur humaniste dans laquelle on reconnaît les représentants grecs de la connaissance humaine. Debout au centre, Platon et Aristote fixent dans un geste deux grands courants de la pensée classique. Platon montre du doigt le ciel d'où viendraient les idées, tandis qu'Aristote, la main éten-

---

6. Chez Platon, cette position prend le nom de théorie de la réminiscence.

due vers le sol, semble indiquer que l'idée tire sa source du monde extérieur.

Durant tout le Moyen Âge, ces positions à jamais célèbres ont peu évolué. L'École néo-platonicienne d'Athènes, dont les idées sont propagées à Rome par Plotin (205-270), contribue du IIIe au VIe siècle de notre ère à répandre la philosophie de Platon en Occident et à influencer la pensée d'Augustin (354-430), évêque d'Hippone, tandis que les écrits d'Aristote sont d'abord introduits en Espagne au VIIIe siècle par les Maures, puis largement commentés au XIIIe siècle par St-Thomas d'Aquin et diffusés par la suite en Occident grâce à la tradition scolastique.

Descartes

Poser le problème de la nature de la connaissance, c'était en même temps pour les Anciens s'interroger sur l'essence de l'âme humaine. Les philosophes et les théologiens disserteront longuement sur le sujet. Mais à la Renaissance, sans mettre ce problème de côté, on cherche désormais quel lien, quel rapport existe entre le corps et l'âme, la chair et l'esprit, la matière et la pensée.

Au seuil du XVIIe siècle se dresse René Descartes (1596-1650), « le père de la philosophie moderne » selon l'expression de Hegel, et l'initiateur de la pensée scientifique contemporaine. Ce philosophe mathématicien provoque une véritable révolution intellectuelle, appuyée sur une nouvelle image de l'univers et de l'homme désormais considéré comme objet principal de la recherche.

À considérer le portrait qu'en fit Frans Hals, ses traits forts et anguleux, ses yeux marron pétillants, son front bas font plus penser au soldat de fortune qu'il fut un moment qu'à un prince de l'esprit. Sa vie certes révèle son instabilité et son esprit d'aventure. Orphelin à un an, élevé par une nourrice, instruit chez les Jésuites au Collège de Laflèche puis à l'Université de Poitiers, Descartes quitte la France en 1618, alors âgé de 22 ans. Il s'engage dans l'armée de Maurice de Nassau ; un an plus tard, il fait partie des troupes du duc Maximilien de Bavière, puis il passe en Hollande où, comme le notent ses biographes, il change de logis vingt-trois fois. Faut-il y voir l'effet d'un sage désir d'éviter les importuns, le signe d'un conflit intime ou la marque du destin ? Le psychiatre Karl Stern (1965), dans une étude sur la mentalité moderne et les valeurs féminines, intitulée *The flight from woman*, procède à une analyse pénétrante et révélatrice de la personnalité de Descartes et contribue à dénouer une part de l'énigme de cette vie terminée auprès de Christine de Suède, qui sera pour cet ancien élève, chambriste du Collège de Laflèche, la parfaite anti-mère[7].

Par ailleurs, malgré un sentiment de cristalline lucidité qu'inspirent ses écrits, il demeure que la pensée de Descartes n'est pas si simple que le voudraient beaucoup de cartésiens, ses disciples. Ce penseur reprend en profondeur, dans un éclairage nouveau, tous les domaines de la science et de la philosophie à un moment où la pensée scolastique s'évanouit sous le climat spirituel de la Renaissance. « Véritable somme de la mentalité nouvelle, son œuvre constitue un point de repère incomparable en tant qu'elle introduit le problème du psychisme humain au cœur même des préoccupations » (Mueller, 1960, p. 203).

En effet, l'essence même du cartésianisme consiste en un dualisme qui sépare l'univers en deux : d'un côté, il y a la réalité pensante, *res cogitans*, immatérielle et inétendue, établie à partir du principe « je pense, donc je suis » ; de l'autre, il y a la réalité matérielle et étendue, *res extensa*. Ainsi, Descartes définit l'âme par la seule pensée et le corps par la seule étendue, sans intermédiaire entre l'une et l'autre. Aussi longtemps que cette opposition demeure une distinction purement de raison, sans effet dans la réalité, elle rendra possible l'objectivité, dite scientifique, en isolant le sujet connaissant de l'objet connaissable. En effet seule cette séparation radicale permettra de poser les fondements de la méthode scientifique et « de nous rendre comme maîtres et possesseurs de la nature » (Descartes, 1963, p. 634).

Mais d'une distinction de raison fort louable, Descartes passe à une distinction réelle, d'une méthode de connaissance à un système philosophique qui pose en principe « deux sortes de substance : l'âme, substance pensante, qui a pour essence la pensée, et le corps dont l'essence est l'étendue. Devient matière ce qui est étendue, esprit ce qui est conscience » (Descartes cité par Marcel, 1933, p. 4). Pour bien affirmer cette séparation, Descartes s'efforce d'attribuer un rôle différent à ces deux entités distinctes : la matière et l'esprit. D'une part, le corps, cette substance étendue dans l'espace, obéit aux lois de la nature inanimée d'une manière mécanique ; « tous les phénomènes qu'on y trouve, en dehors de

---

7. Karl Stern n'hésite pas à affirmer qu'il est à peu près certain que la reine Christine de Suède a inconsciemment provoqué la mort de Descartes. Elle a littéralement « privé son hôte de la triade maternelle, de la chaleur, du sommeil, de l'alimentation appropriée ; avec l'étrange sûreté de l'inconscient, elle le voue à la mort » (Stern, 1968, p. 88). Elle l'oblige à habiter un château froid, à assister à des dîners d'état trop copieux pour son frêle estomac et à donner des leçons de philosophie dès cinq heures, le matin, dans sa propre chambre.

l'âme, sont d'ordre physique » (Mueller, 1960, p. 208) ; d'autre part, l'âme, responsable de la pensée et de la créativité, constitue « tout ce qui en nous ne peut être conçu d'aucune manière comme appartenant au corps » (Descartes cité par Boring, 1957, p. 163). C'est bien en ceci que réside le dualisme de Descartes. Aussi, ce n'est pas sans raison que, par la suite, on demandera à Descartes comment deux substances aussi hétérogènes peuvent s'unir pour former l'homme concret. Car jusqu'ici, l'enseignement traditionnel avait soutenu que l'âme est l'entité première capable d'animer la matière et de lui donner la vie. En effet, depuis Aristote, on définit l'âme « le principe premier d'un corps physique organisé » (Aristote, 1966, p. 30), c'est-à-dire d'un corps naturel doué d'organes propres à effectuer des fonctions vitales. C'est aussi la définition de l'âme adoptée par St-Thomas d'Aquin. Voilà pourquoi la position de Descartes fait perdre à l'âme les prérogatives qu'on lui avait reconnues depuis toujours pour devenir l'exilée en quelque sorte dans cette portion de matière dont parle Platon. Toujours selon Descartes, seul l'être humain possède ce type d'âme, alors que les animaux sont des machines sans âme, étendus dans l'espace, munis de mouvement, dont le fonctionnement est purement mécanique. Il demeure que certaines activités mixtes propres au corps et à l'âme, comme avoir peur, sentir, imaginer, faisaient problème. Elisabeth (1618-1680), dite princesse palatine, qui s'en rendit compte, posait dans ses lettres à Descartes des questions embarrassantes. Celui-ci, bien au fait de la physiologie de son époque, finit par croire que l'âme, souffle de vie, pneuma psychique, pouvait prendre place dans cette cavité du cerveau, dite le troisième ventricule, et avoir lien avec le corps par l'intermédiaire de la glande pinéale[8].

Mais, lorsqu'il est question des activités supérieures de l'homme, « qu'il s'agisse de pensée pure ou de pensée par accident, l'âme ne pense jamais que par sa vertu propre et sans collaboration d'aucun corps » (Descartes, éd. 1897, p. 21). De nouveau, en ceci Descartes rompt avec la philosophie médiévale des derniers siècles et revient à l'innéisme de Platon.

Conséquences du cartésianisme

Au moment où il fut connu, le système de Descartes fut accueilli avec ferveur. Protégée par Condé, discutée dans les salons, cette philosophie,

---

8. La glande pinéale (le mot pinéal provient du latin, *pinea*, pomme de pin) est un petit organe ou corps en forme de cône attaché au toit du troisième ventricule dans la région de la commissure postérieure.

reçue comme une cure d'idées claires, conquiert l'Angleterre, l'Italie, la Belgique et la Hollande protestante, mais non sans résistance. Elle déclenche deux grands courants. Chez les philosophes, elle fraye la voie à tous les systèmes de type idéaliste, tandis que la *scientia mirabilis* qui pose les bases de la géométrie analytique et détermine les règles de la méthode semble donner cours à des applications sans limites. En effet

> [...] parce que Descartes a créé une sorte de scolastique scientifique, une *summa scientifica* ingénue, l'influence du philosophe a été pénétrante. Les lumières du dix-huitième siècle, le culte de la déesse Raison, l'absolutisme hégélien de la pensée au dix-neuvième siècle et sa suite la dialectique marxiste, le positivisme d'aujourd'hui, rien de tout cela n'eût été possible sans le *cogito* cartésien (Stern, 1965, p. 102).

Responsable d'un réalisme hypercritique fondé sur la raison, le cartésianisme permet par la suite un développement extraordinaire dans le domaine des mathématiques, qui sont devenues le principal langage de la recherche expérimentale. Il s'établit ainsi un mode de connaissance extrêmement fructueux pour la science et la technique au détriment même de la connaissance poétique, de l'intuition, de l'art et peut-être même d'un certain type de sagesse.

> Il ne s'agit pas de récuser ici la valeur de la pensée scientifique et des sciences expérimentales. Mais on peut affirmer que des hommes de science ont depuis longtemps ignoré la valeur de l'intuition, de la contemplation et des arts dans leur ensemble, comme instruments ou sources de connaissance. Qu'on pense à cette espèce de mépris qui caractérise la phrase : 'cet énoncé n'est pas SCIENTIFIQUE'. Comme si un sentiment n'était pas aussi vrai qu'une équation, comme si l'arrangement d'une gerbe de roses ne valait pas dans son expression même l'exactitude d'une démonstration (Dubé, 1975, p. 11).

L'homme de science d'aujourd'hui se comporte comme s'il avait en main tous les instruments de connaissance et la seule et unique méthode valable.

Le dualisme établi entre l'esprit et le corps détermine deux grands domaines de recherche, celui de la science et celui de la philosophie : le monde matériel de la réalité physique d'une part, et le monde spirituel de la réalité psychique d'autre part. Le *mind-body problem* comme l'appellera plus tard Woodworth est résolu du moins pour un temps ! Après Descartes, il reste qu'il ne peut être question de situer la psychologie parmi les sciences de la nature et de lui appliquer la méthode des sciences expérimentales. Il faudra attendre encore deux cent cinquante ans avant d'en arriver là.

Le problème resurgit en Angleterre et en Allemagne

Au XVIIᵉ et au XVIIIᵉ siècle, le fonctionnement de l'esprit continue d'être l'objet d'un grand intérêt chez les philosophes. Deux écoles rivales s'affrontent : celle de l'empirisme anglais et celle de l'idéalisme allemand. Elles reposent à leur manière la question de l'origine de la connaissance.

Communément le mot empirisme signifie toute règle de conduite fondée sur l'expérience plus ou moins complète sans souci de la théorie et du raisonnement, mais au sens philosophique il s'agit d'une théorie qui propose une interprétation générale de la connaissance humaine. Pour les empiristes, la connaissance humaine n'est vraiment pas a priori. Les principes de l'entendement et de la raison résultent de l'expérience. Dans la préface d'un ouvrage intitulé *Essay concerning human understanding* (1690), John Locke (1632-1704), philosophe anglais adonné à la politique, se propose d'étudier l'esprit comme instrument du savoir humain et espère « débarrasser le terrain de quelques ordures » avant de construire la maison. Il fait la critique du pur *cogito* de Descartes et rejette toute forme de savoir inné en l'homme et devient ainsi le promoteur de l'empirisme[9]. Après lui, l'évêque anglican irlandais, George Berkeley (1685-1753) et surtout l'Écossais David Hume (1711-1776) enseignent que l'esprit du jeune enfant est une feuille blanche, une table rase ; et que son contenu, fait de sensations, d'images et d'idées, vient du monde extérieur à travers la perception des sens.

À partir de ces premiers énoncés, les empiristes esquissent la théorie de l'associationnisme. En effet, Locke lui-même, lors de la quatrième édition de son *Essay* en 1700, y ajoute un chapitre sur l'association des idées. Considérées comme des unités de pensée exprimées par des mots, les idées s'associent sous l'influence de la contiguïté, de la ressemblance, de l'opposition. Ce que Locke avait commencé David Hartley (1705-1757) le reprend en 1749 et formule les lois qui sous-tendront cette théorie. À son tour, James Mill (1773-1836) prétend expliquer l'association des idées par une sorte de mécanique, tandis que son fils, John Stuart Mill (1806-1876) fera reposer le phénomène sur une chimie de l'esprit. Enfin un autre Écossais, Alexander Bain (1818-1903), fait le point sur cette tradition intellectuelle, recon-

---

9. L'empirisme a eu comme représentant en France, Étienne B. de Condillac (1715-1780) qui dans son *Essai sur l'origine des connaissances humaines* (1746) enseigne qu'il n'existe pas d'idées innées, mais que toute la vie psychique provient de l'expérience.

naît l'importance de la physiologie et se demande si la psychologie ne devrait pas être une science expérimentale.

Pendant que se développe en Angleterre, comme on vient de le voir, une théorie de la connaissance opposée à l'innéisme, les idées s'en vont dans une autre direction en Allemagne. Quelques philosophes, qu'on a surnommés les rationalistes ou les idéalistes allemands, prônent un système selon lequel l'esprit joue, au-delà de l'expérience sensible, un rôle très important dans l'acquisition des idées. W.G. Leibniz (1646-1716), philosophe et mathématicien, bien que contemporain et ami de John Lock avec qui il correspondait, ne fut cependant jamais capable d'accepter les idées de son ami concernant l'origine de la connaissance. Il oriente sa pensée vers un rationalisme spirituel (ou intellectuel, comme certains le nomment). Pour lui, contrairement à la position des Anglais, l'âme n'est pas une table rase, *in qua nihil scriptum* (sur laquelle rien n'est écrit), ni une cire molle qui se prête à tous les hasards de l'expérience ; mais, en contrepartie, « l'âme humaine est capable de construire par ses propres forces un système cohérent de la réalité » (Mueller, 1960, p. 244). Cette théorie, qui détermine a priori les conditions selon lesquelles l'esprit humain peut se représenter le réel, est propagée avec application par l'enseignement et les écrits d'un philosophe nommé J. Christian Wolff (1679-1754). Puis, Emmanuel Kant, même s'il nuance les positions de Leibniz et Wolff, finit par prendre position lui aussi, après Platon et Descartes, pour l'idéalisme et enseigne que la connaissance en définitive dérive de principes innés qui constituent la structure même de l'esprit.

Ces quelques paragraphes concernant l'évolution des idées sur ce problème seraient vraiment trop brefs, s'ils n'avaient pour but d'introduire l'un des dilemmes majeurs de la psychologie. D'Aristote aux empiristes anglais, de Platon aux idéalistes allemands, non seulement les positions ont peu évolué, mais on ignore presque tout de la manière dont l'être humain acquiert la connaissance. Le fait d'aborder le problème par une voie nouvelle fournira peut-être un meilleur éclairage.

La naissance de la psychologie, science expérimentale

Les discussions philosophiques qui précèdent nous ont menés au début du XIXe siècle, sans que la psychologie ait encore émergé comme science de plein droit. En effet, en 1830, Auguste Comte (1798-1857), philosophe français, procède à une classification linéaire des sciences et la psychologie n'y figure pas encore. Jusqu'en 1850, c'est une vérité généralement admise que l'esprit est de par sa nature même un sujet qui relève de la philosophie ; il est hors de propos qu'un tel sujet d'étude puisse être l'objet d'observations et surtout d'expériences concrètes. « C'est en 1879 qu'eut lieu l'entrée en scène de la psychologie en tant que science indépendante » (Munn, 1970, p. 13). 1879 est en effet l'année, où pour la première fois, un laboratoire de psychologie expérimentale est ouvert en Allemagne ; mais rien de ce qu'on appelle « premier » n'est jamais véritablement premier. Il n'y a pas de génération spontanée, surtout dans un domaine aussi complexe. Sans doute, même si Wilhelm Wundt joue un rôle décisif, cet événement ne se serait jamais produit sans l'influence prépondérante dans le domaine de la pensée de trois courants principaux, dont deux sont contemporains du XIXᵉ siècle. Ces courants de pensée chargés de notions nouvelles entraînèrent un changement radical de perspective au sujet du phénomène de la connaissance.

Un premier mouvement vers un certain changement naît des idées émises par les empiristes anglais entre 1600 et 1850. Il s'agit bien d'une doctrine, comme on a pu le constater, sans laquelle il eût été difficile pour un philosophe de concevoir que la psychologie puisse être une science expérimentale. Néanmoins, même au moment où on enseignait que toute connaissance passe par les sens, on n'avait pas imaginé que la psychologie pût relever de méthodes expérimentales. Seul, Alexander Bain, issu d'une classe pauvre d'Aberdeen, qui n'eut jamais le rayonnement de Descartes, de Locke ou de Hume, mais qui représente, selon Boring, le point culminant de l'empirisme et de l'associationnisme en Angleterre, entrevoit (1855) la possibilité qu'une psychologie physiologique puisse exister [10]. D'ailleurs, certaines œuvres de ce psychologue et philosophe écossais, qui influença les travaux de Taine sur l'intelligence, furent traduites en français, en allemand et en espagnol. Il est assez reconnu aujourd'hui que Wundt était bien au fait des idées des empiristes anglais et en particulier de celles d'Alexander Bain au moment de fonder son laboratoire.

La deuxième tendance annonciatrice de l'évolution des sciences de l'homme est concrétisée par l'avènement de la physiologie en France et en Allemagne. Au début du XIXᵉ siècle, les grands systèmes rationnels provoquent une certaine lassitude et cèdent la place aux sciences de la nature. Du point de vue de l'évolution adaptative, Lamarck

---

10. Alexander Bain publie en 1855 un ouvrage intitulé *Les sens et l'intelligence* qui influence les travaux de Taine.

(1744-1829) et surtout Darwin (1809-1882) émettent leurs hypothèses qui réduisent le fossé entre l'homme et l'animal au point de ne laisser entre eux qu'une différence de degré. C'est aussi l'époque du positivisme de Taine (1828-1893), de la rédaction de *L'Avenir de la science* par Renan (1848) publié quarante-deux ans plus tard, soit en 1890. La physiologie, science des fonctions du corps en état de santé bien distincte de la pathologie, sort à peine des perspectives mécanistes et vitalistes du XVIIIe siècle. Elle acquiert son autonomie grâce aux techniques physico-chimiques et à de nouveaux instruments de recherche, comme le microscope, le kymographe et en particulier le galvanomètre qu'Ampère (1775-1836) vient d'inventer. Du Bois-Reymond (1818-1896) se sert de ce nouvel appareil dès 1848 et 1849 et découvre la présence d'une activité électrique le long de la fibre nerveuse des animaux. Quelques années auparavant, vers 1830, l'Anglais Bell (1774-1842) et le Français Magendie (1783-1855), tous les deux spécialistes de la physiologie, font presque en même temps la découverte de la double conduction du réseau sensitif (racines dorsales) et du réseau moteur (racines ventrales) des grandes voies rachidiennes. Pendant ce temps en Allemagne, Joannes Müller (1801-1858) constate la spécificité des énergies nerveuses et von Helmholtz (1821-1894), physicien et physiologiste remarquable par le poids et la qualité de ses travaux, entreprend des expériences dans le but de montrer comment l'œil, l'oreille et le sens du toucher réagissent respectivement à la stimulation de la lumière, du son et des objets en contact avec la peau. Il procède à ses expériences sur des sujets humains qui font rapport de ce qu'ils ont éprouvé. Pierre-Paul Broca (1824-1888), chirurgien et anthropologue, pousse la recherche jusqu'à la localisation des centres cérébraux de la parole par l'étude de l'aphasie consécutive à des lésions. De son côté, Claude Bernard (1813-1878), disciple de Magendie qui lui apprit l'expérimentation physiologique et l'art de se méfier des doctrines trop généralement admises, pose à travers de nombreuses découvertes les bases de l'endocrinologie et publie (1865) son fameux ouvrage *Introduction à l'étude de la médecine expérimentale*[11].

Pendant que progresse la recherche dans le domaine des fonctions vitales, l'intérêt des salons est un moment distrait par une approche jugée quelque peu bizarre. Prônée par F.J. Gall et G. Spurzheim, la phrénologie enseigne que les aptitudes et les traits de la personnalité

---

11. Jean Rostand, biologiste français de renommée internationale, fit l'éloge en 1969 des travaux de Claude Bernard lors d'une émission du programme « Le sel de la semaine » à Radio-Canada.

peuvent être révélés par les contours et les excroissances du cerveau transmis à l'extérieur du crâne par la conformation et les protubérances, bosses et cavités, externes. La phrénologie prétendait par des mesures et une étude attentive déterminer le profil de la personnalité morale d'un individu. Même si ce courant dura le temps d'une mode, il porte à croire que le corps et l'esprit tendent à se rapprocher.

Une troisième tendance à l'origine d'idées nouvelles se manifeste par le développement d'un domaine de recherche auquel on a donné le nom de psychophysique. Ce sujet, certes complexe, demanderait d'être traité longuement par celui qui voudrait en faire un exposé adéquat. Le but poursuivi ici n'est que de montrer l'influence de cette démarche nouvelle. Jusqu'ici les études sur les phénomènes physiologiques, en dépit des progrès réalisés, concernant en premier lieu les organes des sens ainsi que leur fonctionnement, demeurent loin de la conscience ; mais il semble que l'impossible va se produire. En 1834, E.H. Weber (1795-1878), à la suite d'expériences très précises sur la sensation du toucher et de l'ouie, trouve un rapport constant entre l'intensité de l'excitant initial et la variation minimale qu'il faut lui faire subir pour que la différence soit sentie (seuil de Weber). On pénètre ainsi le monde interne de la sensation et celui de la perception consciente. Un autre Allemand, dont la recherche expérimentale est au service de ses convictions religieuses et philosophiques, Gustav. T. Fechner (1801-1887), ouvre un domaine nouveau de recherche dans un ouvrage (1860) intitulé *Éléments de psychophysique*. « Il est difficile d'imaginer, dit Boring (1957, p. 283), comment la nouvelle science, la psychologie, aurait pu progresser, comme elle le fit sans ce livre. » Fechner expose les relations de dépendance (ou relations fonctionnelles) entre le corps et l'esprit. En d'autres termes, la psychophysique tente d'établir des rapports exacts entre les caractéristiques physiques de la stimulation d'une part, et les sensations qui en résultent recueillies par les réponses conscientes des sujets d'autre part. Appuyé sur une sérieuse formation en mathématiques, Fechner s'acharne à la suite de son expérimentation à trouver une corrélation significative entre des mesures d'intensité du stimulus et de la sensation[12]. Lorsqu'on considère de tels travaux, le domaine dans lequel ils se situent, leur rigueur scientifique et la méthode utilisée, il est difficile de ne pas constater qu'ils constituent une base, sinon le tremplin de l'évolution des sciences de l'homme.

---

12. Selon Fechner, l'intensité de la sensation est proportionnelle au logarithme de l'intensité du stimulus qu'il transcrit par la formule S=K log. I, dans laquelle le S représente l'intensité du stimulus et I l'intensité de la sensation, K étant une constante.

On peut l'affirmer, l'empirisme anglais, le développement de la physiologie et l'avènement de la psychophysique auront aidé la psychologie à franchir le seuil du laboratoire. Mais elle le fit en réalité grâce à l'œuvre d'un médecin et homme de science allemand. Né le 16 août 1832, dans le village de Neckarau, près de Mannheim, Wilhelm Wundt, le premier à porter le nom de psychologue, est fils d'un pasteur luthérien. Garçon excessivement studieux, il manifeste du goût pour les sciences naturelles, mais étudie la médecine pour gagner sa vie. Malgré un solide entraînement à la pratique de la médecine reçu à Heidelberg, son intérêt l'oriente rapidement vers la recherche en physiologie. Au printemps de 1856, il a l'avantage de travailler un semestre à l'Institut de physiologie de Berlin, avec Joannes Müller et Emil du Bois-Reymond, alors autorités mondiales en physiologie. Leur influence sur lui est prépondérante. C'est aussi l'année où il obtient son doctorat et commence à enseigner. Wundt a déjà publié quelques articles, mais la recherche que cet esprit attiré par les idées générales poursuit sur le système nerveux le conduit à esquisser son propre système de physiologie. En 1858, il termine la rédaction d'une première section d'un essai sur la théorie de la perception qui paraîtra dans sa forme finale à l'hiver 1862. Déjà Wundt imagine la perception comme une réalité dont le substrat se situe au niveau des organes des sens, mais qui atteint les régions supérieures de l'être, bref comme un processus dont le déroulement demeure aussi psychique que physiologique. Déjà il utilise régulièrement des expressions comme «psychologie expérimentale» et «psychologie physiologique» et cela parfois même dans les titres de ses travaux.

Wundt enseigne de 1857 à 1874 à l'Université d'Heidelberg; il passe un an à Zurich (1874-75), puis il est invité à enseigner la philosophie à l'Université de Leipzig. Il est assez étonnant de voir accepter une chaire de philosophie par un médecin, spécialisé en physiologie, qui travaille sur des phénomènes de perception et sur la mesure des temps de réaction à la suite des travaux exécutés par von Helmholtz, Weber et Fechner. L'invitation est significative: elle ramène la psychologie au domaine auquel elle a appartenu dans le passé et à celui auquel on croit qu'elle doit appartenir encore, la philosophie.

Travailleur acharné, Wundt s'efforce de bâtir une science qui repose sur les faits; or les faits ont besoin d'être vérifiés, expérimentés, mesurés. Mais il n'imagine pas à cette époque que la méthode expérimentale puisse répondre au tout de la psychologie. Il croit nécessaire d'y joindre l'introspection, considérée elle aussi comme fondamentale pour la recherche, une introspection qui conduit à une analyse des éléments de la conscience.

Wundt partage les manières de voir des empiristes anglais et enseigne que les sensations sont des éléments de perception, des grains de conscience, qui s'unissent et se tissent par association, sans admettre toutefois que ce sensationnisme et cet associationnisme puissent définir une image adéquate de l'esprit. Parallèlement il poursuit, en philosophie, des recherches ponctuées par trois grands ouvrages : *Logique* (deux volumes en 1880 et 1883), *Éthique* (1886) et *Système de philosophie* (1889). «Wundt est conduit, dit Müeller (1960, p. 356), à une forme de métaphysique aux articulations peu nettes, qui témoignent plutôt de l'alanguissement de la philosophie dans le pays qui a produit Kant et Hegel. »

Quatre ans après son arrivée à Leipzig, ce titulaire d'une chaire de philosophie fonde en 1879 un laboratoire de psychologie expérimentale, «afin de former ceux de ses étudiants, particulièrement intéressés en psychologie et dans les techniques permettant de mener leurs propres recherches expérimentales en psychophysique » [13].

C'est un institut, au sens allemand du mot, qui s'installe dans une maison de plusieurs pièces et regroupe bon nombre d'étudiants allemands et étrangers attirés par cette nouvelle orientation. Il y règne un climat de recherche et un esprit de famille dont un bon nombre d'Américains parmi lesquels G.S. Hall (1844-1924), J.M. Cattell (1860-1944) [14], J.R. Angell (1869-1949), E.B. Titchener (1867-1927) [15], E.W. Scripture (1864-1945) et G.M. Stratton (1865-1957) rappelleront le souvenir.

En 1881, la recherche va déjà bon train et Wundt fonde la revue *Études philosophiques* dans laquelle les résultats d'expériences côtoient les articles à teneur vraiment philosophique. De brillants élèves d'Allemagne et d'ailleurs continuent d'affluer à Leipzig. Plusieurs d'entre eux

---

13. Cet objectif visé par W. Wundt apparaît dans une requête qu'il adressait au « ministère royal d'Éducation de Saxe, le 24 mars 1879 », dans le but d'obtenir un budget régulier pour l'établissement et le support d'une collection d'appareils de psychophysique (Bringmann, 1980, p. 141).

14. En 1883, peu de temps après son arrivée à l'Institut de Leipzig, James M. Cattell se présente à Wundt et lui dit avec une liberté tout américaine : « *Herr Professor,* vous avez besoin d'un assistant, moi, Cattell, je serai votre assistant. » C'est ainsi que Wundt obtient son premier assistant de recherche.

15. Titchener est né à Chichester, en Angleterre.

laisseront leur nom dans les annales de la psychologie : E. Kraepelin (1856-1926), A. Lehmann (1858-1921), O. Külpe (1862-1915), E. Meumann (1862-1915), A. Kirschmann (1860-1932), F. Krueger (1874-1948), C.E. Spearman (1863-1945) et B. Bourdon (1860-1943) ; entre autres, B. Bourdon fonde à l'Université de Rennes en 1896 le deuxième laboratoire [16] de psychologie expérimentale sur le sol de France.

On verra Wundt demeurer fort activement au travail jusqu'à sa mort survenue en 1920 alors qu'il avait atteint 88 ans. Il n'est peut-être pas inutile de noter que, malgré ses intuitions heureuses, Wundt a confiné ses observations à la sensation et à la perception et qu'il appartiendra à un autre Allemand, Ebbinghaus (1885), d'étudier l'apprentissage proprement dit. Serait-ce que sans la perception, l'apprentissage n'est pas possible ?

Wundt n'a peut-être pas sur le plan de la théorie l'ampleur d'un Fechner, d'un Helmholtz ou d'un Müller. Empiriste et associationniste, il recueille les travaux des physiologistes de son temps et travaille toute sa vie à faire la somme des connaissances acquises aux confins de la philosophie, de la psychologie et de la physiologie. Il contribue à réduire l'écartèlement dans lequel Descartes avait laissé la matière et l'esprit et revient à une conception animiste parente de celle d'Aristote : « ... la corrélation absolue entre le physique et le psychique suggère l'hypothèse suivante : ce que nous appelons âme est l'être interne de la même unité, unité que nous envisageons extérieurement comme étant le corps qui lui appartient » (Wundt, 1886, p. 526). Il n'est donc pas exact, semble-t-il, de faire de Wundt un dualiste cartésien fidèle à un certain type de tradition chrétienne, comme l'affirme Gylbert Ryle (1949, p. 16). Certes, il rejette aussi le matérialisme auquel fera écho Pierre Cabanis (1824, vol. III, p. 159). Ce dernier considère le cerveau comme un organe spécifique particulièrement bien équipé pour sécréter la pensée comme le foie sécrète la bile.

> Il y a entre ces deux phénomènes, écrit Wundt, une différence très importante. Il est possible de démontrer de quelle manière le foie produit la bile par des processus chimiques qu'on peut suivre dans une certaine mesure étape par étape... Mais pour en venir à expliquer de quelle manière la pensée arrive à l'existence, les processus mentaux ne nous

---

16. En France, le premier laboratoire de psychologie physiologique aurait été fondé en 1889 conjointement par Alfred Binet (1857-1911) et Henri Beaunis (1830-1921). Il fut rattaché à l'École pratique des Hautes Études de Paris.

fournissent absolument rien où s'accrocher. Nous ne sommes pas en état de déterminer si au-delà des activités du cerveau, il n'existe pas d'autres conditions présentes» (Wundt, 1863, p. 17).

Le nom de Wundt demeure rattaché à bon droit à la fondation du premier laboratoire de psychologie plus qu'aux résultats de ses recherches et, en raison de ceci peut-être, à la reconnaissance de la psychologie comme science expérimentale. Son mérite est immense. Grâce à lui, la psychologie est née, mais il demeure paradoxal que le premier laboratoire de psychologie se développe comme une annexe d'une chaire de philosophie : le fait indique bien que les liens de la fille à la mère ne sont pas encore tous rompus.

On peut assez naïvement croire qu'après 1879 la psychologie a acquis tous ses titres et son autonomie. Pourtant, pendant plusieurs années encore on la verra grandir tranquillement dans l'antichambre des facultés de philosophie, même si sa méthode doit être désormais celle des sciences expérimentales. Beaucoup de chercheurs conservent une tendance à conceptualiser, à chercher des appuis idéologiques, à stagner dans l'abstraction plutôt que d'avancer dans la réalité concrète. «Observer est moins facile que raisonner» (Carrell, 1950, p. 9). C'est pourquoi l'humanité s'est toujours plu à jouer avec les abstractions, bien que les vues de l'esprit donnent souvent une vision incomplète et parfois totalement fausse de la réalité. Certes, il ne s'agit pas de rejeter la déduction et la démarche générale de la philosophie comme méthode valable de connaissance. Mais trop d'hommes de science font des deux méthodes une sorte de mélange hybride, aussi funeste à une discipline qu'à l'autre. Une science expérimentale, rappelons-le, n'a pas à définir l'homme par le genre et la différence, ni à s'occuper des essences et des natures. Elle ne commence pas par considérer les définitions et les concepts, mais elle part de l'observation des faits. Voilà pourquoi des mots comme l'âme, la vie, l'intelligence y sont à peu près inutilisables, si on leur prête un sens tiré de la philosophie. L'homme de science ne définit pas la vie, il la décrit. Il ne définit pas l'intelligence, il la mesure. «L'intelligence, c'est ce que mon test mesure», disent Alfred Binet et Paul l'Archevêque [17]. Lorsque ces vocables apparaissent dans des textes à caractère scientifique, on les emploie selon le sens commun, soit pour nommer un groupe de phénomènes, soit pour référer au plan de la quantité. Selon cette dernière perspective, il n'y a pas plus

---

17. Paul l'Archevêque (1910-1977), professeur à l'Université Laval, est l'auteur d'un test d'intelligence qui a été utilisé dans un bon nombre d'institutions au Québec.

d'inconvénients à discourir sur l'intelligence du singe, du rat ou de la machine que sur l'intelligence de l'homme.

Ceci ne veut pas dire que le raisonnement n'a pas sa place dans les sciences, où l'induction occupe au départ plus de place que la déduction. La psychologie, comme les autres sciences expérimentales, ne part pas d'une quelconque théorie, mais de l'observation et de l'expérience pour arriver à la théorie. Jean Piaget a commencé par observer les enfants avant d'élaborer son système. Si plusieurs hommes de science ont tant de difficultés à progresser avec exactitude dans la possession de la vérité, c'est dû au fait que, sans s'en douter, ils mélangent deux démarches de l'esprit, ignorent l'existence de concepts opérationnels, confondent une interprétation philosophique de la vie avec les données des sciences de la nature.

C'est pour des raisons semblables et aussi parce que la psychologie est née dans une culture où il allait pratiquement de soi de distinguer en l'homme deux principes *autonomes*, qu'elle sera enveloppée dans les langes de la philosophie, et qu'elle demeurera pendant les cinquante années à venir une science de l'esprit avant de devenir celle du comportement. Quoi qu'il en soit, depuis Wundt le point de vue et le vocabulaire ont changé ; c'est davantage à l'aide d'une méthode et de techniques nouvelles que nous nous demanderons d'où nous viennent nos connaissances.

Une ère nouvelle : de la connaissance à l'apprentissage

Par son entrée au laboratoire en 1879, la psychologie prend place au sein des sciences expérimentales. Désormais, sur le plan théorique comme sur celui de la recherche, l'orientation, l'esprit et les méthodes évolueront peu à peu. La psychologie développe de nouveaux concepts qui diffèrent progressivement des concepts inhérents aux deux disciplines qui lui ont donné naissance, la philosophie et la physiologie. L'une de ces nouveautés nous amène à constater que tout le domaine de l'apprentissage provient de deux traditions : la première analyse la connaissance et tente d'en déterminer la valeur ; elle appartient à la métaphysique et se nomme l'épistémologie ou la critique de la connaissance. La seconde tradition trouve sa source tant en physiologie qu'en philosophie ; elle cherche la nature et le contenu de l'esprit par l'étude des sensations, des images et des idées ; cette seconde tradition issue d'une double démarche entraîne le psychologue vers le concept de réflexe et a donné à la recherche en psychologie une extension imprévisible à la fin du XIXᵉ siècle.

En raison de cette métamorphose de la psychologie, on voit les termes *apprendre* et *apprentissage* s'inscrire dans le sillon de *connaître* et *connaissance*. Ebbinghaus (1850-1909), ce génie original et isolé, sans tâche académique, sans aide et sans laboratoire, semble bien celui qui fait basculer le terme connaissance pour lui substituer celui d'apprentissage. Durant cinq ans, il poursuit une série d'expériences ; elles consistent à étudier les processus d'association décrits par les empiristes anglais en utilisant les procédés des sciences de la nature, afin de mesurer avec précision et objectivité les phénomènes de rétention. En dépit du fait que Wundt ait déclaré les études sur la mémoire et l'apprentissage complètement infructueuses, Ebbinghaus (1885) s'applique à apprendre, lui-même, une série de syllabes (comme muk, yok, ref, zag, etc.) dépourvues de signification, puis des textes (des stances du *Don Juan* de Byron). Il constate qu'il lui faut un temps neuf fois plus long pour mémoriser des syllabes sans signification que des textes poétiques. Il établit par la suite des courbes sur l'oubli et contribue ainsi à définir des variables propres au phénomène de mémorisation. En plus de rompre avec la méthode de l'introspection à l'honneur à Leipzig et de faire la preuve de la possibilité d'atteindre les niveaux supérieurs du comportement humain par les méthodes expérimentales, il ouvre à la recherche un champ nouveau, celui de l'apprentissage. Ce terme ne possède pas encore l'extension qu'acquerra celui de *learning* au moment du développement du behaviorisme américain, mais l'apprentissage devient objet de science.

Ces remarques jointes à celles que nous avons faites concernant les démarches différentes de la psychologie expérimentale et de la philosophie, quant à leurs modes spécifiques de définition, posent la question de savoir lequel il nous faudra adopter pour les fins de la présente étude. Ayant envisagé un développement à caractère historique, il nous avait semblé convenable de privilégier un mode de définition qui suit pas à pas son évolution dans le temps, à mesure que les idées progressent et se précisent avec le développement de la recherche. Ainsi, à titre d'exemple, on sait qu'au tournant des années 1880 la psychologie n'est plus la science de l'âme, ni celle de l'esprit comme au temps de Descartes, elle est devenue la science de la conscience, avant de se définir, quarante ans plus tard, comme la science du comportement. Comme, par ailleurs, le texte présent poursuit un but didactique, la méthode d'exposition trop rigoureusement historique pourrait entraîner quelque incompréhension et ambiguïté ; c'est pourquoi, nous nous appliquerons à définir ou à décrire un à un les concepts nouveaux de la science expérimentale, quitte à fournir en son lieu, si nécessité il y a, les distinctions commandées par l'époque. Ainsi, le moment venu d'exposer la théorie de Skinner, il nous semblera opportun de montrer l'influence de l'empirisme logique sur le développement du behaviorisme, afin de mieux faire comprendre l'esprit de ce mouvement et l'orientation qu'il imprime à la manière de définir propre aux milieux nord-américains à partir de 1940.

Pour l'instant, à la suite des expériences d'Ebbinghaus, l'apprentissage apparaît comme un phénomène d'association ; puis au tournant du siècle quinze ans plus tard, il se définit en termes de conditionnement, avant de devenir avec la naissance du behaviorisme la modification d'un comportement.

« Chacun de nous peut déduire qu'une définition satisfaisante ne surgit que de théories elles aussi satisfaisantes des phénomènes mis en cause. L'apprentissage est l'un de ces concepts ouverts un peu flous qui incluent plusieurs sous-types » (Hilgard et Bower, 1981, p. 11). Mais tous les chercheurs qui expérimentent chez les animaux autant que chez les êtres humains doivent délimiter leur champ d'investigation au moyen d'une définition utile, la *working definition* des auteurs américains. Celle qui est assez généralement acceptée depuis vingt ans fait référence aux changements qu'on peut constater dans un comportement observable. Elle nous est suggérée par Kimble (1961, p. 6). Il définit l'apprentissage comme un changement relativement permanent dans la capacité de se comporter, changement qui apparaît comme le résultat d'exercices (ou essais) suivis de renforcement[18]. Cette définition peut fournir un excellent cadre de référence à des discussions ultérieures. Mais pour populaire qu'elle soit dans plusieurs milieux, elle ne tarde pas à devenir l'objet de certaines critiques : elle fait trop appel à des phénomènes internes. L'apprentissage n'est rien d'autre que la modification d'un comportement observable, disent les uns ; quelle est la valeur de ce « relativement permanent », demandent les autres ? Enfin avec Robert Gagné, on peut poser la question, comment un être humain passe-t-il de l'état de dépendance totale du nouveau-né à l'état adulte merveilleusement adapté à une société complexe ?

Une partie de la réponse, dit-il, repose certes sur la compréhension des procédés de croissance et de développement, caractéristiques partagées

---

18. Le texte original de la définition de Kimble est le suivant : « Learning is a relatively permanent change in behavioral potentiality that occurs as a result of reinforced practice ».

par tout ce qui vit. L'autre partie, reliée à l'ensemble des circonstances de la vie d'un individu, est l'apprentissage... Les facteurs qui influencent la croissance sont dans une très large mesure déterminés par la génétique, alors que les facteurs qui influencent l'apprentissage sont déterminés principalement par les événements qui se passent dans l'environnement durant la vie d'un individu (1965, p. 1).

Mais même avec ces précisions, la discussion demeure ouverte.

Les objections exposées ici, jointes à certaines autres concernant la sensibilisation et l'habituation, amènent Hilgard et Bower dans la cinquième édition de leur grand ouvrage[19] à reformuler leur définition dans les termes suivants : L'apprentissage fait référence au changement dans le comportement d'un sujet ou à un comportement en puissance lors d'une situation donnée, causés par les expériences répétées d'un sujet dans cette situation, pourvu que le changement de comportement ne puisse s'expliquer par des tendances natives à la réponse, par la maturation ou des états temporaires (tels que la fatigue, l'ivresse, le drive[20], etc. (1981, p. 11).

Cette définition exclut les processus de croissance, aussi bien que les états occasionnels du sujet, comme faisant partie de l'apprentissage. Cependant dans le concret, la recherche tente de définir dans quelle mesure le développement sous différents aspects dépend de facteurs de croissance ou de facteurs d'apprentissage et dans quelle mesure ils interagissent les uns sur les autres. Une question aussi importante pose le problème de la préparation à l'apprentissage, ce que les auteurs américains nomment le *readiness*. Ils le définissent « 1° une préparation à réagir ou à répondre ; 2° un niveau de dévelop-

---

19. Hilgard et Bower définissent l'apprentissage en anglais dans les termes suivants : « Learning refers to the change in a subject's behavior or behavior potential to a given situation brought about by the subject's repeated experiences in that situation, provided that the behavior change cannot be explained on the basis of the subject's native response tendencies, maturation, or temporary states (such as fatigue, drunkenness, drives, and so on) ». Les expressions *potential behavior* ou *behavioral potentiality* font référence à l'habileté que possèdent des personnes à exécuter certaines actions, bien que ces actions peuvent bien ne pas être exécutées à un moment donné. Il existe des théoriciens qui n'aiment pas voir de telles expressions dans la définition de l'apprentissage.

20. Le mot *drive* au sens où l'utilisent des psychologues américains ne peut se traduire par les termes *conduite* ou *besoin*. Il apparaît souvent sous sa forme anglaise dans des textes en français. On définit le *drive* par une tendance à se comporter de manière à corriger un besoin organique ; d'autre part, le besoin est un état qui manifeste une privation ou un excès (Woodworth et Schlosberg, 1965, p. 657).

pement vers la maturité qui rend les exercices profitables. Ainsi les experts en lecture considèrent qu'un enfant doit être arrivé à six ans d'âge mental pour profiter des leçons de lecture» (Chaplin, 1978, p. 442). Ce concept de « préparation à l'apprentissage» est lié aux phénomènes d'attention, de motivation, d'attitude mentale (*set*), de niveau de maturation, d'effets cumulatifs d'apprentissage et même de transfert d'apprentissage. Cette simple énumération nous permet d'entrevoir les difficultés que soulève cette question. Thorndike (1913), Gesell (1928), McClelland, Atkinson, Clark et Lowel (1953), Postman (1964), Hebb (1966), Ausubel, Stager et Gaite (1968), Skinner (1968), Gagné et Bolles (1959), Bolles (1972), et plusieurs autres parmi lesquels le généticien Jean Piaget se situe en tête de liste, sont ceux qui ont abordé par un aspect ou un autre ce phénomène de l'apprentissage en fonction de la préparation. Il va sans dire que tous les problèmes que pose cette question ne sont pas résolus, qu'ils se font de plus en plus complexes à mesure que nous atteignons les niveaux supérieurs de la hiérarchie des comportements et enfin, que les solutions ont tendance à prendre la teinte de théories sous-jacentes, comme nous pourrons nous en rendre compte en analysant les interprétations diverses que l'on donne au phénomène de l'apprentissage.

Il aura fallu au-delà de deux mille ans à la philosophie pour donner naissance à la psychologie de l'apprentissage. C'est pourquoi Morrison constate avec justesse que la longue suite des théories sur la connaissance qui se sont succédé à travers les siècles aboutissent à « la notion selon laquelle l'apprentissage est en devenir» (1935, p. 38).

L'acte d'apprendre, l'un des sujets de recherche préférés de plusieurs générations de psychologues américains, prend désormais place au centre des préoccupations des expérimentateurs. Dans le contexte nouveau, apprendre signifie non seulement acquérir des idées abstraites, des attitudes, des actions spécifiques, des modes d'être, des schèmes d'opération, mais bref tout ce qui peut être acquis par un organisme vivant. Le vieux problème philosophique aboutit à la question de savoir maintenant qu'est-ce qui chez l'homme est fourni par l'hérédité – apport de l'inné – et qu'est-ce qui chez lui est appris ou acquis par l'environnement – apport du milieu.

Jusqu'ici et quels que soient les termes utilisés pour poser ce problème, nous sommes en face de deux grandes traditions de pensée que nous avons voulu rendre explicites par cette introduction et qui ont avantage à être représentées d'une manière schématique (Figure 1).

FIGURE 1
Deux traditions

Le courant innéiste	Le courant empiriste
Platon	Aristote
Le néo-platonisme	
Plotin	
Augustin	Thomas d'Aquin
	Les scholastiques
Descartes	
Les idéalistes allemands	**Les empiristes anglais**
Leibniz	Locke
Wolff	Berkeley
Kant	Bain
	Etc.

D'un côté, nous reconnaissons ceux qui, comme Platon, enseignent que la connaissance dérive d'idées et de principes innés qui constituent la structure même de l'esprit ; de l'autre, Aristote et tous ceux qui prétendent que la connaissance nous vient du monde extérieur ou du milieu par l'intermédiaire des sens.

À partir du moment où les problèmes sont posés en psychologie expérimentale avec des méthodes nouvelles et une plus grande rigueur dans l'expérimentation, on assiste à une floraison de théories, d'écoles, d'approches et de modèles qui semblent s'orienter dans toutes les directions au point qu'il est assez difficile de s'y reconnaître. Tout étudiant soucieux de comprendre l'apprentissage et les lois qui le régissent peut avec raison s'y perdre. Comment voir clair, en effet, à travers des points de vue opposés, également plausibles grâce aux explications intelligentes d'hommes de bonne volonté ? Pour atténuer cette difficulté et tenter d'établir une certaine cohérence, nous avons, autant que s'y prête une démarche historique, groupé les diverses théories selon certaines traditions intellectuelles. Après la fondation du premier laboratoire tout comme durant les siècles antérieurs, *mutatis mutandis*, on observe une même dichotomie. Elle nous permet de diviser les écoles de pensée en deux grandes familles où se retrouve, sous diverses formes de 1879 à aujourd'hui, la grande controverse historique de la philosophie sur l'origine de la connaissance.

Subissant l'influence des empiristes anglais, responsables d'un développement qui a pour thème l'association, une première famille offre une séquence d'approches qui aboutit au behaviorisme. Faute d'un terme plus précis, nous les nommons les « théories associationnistes ». On peut les définir un ensemble de théories dont les principes reposent soit sur une relation fonctionnelle entre deux phénomènes psychologiques établie par l'expérience, soit sur un lien entre les idées.

Quant à une seconde famille identifiée par l'expression « théories cognitives », elle s'inspire d'une tradition de pensée issue de Descartes, Kant et Leibniz ; elle cherche à expliquer comment fonctionne l'intelligence humaine ; elle étudie l'ensemble des mécanismes à la base de l'acquisition, de l'organisation et de l'utilisation de la connaissance prise au sens large. L'adjectif « cognitif » accolé au mot théorie traduit le concept *cognition* des auteurs anglais, concept qui graduellement en vient à englober toutes les formes de connaissance. Il recouvre en psychologie une conception de la nature humaine, différente de celle que préconise le behaviorisme, comme nous le verrons plus loin.

Pour l'instant, retenons que les théories associationnistes, la plu part de type « stimulus-réponse », mettent l'accent sur les conséquences de la réponse et évitent le recours à des concepts qui expliqueraient le comportement par des processus d'ordre mental, alors que les théories cognitives s'attardent à étudier les mécanismes internes qui sont responsables de l'apprentissage et de la connaissance.

En définitive, c'est peut-être ici que se situe, comme on pourra s'en rendre compte au cours des descriptions théoriques qui suivent, l'orientation fondamentale qui les distingue : les psychologues associationnistes ont tendance à donner des explications de l'apprentissage qui se confinent au comportement *externe* de l'être qui apprend, alors que les psychologues cognitivistes cherchent davantage à pénétrer les processus *internes* de l'organisme pour expliquer l'apprentissage.

PREMIÈRE PARTIE

Les théories associationnistes

I. Les antécédents du behaviorisme

CHAPITRE 1 Le conditionnement classique

L'une des caractéristiques remarquables de l'organisme animal, c'est la présence de récepteurs spécialisés capables de réagir aux agents physiques et chimiques de l'environnement et de déclencher des réactions appelées réflexes. Or, on sait que, « dans la deuxième moitié du XIXe siècle, le réflexe était universellement regardé par les physiologistes comme l'élément de composition de tout le mouvement animal » (Canguilhem, 1955, p. 3). C'est alors qu'en Russie trois hommes de science, I.M. Sechenov (1829-1905), I.P. Pavlov (1849-1936) et V.M. Bekhterev (1857-1927) s'astreignent à étudier le réflexe, effectuent sur des animaux des recherches extrêmement fructueuses et parviennent à des résultats intéressants qu'on croit applicables à l'être humain. Par ailleurs, depuis que Darwin, par sa théorie de l'évolution des espèces, a montré que la nature manifeste une grande continuité de l'animal à l'homme, on ne considère plus l'animal comme un pur automate. Les hommes de science sont heureux d'avoir de bonnes raisons de faire entrer le rat, le chat ou le pigeon au laboratoire, afin de contourner les difficultés par une simplification des situations et parvenir ainsi à des formes moins subtiles et insaisissables d'apprentissage. Nous pourrons le constater : le passage de l'animal à l'homme par l'utilisation du raisonnement par analogie comporte des dangers d'extrapolation inconsidérée, comme cela se produit trop souvent lors de l'élaboration des théories. Toutefois retenons que c'est là un sujet important et délicat sur lequel nous aurons à revenir, lors de la description des théories et surtout lors du commentaire que nous ferons de chacune d'elles. Il demeure cependant que l'animal semble toujours un sujet excellent en de multiples occasions pour des études poussées du réflexe en laboratoire.

LIENS DE LA PHYSIOLOGIE
ET DE LA PSYCHOLOGIE

Pour situer la question, rappelons que le mot réflexe[1] est emprunté à l'expression *motus reflexus* (en français, mouvement réflexe) tirée d'ouvrages en latin de la fin du Moyen Âge. Dès 1664, le physiologiste anglais, Thomas Willis (1621-1675), distingue la substance grise de la substance blanche et constate que les sens transportent des informations sensorielles vers les « esprits animaux », que ces derniers peuvent refluer (*refluere*) vers les muscles pour engendrer le mouvement. Puis vers 1730, un naturaliste anglais, S. Hales (1677-1761), fait la preuve qu'une grenouille décapitée peut encore réagir, si on lui pince la patte. Ce mouvement se produit aussi longtemps que la moelle épinière demeure saine. Ces expériences et celles que publie en 1739 et en 1742 von Haller en Allemagne permettent de dégager la notion de réflexe.

Au cours du XIXᵉ siècle, il est établi que le réflexe est un phénomène inconscient (Hall, 1833), que les grandes voies nerveuses sont de deux sortes : les voies afférentes de la sensibilité qui pénètrent dans la colonne vertébrale par la racine dorsale et les voies efférentes de la motricité qui sortent par la racine ventrale pour rejoindre les muscles (Bell, 1811 et Magendie, 1823), que ces différents réseaux nerveux transportent de l'énergie électrique (Galvani, 1791, Volta, 1800 et du Bois-Reymond, 1873). À son tour, von Helmholtz (1850) constate que ce courant électrique se propage beaucoup plus lentement que celui qui parcourt les métaux. Puis Bernstein (1866 et 1871) décrit cet influx comme une charge négative qui se promène à l'intérieur de la membrane. À l'époque, on regroupe ces phénomènes et on leur donne le nom de théorie de la conduction nerveuse sur la membrane (*membrane theory of nerve conduction*).

La connaissance du réflexe et du système nerveux est déjà développée au moment où celui que les Russes considèrent aujourd'hui chez eux comme le père de la physiologie, I.M. Sechenov, publie en 1863 le résultat de ses travaux. Dans cet ouvrage, symbole de la nouvelle *intelligentzia* en Russie tsariste, Sechenov expose, comme le souligne Frolov (1939),

---

1. Sur les origines de la notion de réflexe, il faut recommander l'ouvrage de F. Fearing, *Reflex action : a study in the history of physiological psychology*, paru en 1930.

des idées jugées matérialistes[2] et dangereuses par une partie de la classe distinguée qui ne passe pas son temps à une occupation aussi prosaïque que celle de disséquer des grenouilles. Dans la conclusion de son volume, Sechenov (1863) prédit que « au lieu de ces philosophes inspirés par la voix trompeuse de la conscience, la nouvelle psychologie aura comme base des faits concrets ou des points de départ qu'on pourra vérifier en tout temps par l'expérimentation. Seule la physiologie sera capable de procéder ainsi, parce qu'elle seule possède la clef qui conduit à une analyse vraiment scientifique des phénomènes psychiques ».

De la même manière qu'en Allemagne quinze ans plus tôt, en Russie la physiologie trace de nouveau la route à la psychologie et lui propose ses méthodes d'investigation. En effet, on a tendance à se faire de l'homme une image mécaniste et matérialiste, depuis que la preuve est faite que les circuits nerveux transportent de l'énergie électrique. Dans ce contexte, le système nerveux central apparaît comme un point de rencontre, une centrale téléphonique (*switching station*) de l'ensemble du corps humain, vue que semblent accréditer des techniques nouvelles de recherche. Ainsi en 1870, Fritsch et Hitzig mettent au point une méthode expérimentale qui consiste à stimuler certaines parties du cerveau. Ils découvrent ainsi certaines aires corticales responsables de réponses motrices[3]. Quelques années auparavant en 1861, le chirurgien Paul Broca, lors d'une autopsie pratiquée sur le cerveau d'un homme qui avait été atteint d'aphasie durant plusieurs années, découvre au cortex une importante lésion à la troisième circonvolution frontale de l'hémisphère gauche. Il nomme cette section le centre du langage qui deviendra par la suite l'aire de Broca. Wernicke (1874) saura reprendre et développer avec succès cette méthode clinique. Ce sont là quelques exemples d'approches expérimentales de nature à montrer comment la physiologie et la psychologie demeurent dès le départ interreliées. Les liens d'ailleurs n'ont jamais été vraiment rompus, comme nous aurons l'occasion de le montrer au chapitre sur les bases neurophysiologiques de l'apprentissage.

---

2. L'ouvrage publié en 1863 par Sechenov et intitulé *Réflexes du cerveau* est jugé séditieux. Le Comité de censure de Saint-Pétersbourg condamne le livre en 1866, en prohibe la vente et poursuit l'auteur en justice pour atteinte à la morale publique.

3. Walle Nauta et Michael Feirtag (1979, p. 105) écrivent au sujet des résultats obtenus par Fritsch et Hitzig: « Cette découverte qui constituait peut-être la première indication d'une répartition fonctionnelle à l'intérieur du cortex cérébral, suscita un puissant intérêt pour l'organisation des différentes régions du cerveau intervenant dans les fonctions effectrices et motrices. »

DÉCOUVERTE D'UN PHÉNOMÈNE

Pour l'instant nous pouvons remarquer que Pavlov, ce physiologiste russe, introduit à son tour avec bonheur une technique objective précise encore inconnue permettant de faire avancer nos connaissances en apprentissage. Né à Riazan le 27 septembre 1849, fils d'un prêtre orthodoxe, Ivan Petrovitch Pavlov est tôt attiré par les sciences ; il découvre entre autres l'ouvrage de Sechenov, *Les réflexes du cerveau* (1863), et le lit avec grand intérêt. Il a vingt ans ; il vient de quitter le séminaire orthodoxe et s'inscrit en 1870 à la Faculté des sciences naturelles de Saint-Pétersbourg où il étudie la médecine et la physiologie. Lorsqu'il aborde la recherche et que les résultats concrets se font attendre, Pavlov trouve normal que « la marche des sciences naturelles ininterrompue et irrésistible depuis Galilée marque pour la première fois un arrêt perceptible en présence du segment supérieur du cerveau, ou d'une manière plus générale, devant l'organe des relations les plus complexes de l'animal avec le monde extérieur » (1963, p. 5).

Pavlov ne tarde pas à constater lui-même, à la suite des travaux de ses prédécesseurs, qu'un certain nombre de montages dans les organismes sont innés[4], que leur fonctionnement est ferme et stable et que le plus souvent il se produit d'une manière automatique. Le doigt humain près duquel on approche une flamme se retire instantanément. La toux se déclenche si un corps étranger est introduit dans la trachée. Le rythme de la respiration augmente, si la quantité d'oxygène se raréfie dans un milieu. En réponse à une situation plus ou moins dommageable, l'organisme réagit par un acte moteur.

Par ailleurs, Pavlov se rend compte que les glandes digestives ne semblent pas se comporter d'une manière aussi mécanique. Certes l'estomac d'un chien se met à sécréter des sucs digestifs, si la viande touche la muqueuse gastrique. Mais pourquoi la simple vue de la viande produit-elle le même effet ? Des expériences similaires effectuées au niveau des glandes salivaires donnent les mêmes résultats. Pavlov

---

4. Le mot *inné* fait référence à tout ce qui est présent dans un individu à la naissance. On l'utilise fréquemment en opposition au terme *acquis*. Ceci n'implique pas nécessairement qu'un comportement se constitue sans les influences de l'environnement. Tout comportement est la résultante de l'interaction du bagage héréditaire avec l'action du milieu. Quant à la notion d'inné, nous aurons l'occasion de définir ce concept au moment d'exposer la théorie de la forme.

conclut avec raison[5] que des processus physiologiques peuvent se doubler de phénomènes psychiques[6], puisque le centre responsable de la salivation est situé dans le bulbe rachidien et que ce sont d'autres lobes du cortex qui reçoivent les sensations visuelles (Ferrier, 1876 et Munk, 1890) et auditives.

À ce niveau de recherche, « ne serait-il pas possible, se demande Pavlov, de trouver tel phénomène psychique élémentaire, pouvant en même temps être considéré comme un phénomène physiologique, et à partir de lui, en étudiant objectivement ses conditions d'apparition, d'évolution vers une complexité toujours plus grande, de disparition, d'obtenir d'abord le tableau physiologique objectif de toute activité supérieure des animaux… ? » (1955, p. 219).

Il entreprend son expérience connue sur les glandes salivaires, « organes qui ont apparemment, dit-il, un rôle physiologique très insignifiant ; je suis convaincu néanmoins qu'ils seront des éléments classiques dans cette investigation d'un nouveau genre » (Pavlov, 1928, p. 47). Ayant constaté, nous l'avons vu, qu'un chien salive au contact de la viande et même d'une manière anticipée à la simple vue de l'aliment, Pavlov prend l'habitude de faire sonner une cloche au moment même où il présente la viande au chien. Après avoir répété ce procédé une quinzaine de fois, il se rend compte que par la suite le chien salive au seul son de la cloche sans la présentation de la viande et qu'il peut saliver à des excitants du même genre présentés à distance ou à d'autres phénomènes accidentellement liés à ces derniers. Pavlov nomme ce phénomène « réflexe à distance » ou « réflexe signal », puis plus tard réflexe conditionné.

Si nous voulons aller plus loin et procéder à une représentation graphique du phénomène mis au jour par cette expérience, on peut considérer la nourriture comme étant le stimulus inconditionné ou SI et la salivation comme étant la réponse inconditionnée ou RI ; après

---

5. Bapkin, un biographe de Pavlov, souligne le fait ainsi : « Sans doute, Pavlov voyait juste quand il soutenait que les mécanismes du système nerveux participent à ce qu'on appelle la sécrétion gastrique psychique » (Bapkin, 1949).

6. Il est intéressant de noter que Whytt avait prévu la possibilité de « sécrétion psychique » au-delà d'un siècle avant Pavlov : « Nous considérons […] que le souvenir ou l'idée de substances formellement appliquées à différentes parties du corps produisent à peu près le même effet que si des substances étaient réellement présentes. Ainsi la vue, ou l'idée d'un plat agréable, cause une considérable quantité de salive dans la bouche d'une personne affamée » (1763, p. 280). Cette citation est tirée de Rosenzweig (1962).

avoir un certain nombre de fois associé un stimulus neutre (timbre ou cloche) au stimulus inconditionné SI, si ce stimulus neutre est présenté seul, on constate que ce stimulus déclaré neutre déclenche chez le chien une quantité importante de salivation. On nomme alors stimulus conditionné ou SC ce stimulus neutre et réponse conditionnée ou RC la réponse à ce stimulus. L'expérience peut se représenter d'une manière graphique (voir Figure 2). En outre, lorsqu'elle est menée avec

FIGURE 2

Le conditionnement classique

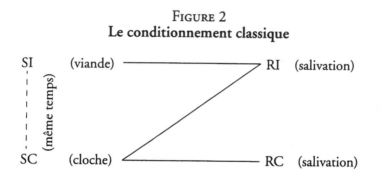

Un stimulus inconditionnel (SI) déclenche une réponse inconditionnelle (RI) ; mais si on lie ensemble dans le temps le stimulus inconditionnel et le stimulus conditionnel (SC), le stimulus conditionnel seul finira par déclencher une réponse conditionnelle (RC).

attention, c'est-à-dire sans que l'animal ait été l'objet de certains types de conditionnement antérieur, la courbe d'acquisition de la réponse conditionnée prend la forme d'un « S ». Les premiers essais produisent peu ou pas de réponses ; puis on constate une agmentation rapide du taux des réponses et enfin un certain état de stabilité (voir Figure 3).

Or le stimulus conditionné SC a besoin du stimulus inconditionné SI non seulement pour naître, mais aussi pour continuer d'exister. Si, après avoir fait acquérir une réponse conditionnée RC, le stimulus conditionné SC est présenté continuellement sans l'accompagnement du stimulus inconditionné SI, la réponse conditionnée RC disparaît ; on nomme ce phénomène une extinction expérimentale[7].

---

7. L'extinction est la diminution graduelle du taux ou de la grandeur d'une réponse conditionnée, quand celle-ci n'est plus suivie d'un renforcement ou d'une récompense instrumentale.

FIGURE 3
Courbe en «S» d'acquisition d'une réponse conditionnée

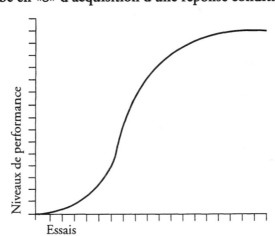

Cependant après une période de temps à la suite de l'extinction, la réponse conditionnée peut réapparaître temporairement, si le stimulus conditionné est présenté. Il s'agit alors d'une récupération spontanée[8].

Il est peut-être opportun de signaler que sur le plan de l'apprentissage, on le constatera plus tard, divers types de réponses peuvent être appris autrement qu'en utilisant un stimulus inconditionné fixé par la nature. D'autre part, le lien nouveau produit ici a lieu, semble-t-il, entre deux excitants (SI et SC) au lieu de se produire entre un excitant et une réponse comme l'enseignera plus tard la psychologie behaviorale américaine.

En soi le phénomène du conditionnement classique peut paraître assez simple. Il génère cependant une telle quantité de questions spécifiques que Pavlov y a travaillé presque toute sa vie, aidé d'un grand nombre de collaborateurs. Ce dernier eut en Russie même une influence considérable. V. Bekhterev (1857-1927), un physiologiste et un neurologiste de l'Académie médicale de Saint-Pétersbourg, qui, comme contemporain, s'était montré au début le rival de Pavlov, entreprend par la suite des recherches fructueuses sur les mouvements réflexes des muscles striés et publie les résultats de ses travaux vers 1910, dans un ouvrage intitulé *Psychologie objective*.

---

8. La récupération spontanée se définit la réapparition d'une réponse conditionnée qui fait suite à une période de repos après une extinction.

COMMENTAIRE

À côté de réflexes innés dont le fonctionnement repose sur des liens anatomiques établis au cours du développement embryonnaire, il en existe d'autres que l'individu acquiert après la naissance et qui déterminent chez lui différentes formes d'actions ou de comportements ; Pavlov nomme ces nouveaux liens « conditionnement » auquel on accolera plus tard le mot « classique » pour les distinguer de certaines autres formes de conditionnement. Nous sommes devant un mode d'apprentissage défini et caractérisé.

Pavlov, dont le nom demeure attaché à la découverte des réflexes conditionnés, phénomène qu'on pourrait aussi bien regarder comme une liaison temporaire entre un stimulus quelconque et une réponse, se situe dans la ligne des associationnistes et des empiristes anglais. Il fournit par sa découverte une base expérimentale à la notion d'association qui manquait d'assise sur le plan scientifique et se présentait comme une philosophie mentaliste. Jusqu'à l'arrivée de Pavlov, on connaissait ces vérités de sens commun, à savoir que la vie est une aventure périlleuse qui exige une adaptation continuelle à un milieu toujours en voie de transformation et que l'environnement a une influence sur l'évolution de l'individu. Mais les travaux de cet homme de science ont vraiment ouvert la voie à la formulation des lois scientifiques qui président à cette influence et montrent le caractère plastique de l'organisme contre les tenants du déterminisme.

Pavlov est l'un des premiers hommes de science, qui en utilisant des méthodes dites objectives et quantitatives, fournit une interprétation de l'apprentissage qui met l'accent sur la stimulation de l'environnement. Cette innovation le situe à la tête de l'un des plus grands mouvements de la psychologie contemporaine, mouvement qui a pour nom le behaviorisme. C'est une des raisons pour laquelle Coan et Zagona (1962, p. 318), dans la classification qu'ils font des théoriciens de la psychologie, placent Pavlov au rang de Freud et de Wundt pour l'influence qu'il a eue sur l'orientation de la psychologie américaine.

CHAPITRE 2 Le structuralisme et le fonctionnalisme

Pour comprendre les écoles de psychologie proprement américaines du XXᵉ siècle et les idéologies qui les sous-tendent, il faut les situer sur le terrain qui les a vu naître et s'arrêter un moment aux auteurs qui les ont initiées et les ont peu à peu orientées d'une manière ou d'une autre. Lors du XVIIᵉ Congrès international de psychologie tenu à Washington en août 1963, Robert I. Watson affirmait que les études supérieures aux États-Unis étaient dans un état lamentable durant la période qui précéda les vingt dernières années du XIXᵉ siècle. Cependant, lorsque la situation se mit à changer, qu'un développement se fit sentir dans presque toutes les disciplines, que de son côté l'éducation se modernisa, la

> [...] psychologie reçut une vigoureuse poussée... Il n'existait aucun psychologue à plein temps en 1880; mais en 1895 l'American Psychological Association (l'A.P.A.) était déjà fondée depuis trois ans. En 1886, il n'existait aucune revue psychologique, tandis qu'en 1895 il en paraissait cinq; en quinze brèves années, la psychologie, discipline scientifique, était née (Watson, 1965, p. 130).

Les grands architectes de ce développement rapide sont William James (1842-1910), G. Stanley Hall (1844-1924) et John Dewey (1859-1952), qui, tout en cherchant à comprendre la vie mentale, introduisent peu à peu une tradition de pensée qui semble assez bien convenir aux descendants des premiers colons venus du vieux continent. Mais, avant de procéder à cette description des théories psychologiques vraiment nées en Amérique, il y a lieu de se demander si la nouvelle psychologie dont Wundt est l'auteur a eu une réelle influence de ce côté-ci de l'Atlantique.

LA PSYCHOLOGIE VENUE D'ALLEMAGNE

Lors de la fondation du premier laboratoire en Allemagne en 1879, beaucoup de jeunes Américains, pour la plupart attirés par la démarche révolutionnaire de Wundt, se sont rendus sur place pour étudier cette nouvelle discipline, la psychologie, issue de la philosophie et devenue une science expérimentale. Parmi ceux qu'on a surnommés très tôt à Leipzig la « gang américaine », on peut compter le fondateur de l'Université Clark, Granville Stanley Hall, dont on aura l'occasion d'expliquer plus loin le cheminement et J. McK. Cattell, un homme habile dans l'organisation, qui, à son retour d'Allemagne, occupe un poste de professeur à l'Université de Pennsylvanie et y instaure un laboratoire. Cattell passe par la suite à l'Université Colombia à New York, où il fonde un second laboratoire de psychologie ; il en assumera la direction durant 26 ans. En 1917, au moment de la déclaration de la guerre à l'Allemagne par les États-Unis, ses opinions de pacifiste exprimées trop franchement lui firent perdre son poste à Colombia. Il y eut ensuite L. Witmer qui prit la relève de Cattell à l'Université de Pennsylvanie en 1891 et devint un pionnier dans le domaine de la psychologie clinique pour enfants ; J.M. Baldwin qui, à son retour d'Allemagne, enseigne dans plusieurs universités dont celles de Toronto, de Princeton et Johns Hopkins ; Frank Angell, de son côté, fonde en 1891 un laboratoire à Cornell et, l'année suivante, le quitte pour la nouvelle Université Stanford sur la côte ouest. On peut encore ajouter ici les noms de quelques autres un peu moins connus, tous étudiants de Wundt à Leipzig ; ce sont E.W. Scripture, E.A. Pace, H.K. Wolfe, H.C. Warren, C.H. Judd, H. Gale, G.M. Stratton. En fin de liste, cependant, celui qui sera le plus fidèle disciple de Wundt et le plus « ardent champion de la nouvelle psychologie en Amérique n'est pas lui-même un Américain » (Heidbreder, 1933, p. 113). Il s'agit d'Edward Bradford Titchener, un grand gentleman anglais, qui après deux ans d'études à Leipzig vient enseigner aux États-Unis.

Edward B. Titchener est né le 11 janvier 1867, à Chichester, une vieille ville fondée du temps des Romains sur la côte anglaise à 100 kilomètres au sud de Londres. Il appartient à une famille au passé glorieux dont il tire beaucoup de fierté. Après de brillantes études secondaires au Melvern College, il entre à Oxford pour y compléter ses humanités et étudier la philosophie. Il approfondit l'empirisme et l'associationnisme dans la pure tradition de Locke et Hume ; puis, en dernière année, il devient étudiant en recherche sous la direction du grand physiologiste Burdon Sanderson, pour qui il gardera dans l'avenir une profonde admiration. Ce mélange de philosophie et de biologie l'oriente normalement vers la nouvelle approche de Wundt en Allemagne. Il ne tarde pas à se convertir à cette psychologie issue de la philosophie et devenue science expérimentale. Il entreprend de traduire en anglais la troisième édition du grand ouvrage de Wundt, la *Psychologie physiologique*, qui vient de paraître en Allemagne. N'ayant pas reçu à Oxford beaucoup de sympathie pour un tel travail, Titchener ne publie pas sa traduction et décide de se rendre en Allemagne pour étudier avec Wundt.

Dès son arrivée, à l'automne de 1890 à Leipzig, il est tout heureux d'y trouver des étudiants américains dont la langue lui permet des échanges faciles. Rapidement, il s'intègre à ce groupe et se lie d'amitié avec l'un d'eux, nommé Frank Angell. Titchener, ce grand jeune homme d'origine anglaise à la carrure imposante et solide, à l'allure tranquille et réservée, ne tarde pas à attirer l'attention surtout par sa persévérance au travail. Son ami, Angell, dira plus tard avoir été impressionné par « la profondeur des sentiments de Titchener et sa riche culture puisée dans un collège d'Oxford et non dans un petit collège de Nouvelle-Angleterre » (Angell, 1928, p. 196). L'étudiant Titchener a conservé dans ses cartons le manuscrit de sa traduction de *Psychologie physiologique*, pour en faire une révision finale avant de l'envoyer à l'impression. Mais à Oxford et à Cambridge, on manque d'empressement pour la nouvelle psychologie venue d'Allemagne ; les pourparlers avec les éditeurs traînent en longueur ; entretemps, Wundt est sur le point de terminer la quatrième édition de son ouvrage.

Incliné vers les sciences biologiques, à la suite de son travail de recherche exécuté à Oxford durant sa dernière année, Titchener est fasciné par l'enseignement de Wundt. Ce dernier a mis de côté la méthode de la philosophie pour l'expérimentation en laboratoire et fait de la psychologie une science très liée à la physiologie. À la demande de Wundt, Titchener entreprend une recherche sur les temps de réaction et publie son premier texte sur la psychologie dans la revue, *Les études philosophiques*[1], l'organe officiel destiné à faire connaître les résultats

---

1. Le titre de cette revue peut sembler étrange ; on doit se souvenir cependant que Wundt, médecin physiologiste, avait été invité à Leipzig comme titulaire d'une chaire de philosophie. Chez les Anciens, l'ensemble des sciences faisaient partie de la philosophie. Elles en sont sorties graduellement à mesure que les disciplines scientifiques délaissèrent la spéculation pour utiliser d'autres méthodes de recherche.

obtenus au laboratoire de Leipzig. Après deux ans d'études, il rédige une thèse sur les effets binoculaires d'une stimulation monoculaire et obtient son doctorat en 1892.

Fort de ses succès, Titchener retourne à Oxford avec l'espoir d'enseigner la psychologie. Après y avoir donné quelques leçons de biologie, il a la surprise de constater que les postes d'enseignement sont tous occupés, qu'il ne semble pas y avoir de place pour lui, jeune docteur de Leipzig. Il adresse des demandes à Cambridge et à d'autres universités du pays, mais les réponses demeurent évasives et poliment décevantes. Serait-ce qu'une psychologie qui n'est pas philosophique inquiète à ce point l'Angleterre toujours attachée à ses traditions ? Dans son désarroi, Titchener songe à l'Amérique et à ses sympathiques étudiants qu'il a bien connus à Leipzig. Dans une lettre, il raconte ses déboires à son ami Frank Angell. Celui-ci, qui vient de fonder un laboratoire à Cornell, est invité sur la côte ouest à la toute nouvelle Université Stanford à prendre en charge un département de psychologie expérimentale. Recommandé par Angell auprès des autorités de l'Université Cornell, Titchener se voit offrir de succéder à son ami. C'est ainsi qu'en 1892, à l'âge de 25 ans, Titchener se retrouve à la direction d'un laboratoire aux États-Unis et parfaitement libre d'orienter son enseignement comme il l'entend.

L'admiration de Titchener pour Wundt est totale. Dès le départ, le laboratoire de Cornell s'organise sur le modèle de celui de Leipzig : même fidélité à l'expérimentation ; même exercice de l'autorité sur le choix des sujets de thèse ; Titchener dépasse même Wundt par sa minutie et la mise en place d'un décorum un peu compassé qui fera sourire ses étudiants peu habitués à voir un maître donner ses cours revêtu de la toge et exécuter tout un cérémonial à la manière européenne. Quant au contenu de son enseignement à Cornell, il l'aligne sur celui du maître de Leipzig, une psychologie physiologique qui cherche à connaître les éléments de la conscience de l'être humain normal par la méthode de l'introspection. Fidèle à ce programme, il entreprend l'étude des sensations, des images, des idées et de l'affectivité. Malgré le nombre imposant de ses écrits, ses conférences et ses cours, le rayonnement de cet enseignement ne traverse pas beaucoup les limites du campus de Cornell. Chez la plupart des psychologues américains, une certaine réticence se fait sentir à ce type de psychologie, même si plusieurs d'entre eux ont étudié avec Wundt. Aussi, pour tenter d'asseoir en Amérique la psychologie nouvelle, comme on l'appelle en Europe, Titchener traduit en anglais avec Creighton,

La psychologie humaine et animale de Wundt qui paraît en 1894; avec Gulliver, il traduit en 1897 le premier volume des *Éthiques* de Wundt. Puis, il reprend son vieux manuscrit d'Oxford *Psychologie physiologique* et se met à la traduction de la quatrième édition pour apprendre que Wundt en est rendu à une cinquième édition fort développée. Pas découragé par ce contretemps, il commence aussitôt la traduction de cette cinquième édition qu'il s'empressera de publier en 1902. Entre-temps, il a mis sur le métier ses œuvres personnelles : *Esquisse de psychologie* qui paraît en 1896; *Le premier livre de psychologie* en 1898; il commence *Psychologie expérimentale : un manuel d'exercices de laboratoire* dont les premiers volumes paraîtront en 1901, auquel il ajoutera par la suite plusieurs autres ouvrages et de nombreux articles.

Cette position fort engagée de Titchener[2] ne fit jamais de lui un membre intégré de la psychologie américaine, car les idées de Titchener vont dans un sens et celles des Américains dans un autre. Son zèle à exposer une vérité telle que définie par son maître de Leipzig suscite des adversaires. Mais défendre ses convictions, c'est pour lui une affaire d'honneur. Il va rapidement se trouver au milieu d'un champ de bataille. Le combat sera rude et non sans blessure, pour ce professeur de Cornell hautain et fier, issu de la classe distinguée de Grande-Bretagne.

Avant d'entrer dans le vif de ce débat, il faut en présenter les principaux acteurs. En plus de Titchener, ce sont ceux qui ont travaillé à créer, en terre américaine, une psychologie distincte, susceptible de répondre aux préoccupations des habitants de ce pays neuf. En effet, malgré l'acharnement et la rigueur avec lesquels Titchener présente la psychologie née en Allemagne, une psychologie proprement américaine va voir le jour, grâce à ceux qu'on a appelés les « architectes d'un développement rapide ». Ce sont, on le sait, William James, Granville Stanley Hall et John Dewey.

---

2. Koestler a remarqué avec justesse que « certains disciples ont tendance à être plus fanatiques que leur maître; ils s'engagent dans son système, dépensent des années de travail et y enferment leur renommée; ils combattent l'opposition et sont incapables de tolérer l'idée que le système pourrait être faux » (Koestler, 1971, p. 33).

WILLIAM JAMES (1842-1910)

Le premier de ce trio, descendant d'une famille d'immigrés irlandais qui n'a pas tardé à s'enrichir en Amérique, William James, tout comme son frère le célèbre romancier Henry James, reçoit une éducation choisie et éclectique, alimentée par des lectures et des voyages. Cette situation familiale de choix ne l'empêche pas de sombrer dans une neurasthénie voisine du découragement, écartelé qu'il est entre son besoin de s'orienter et son indécision d'une part, entre sa foi puritaine et les données de la science d'autre part. Aussi, devenu médecin, il se détourne de la pratique en cabinet, se retire à la somptueuse demeure de ses parents à New York où, hésitant et trop inactif au goût de son père, il passe son temps à la lecture et la méditation. En 1872, à l'âge de trente ans, il est invité à Harvard à donner des leçons de physiologie. Il prend vite goût à l'enseignement ainsi qu'à la psychologie et la philosophie. En 1874, il propose un cours qui tentera d'établir les relations entre la physiologie et la psychologie.

Pour la première fois en Amérique, cet enseignement tente de présenter la psychologie comme une science indépendante de la philosophie. Pour mieux dire, la psychologie de James est en mouvement : elle quitte la philosophie pour aller vers la science, mais elle ne se rendit jamais jusqu'à l'expérimentation en laboratoire. Pourtant, James croit à l'expérimentation autant que Wundt, mais son tempérament l'empêche de lui faire franchir les frontières de ses convictions personnelles. Ce sera l'œuvre de l'un de ses étudiants, nommé Stanley Hall.

Entre-temps en 1878, à l'invitation de Henry Holt, directeur d'une maison d'édition, James signe un contrat dans lequel il s'engage à publier un ouvrage de psychologie qui doit paraître deux ans plus tard, soit en 1880. Il mettra douze ans à écrire ce livre qu'il intitule *Principes de psychologie*. Aussitôt parue, cette production est reçue dans les universités comme une innovation géniale. Influencé par l'œuvre de Darwin, James propose une théorie qui s'inspire de l'adaptation à l'environnement et accorde aux valeurs de survie une place de choix. En effet, les fils des premiers colons qui ont fui l'Angleterre de Jacques 1er, afin de fonder un pays à la mesure de la pureté de leur foi, doivent faire face à une terre vierge et hostile où les problèmes d'adaptation sont monnaie courante. Il n'est pas étonnant que les idées de James y trouvent un terrain d'ancrage.

James y élabore une psychologie teintée de sens pratique, très proche de la mentalité américaine. D'ailleurs, toute la structure des idées de James repose sur un système philosophique appelé le pragmatisme[3], dont il est lui-même le principal représentant. Cette doctrine

> [...] se présente comme une philosophie de la démocratie, faisant des méthodes de mise à l'épreuve et de vérification qui caractérisent l'esprit de laboratoire le modèle même de la tâche politique. Bref, une philosophie d'hommes d'action pour qui tout ce qui est vrai est utile et tout ce qui est utile est vrai (Deledalle, 1972, p. 441).

On reconnaît ici les principes qui conduiront le peuple américain à exploiter avec ardeur et enthousiasme les richesses d'un grand pays.

L'ouvrage s'impose par la limpidité du style et la clarté de ses explications. Cependant, il n'est pas facile de situer James à travers les premiers développements de la psychologie qui font surface à la fin du XIXᵉ siècle : il n'apparaît pas immédiatement comme un fondateur, ni influencé par aucune école de pensée. Il ne s'inscrit pas dans la tradition des empiristes et des associationnistes anglais ; il ne partage pas non plus les idées de l'école psychiatrique française, qui, sous la direction de Charcot, étudie d'une façon particulière les maladies mentales. Par ailleurs, on pouvait difficilement à cette époque demeurer indifférent au courant créé en Allemagne. C'est une position qui intéresse James, sans le convertir. Il rejette en particulier la théorie des éléments ou des grains de conscience unis ensemble par association selon l'enseignement de Leipzig ; il voit plutôt la conscience sur un plan global comme un flot, un mouvement continu. Il aborde en outre une multitude d'autres questions en suivant ses propres intuitions. Il s'attache aux faits, les observe et les discute. Il est surtout convaincu que les expériences doivent servir de point de départ pour la vérification de la pensée, comme le veut sa philosophie pragmatique.

D'autre part, en ce qui concerne l'apprentissage, il en traite d'une manière indirecte dans son fameux chapitre sur le développement de l'habitude. Selon lui, l'activité humaine est largement déterminée par une certaine tendance du système nerveux à se laisser imprégner par les conduites antérieures (Heidbreder, 1933, p. 162). Ainsi, à chaque fois qu'un organisme pose un geste dans un sens, des traces demeurent dans le système nerveux, un pli s'inscrit dans la nature, un début

---

3. L'idée du pragmatisme serait d'abord venue à Charles Sanders Peirce (1839-1914), logicien et philosophe américain, qui l'exposa à quelques amis, parmi lesquels se trouvait James au cours de réunions d'un «Club métaphysique» qui avait ses assises à Cambridge dans le Massachusetts (Deledalle, 1972, p. 441).

d'habitude se crée, de telle sorte que, par la suite, lors d'une situation identique, l'action à exécuter deviendra plus facile que les précédentes. James se sépare ici de la tendance européenne. Après avoir rejeté l'étude de la structure de la conscience chère aux Allemands, il impose déjà le sceau de la mentalité américaine en donnant comme objet à la nouvelle science non pas l'étude de la structure, mais bien celle du fonctionnement de l'esprit.

L'influence de James est considérable sur les psychologues qui sont venus après lui. Sa psychologie n'a pas encore reçu un nom qui la décrit. Ce n'est que plus tard, lorsque certains de ses disciples formeront le groupe qui a pris naissance à Chicago, que l'on finira par assigner un qualificatif à ce courant, comme on le verra plus loin. Pour le moment, James demeure un maître auquel on prend l'habitude de se référer comme le premier grand écrivain sérieux de psychologie en Amérique du Nord et « le philosophe le plus célèbre depuis Emerson » (Dooley, 1987, p. 57).

G. STANLEY HALL (1844-1924)

Alors qu'il était professeur à Harvard, James avait accueilli à ses cours un professeur de langue anglaise de deux ans plus jeune que lui. Ce nouveau venu se nomme Granville Stanley Hall. Né à Ashfield, Massachusetts, en 1844, fils d'un pieux fermier protestant, il s'inscrit à l'Union Theological Seminary de New York avec l'intention de devenir pasteur. Mais ses essais en prédication sont plus inspirés de la philosophie de John Stuart Mill et de la théorie de l'évolution de Darwin que de la théologie anglicane. On lui conseille de changer d'orientation. Il voyage, étudie, occupe différents postes d'enseignement et finit ainsi en 1876 par se retrouver professeur d'anglais à Harvard et étudiant de William James en psychologie. En 1878, Hall reçoit des mains de James le premier Ph.D. en psychologie décerné à l'Université Harvard. Puis, il quitte les États-Unis pour Leipzig, où il est l'un des premiers étudiants américains à travailler avec Wundt en 1879, l'année même de la fondation du célèbre laboratoire.

De retour d'Allemagne, Hall est de nouveau sans travail. Il s'installe à Cambridge à l'automne de 1880. Le président de Harvard, Charles W. Eliot, le sachant libre, lui offre de donner des conférences le samedi matin sur divers problèmes d'éducation. Hall réussit à se faire connaître. En 1881, c'est au tour de l'Université Johns Hopkins de Baltimore à l'inviter à donner des leçons de psychologie ; il obtient cette fois un vif succès. L'année suivante, en 1882, il se voit offrir un poste régulier de conférencier; puis en 1884, une chaire d'enseignement de psychologie. Entre-temps, en 1883, il a fondé le premier laboratoire de psychologie en Amérique. Il accueille à ses cours une pléiade d'étudiants qui laisseront leur nom par la suite dans les annales de la psychologie américaine. On peut nommer entre autres: John Dewey (1859-1924), J. McK. Cattell (1860-1944), H.H. Donaldson (1857-1938), E.C. Sanford (1859-1924), W.H. Burnham (1855-1941) et Joseph Jastrow (1853-1944).

En 1888, une invitation inattendue de la part d'un millionnaire américain lui parvient, celle de fonder à Worcester (Massachusetts) l'Université Clark dont il sera le premier président. Une fois sur place, il ne tarde pas à ouvrir un nouveau laboratoire de psychologie et à en confier la direction à l'un de ses premiers étudiants, E.C. Sanford, venu de Hopkins avec lui. Également, un département de pédagogie ouvert dès les débuts de cette jeune université est confié à un autre ancien de Hopkins, W.H. Burnham. À travers ses activités d'administrateur, Hall ne néglige pas le rayonnement de la nouvelle science. Il fonde trois revues dont les champs d'étude se rapportent à la psychologie: ce sont le *Journal of General Psychology* en 1891, le *Journal of Religious Psychology* en 1904, le *Journal of Applied Psychology* en 1915. On lui doit aussi d'avoir lancé en 1892 l'American Psychological Association (l'A.P.A.) demeurée aujourd'hui l'un des organismes les plus prestigieux dans le monde entier pour la rencontre et les échanges entre psychologues de toute tendance. À ce sujet, au moment où la psychanalyse commence à pénétrer l'Amérique, Stanley Hall profite de l'occasion du vingtième anniversaire de la fondation de l'Université Clark qu'il dirige, pour inviter en 1909 à Worcester les principaux représentants de ce mouvement nouveau à un colloque auquel les sommités américaines de la psychologie de l'époque, James, Cattell et Titchener, prennent part. Une photo[4] prise à cette occasion nous montre un Stanley Hall qui siège au milieu d'un groupe d'analystes parmi lesquels on reconnaît Sigmund Freud, Karl Jung, Abraham Brill, Ernest Jones et Sandor Ferenczi.

En laboratoire, Hall explore différents aspects de la sensation et demeure toute sa vie un psychologue du développement fort intéressé

---

4. Cette photo a été reproduite à la page 95 d'un volume intitulé *The Mind*, qui fait partie de la série «Life Science Library». La référence complète est la suivante: Wilson, J.R. (1964). *The Mind* (série: Life Science Library), New York, Time Inc.

aux applications de la psychologie à la pédagogie. Il étudie le développement intellectuel et affectif de l'enfant et de l'adolescent par la méthode des questionnaires. Son orientation demeure celle d'un psychologue plus attaché au fonctionnement de l'individu qu'à la structure de la conscience. À vrai dire, bien qu'ancien élève de James, jamais deux hommes se sont moins ressemblé. L'influence de Hall est davantage celle d'un organisateur et d'un homme d'action que celle d'un théoricien à la manière de James. Du temps où il enseignait à Hopkins, il a contribué cependant à la formation du grand philosophe et pédagogue américain, John Dewey, l'homme considéré comme l'initiateur de ce qu'on a appelé l'école de Chicago.

JOHN DEWEY (1859-1952)

Garçon intelligent, plein d'initiative, John Dewey est né à Burlington, Vermont, en 1859. Après ses études à l'Université Johns Hopkins, le jeune Dewey passe une dizaine d'années au Michigan (1884-1894), puis à l'âge de 35 ans, il se rend à l'Université de Chicago où il rencontre James Rowland Angell, de dix ans son cadet, qui, en dépit de sa jeunesse, dirige le département de psychologie. Ce jeune homme a étudié lui aussi sous la direction de James et accepte ce dernier comme son guide. Il est déjà tout gagné aux idées d'une psychologie tournée vers l'adaptation. Quant à Dewey, il est en premier lieu un philosophe initié au travail en laboratoire par Stanley Hall à Johns Hopkins. Les deux hommes sont des esprits souples et versatiles et, au surplus, des professeurs d'une grande efficacité. La même année en 1894, G.H. Mead arrive du Michigan lui aussi rejoindre Dewey, comme assistant professeur de philosophie, et l'année suivante, c'est au tour de A.W. Moore à faire son entrée dans ce jeune département. L'Université de Chicago ne tarde pas à devenir un centre d'études psychologiques et la capitale d'une nouvelle école qui s'intéresse au fonctionnement de l'esprit.

Pour sa part, Dewey se demande: «À quoi servent les processus mentaux?» «Que font-ils?» «Comment travaillent-ils?» Il apparaît assez clairement dès le départ que pour répondre à de telles questions, il faut aller au-delà de la structure en elle-même, considérer le plan de l'activité et de tout ce monde extérieur dans lequel l'activité déclenchée par les processus mentaux s'insère. Ceci entraîne de ne pas regarder l'esprit dans ses éléments statiques, mais dans son rapport avec l'action en tant que celle-ci devient utile à l'adaptation dans l'environnement. De nouveau, on se sent proche du pragmatisme de James et de l'évolutionnisme de Darwin. Le groupe ambitionne de traiter les activités

mentales comme des ensembles larges, pouvant conduire à des conclusions pratiques et utiles au cours de la vie de tous les jours. De là, on
voit naître inévitablement une psychologie qui se développe dans la
voie des applications, d'une « Applied Psychology » à laquelle pensait
déjà Stanley Hall. Ce sont des idées de ce genre qui incitent Dewey à
pénétrer très tôt dans le champ de l'éducation.

En plusieurs endroits aux États-Unis, on a le sentiment que la
psychologie en place, selon l'orientation que lui a donnée Wundt,
orientation fidèlement reprise par Titchener, s'avance dans des sentiers
trop étroits. Aussi, plusieurs psychologues explorent de nouvelles
voies : William James demeure toujours le maître d'une position originale et exerce une influence qui ne s'accorde pas avec celle de Cornell.
Stanley Hall, bien qu'il ait été un étudiant de Wundt, concentre ses
intérêts vers le développement de l'enfant et enseigne à l'Université
Clark une psychologie qui elle aussi vogue en dehors des limites con-
ventionnelles. Cattell, un autre élève de Wundt, vient d'arriver à l'Université Colombia ; il s'intéresse à l'étude des différences individuelles
par la méthode des tests. Thorndike, qui a débuté à Harvard en recherche, passe à Colombia et fait des expériences sur les poulets et les
chats sous l'œil intéressé de Cattell. C'est donc l'ensemble de la psychologie américaine qui paraît se démarquer du mouvement né en Allemagne. Le groupe de Chicago trouve donc un climat plus que
favorable à l'éclosion d'une nouvelle école de pensée.

Il peut être intéressant de constater cependant que

[...] ni Dewey, ni Angell avaient la manière et le tempérament de se faire
les avocats passionnés d'une nouvelle cause. Dewey, malgré tout son
pouvoir et son originalité, était un méditatif et un homme réfléchi.
Angell, même au moment de ses plus vives sorties contre le vieil ordre,
demeurait tolérant et plein de déférence (Heidbreder, 1933, p. 204).

Si on les considère comme les représentants d'une école avec des positions particulières, c'est qu'ils se retrouvent dans une atmosphère propice à la discussion, entraînés sinon malgré eux, tout au moins en
raison de leurs convictions, dans une discorde dont Titchener devient
le principal protagoniste.

UNE CONTROVERSE

Une controverse éclate sur ce qu'on appelle les temps de réaction, un
problème sur lequel Titchener avait déjà travaillé lors de ses études à
Leipzig. Il s'agit d'une recherche par laquelle on s'efforce d'établir en

laboratoire la fraction de seconde que peut prendre un être humain pour répondre à un stimulus sonore ou lumineux. Voici, selon Woodworth et Schlosberg (1965, p. 8), comment se déroule habituellement l'expérience lorsqu'on utilise un signal lumineux : assis à une table dans une pièce assez faiblement éclairée, le sujet fait face à un écran percé d'un trou par lequel peut surgir la clarté d'une lampe ; on allume cette lumière de manière à ce que le sujet de l'expérience sache à quel genre de stimulus il aura à répondre. Sur la table, à portée de la main, un interrupteur électrique est présent sous la forme d'un bouton à presser. On donne l'instruction au sujet de placer son doigt sur l'interrupteur au signal « prêt » et de presser ce bouton dès que la lumière paraît. Derrière l'écran, où se trouve l'expérimentateur, un appareil d'une grande précision mesure l'intervalle entre le stimulus et la réponse. Lors des premiers essais, le temps de réaction peut être d'une demi-seconde ; mais aux essais suivants, il diminue à des intervalles qui se situent entre un cinquième et un quart de seconde, soit entre 200 et 250 millisecondes. L'ensemble de cette activité se compose d'un stimulus qui se transforme en une impression sensorielle et d'une réaction musculaire ou réponse motrice. On en vint à les séparer et à mesurer chacun de ces deux éléments : l'impression sensorielle et la réaction motrice. C'est précisément là que les choses se gâtent.

Titchener soutenait, selon le point de vue enseigné à Leipzig, « qu'une réaction musculaire est toujours un dixième de seconde plus courte qu'une réaction sensorielle, pourvu que vous ayez des sujets assez bien entraînés pour adopter à volonté les deux attitudes » (Boring, 1929, p. 111). Dans un article paru dans la *Psychological Review* au printemps de 1895, le professeur Baldwin de l'Université Princeton, N.J., prétend pour sa part

> [...] que les gens sont de types différents et que les réactions sont plus rapides sur le plan de la sensation chez les uns alors qu'elles sont plus rapides sur le plan de la motricité chez les autres. Baldwin croyait que Titchener faussait la réalité par une sélection des sujets qui convenait mieux à sa théorie ; Titchener de son côté pensait que Baldwin s'était écarté du vrai sentier scientifique en se centrant trop sur la nature humaine (Boring, 1929, p. 111).

Malgré son aspect technique, cette discussion révèle une différence fondamentale d'orientation : Titchener reproche à Baldwin son intérêt pour la nature humaine alors que lui-même concentre ses recherches sur les lois de l'esprit, il prétend qu'un énoncé sur des différences individuelles ne peut constituer une loi et accuse Baldwin de manquer d'esprit scientifique. De son côté, Baldwin, selon la tendance nouvelle en Amérique, désire dépasser les structures de l'esprit pour aller vers la nature humaine dans un sens large, vers une psychologie qui s'intéresse aux capacités et aux aptitudes humaines, aux différences individuelles et au développement de l'enfant.

Si on essaie d'aller au-delà de cette dialectique un peu courte, on peut affirmer que les deux approches sont légitimes : libre à Titchener de concentrer ses études sur la structure de l'esprit et à Baldwin sur la nature humaine dans son ensemble. Mais les choses ne sont pas si simples ! Chacun d'eux y voit un problème fondamental : la question de savoir ce sur quoi devrait porter la science nouvelle, la psychologie. Si celle-ci n'a pour objet que la structure de l'esprit comme le veut Titchener, tous ceux qui travaillent sur les fonctions et l'adaptation à l'environnement sont en dehors du champ de la psychologie. Aussi, on ne laissera pas Titchener définir à lui seul ce que doit être la psychologie. La controverse se continue jusqu'au printemps de 1896. En mai de cette même année, les professeurs J.R. Angell et A.W. Moore publient des résultats d'expériences menées à Chicago sous l'œil bienveillant de Dewey. À la manière d'arbitres, ils tentent de montrer que Baldwin et Titchener ont tous les deux raison, mais que « ni l'un ni l'autre n'est capable de voir en quoi l'adversaire peut être dans la bonne voie » (Boring, 1929, p. 111).

Deux mois plus tard, soit en juillet 1896, John Dewey s'introduit à son tour dans le débat en faisant paraître *The arc reflex concept*[5]. C'est un texte qui fait époque ; il défend les idées assez proches de celles exposées dans le grand ouvrage de James, tout en reprochant à la tradition allemande, et par conséquent à Titchener, sa manie d'aborder les phénomènes de l'esprit par la méthode du fractionnement. James, pour sa part, avait montré que de simples idées qu'on assimile à des grains de conscience n'ont pas en elles-mêmes d'existence réelle ; au contraire toute pensée tend à faire partie d'une conscience personnelle qui se développe à la manière d'un flot continu. Dans son explication, Dewey applique le même principe au concept d'acte réflexe. Selon lui, on ne doit pas faire la distinction entre stimulus et réponse, entre sensation et mouvement, entre les différentes parties de l'arc réflexe.

---

5. Comme le souligne Edna Heidbreder, Dewey faisait porter son attaque sur le concept d'arc réflexe, parce que ceci lui permettait d'élever la discussion bien au-delà d'une description statique des éléments de la conscience auxquels restait confinée l'école de Leipzig (Heidbreder, 1933, p. 212).

La distinction de la sensation et du mouvement, dit Dewey, comme respectivement stimulus et réponse n'est pas une distinction qui peut être regardée comme une description de quelque chose qui appartient aux événements psychiques et possède une existence comme telle. Les seuls événements auxquels les termes de stimulus et réponse peuvent être appliqués d'une façon descriptive sont des actes mineurs, qui servent par leur position respective au maintien d'une coordination bien organisée. Le stimulus conscient ou sensation et la réponse consciente ou mouvement possèdent une genèse spéciale ou motivation et une fin spéciale ou fonction. La théorie de l'arc réflexe qui néglige ou fait abstraction de cette genèse et de cette fonction nous montre une partie disjointe, comme s'il s'agissait d'un tout (Dewey, 1896, p. 369).

Dewey s'attache au phénomène entier. Pourquoi diviser ainsi une activité, si dans la réalité elle est vraiment un procédé continu ? On touche ici avec Dewey le point central de l'orientation du groupe : à Chicago, on recherche ce que le processus *fait*, et à Cornell, on recherche ce que le processus *est*. Les positions des deux écoles se précisent. Elles se séparent comme le font l'anatomie et la physiologie dans un programme de médecine.

STRUCTURALISME ET FONCTIONNALISME

Puis, en décembre 1897, lors d'une communication au congrès de l'American Psychological Association, tenu à Ithaca, N. Y., le professeur Caldwell critique l'approche que Titchener avait exposée quelques mois auparavant dans un livre intitulé *Outline of psychology*. Comme il fallait s'y attendre, Titchener répond à Dewey et à Caldwell, par un premier article paru dans *The Philosophical Review* en septembre 1898. Après s'être appuyé sur une définition de la biologie et une classification des sciences de la vie, inspirée d'Ebbinghaus, il pose sa fameuse distinction entre la *structure* et la *fonction* et contribue ainsi à étiqueter à jamais les deux tendances idéologiques, celle de Dewey et la sienne propre qu'on nommera désormais respectivement : le *fonctionnalisme* et le *structuralisme*. Il y affirme entre autres que « nous devons enquêter dans la structure de l'organisme sans regard à la fonction, par une analyse qui détermine ses parties composantes et par une synthèse qui montre comment le tout est formé à partir des parties » (Titchener, 1898, p. 449). C'est en raison de cette distinction posée par Titchener dans son article que peu à peu on prend l'habitude de nommer l'école de Chicago le fonctionnalisme et que la position personnelle de Titchener devient le structuralisme. Ce vocable sera désormais accolé même à Wundt d'une manière rétroactive. Depuis quelques années, les deux tendances avaient commencé à prendre l'allure d'écoles. C'est à Titchener que reviendra l'honneur de leur avoir donné un nom.

Dans le même article, Titchener précise davantage sa pensée :

> Le premier but du psychologue, dira-t-il, lorsqu'il s'est orienté vers la recherche expérimentale, a été d'analyser la nature de l'esprit ; de révéler les processus élémentaires dans le fouillis de la conscience. Sa tâche en est une de vivisection, mais d'une vivisection qui fera apparaître des résultats dans la ligne de la structure et non de la fonction (1898, p. 450).

Puis pour défendre les mêmes idées, Titchener fait paraître un court article en 1899 ; entre-temps, il a été forcé de se détourner de cette discussion avec le groupe de Chicago, pour continuer avec le professeur Caldwell. Cette fois, il se voit entraîné dans une controverse nouvelle sur un problème qu'on a appelé l'erreur du stimulus[6]. Ceci peut paraître une autre histoire, mais fondamentalement, on s'en prend toujours à Titchener et à sa manière limitée et exclusive de définir l'objet de la psychologie. Quant à Dewey, son esprit très américain ne lui a jamais permis d'accepter cette réduction aux éléments auxquels s'adonne la psychologie issue d'Allemagne. L'accent mis par les fonctionnalistes sur l'activité plutôt que sur le contenu fait d'eux les inspirateurs de l'école nouvelle. Le *learning by doing* lancé par Dewey demeurera le leitmotiv de la pédagogie américaine pendant plusieurs décades et sera à l'origine des méthodes actives modernes, grâce auxquelles l'activité de l'élève est censée se faire dans la joie.

On peut s'étonner de constater que le structuralisme ait obtenu si peu de succès aux États-Unis, compte tenu du nombre imposant de jeunes étudiants américains qui se sont rendus en Allemagne se familiariser avec la psychologie nouvelle mise au jour par Wundt. On voit s'implanter au contraire en terre américaine une psychologie assez différente nommée par Titchener « le fonctionnalisme », une orientation qui semble vraiment là pour demeurer. Que s'est-il passé ? Cette école très américaine se présente-t-elle comme une révolte des psychologues coloniaux contre l'Allemagne, ce pays qui avait un peu joué le rôle de mère patrie en regard du mouvement scientifique de la psychologie

---

6. Sur cette controverse concernant l'erreur du stimulus, on peut lire les textes proposés par les références suivantes : Titchener (1901), *Experimental psychology*, II, i, p. XXVI et suiv. et *Text-Book of Psychology*, N.Y., Macmillan, p. 202 et suiv. ; Boring (1921), *American Journal of psychology*, no. 32, p. 449 ; Bentley (1924), *Field of psychology*, p. 411.

expérimentale ? À vrai dire, il n'y a pas eu de révolte et personne n'a inventé le fonctionnalisme ; il est né en terre américaine comme une plante bien adaptée à son milieu. En effet, les jeunes Américains vont étudier à Leipzig la psychologie nouvelle, mais de retour aux États-Unis, ils arrivent « pleins d'enthousiasme pour la psychologie physiologique et l'expérimentation en laboratoire. Les universités leur permettent de donner de nouveaux cours et de monter des laboratoires ; ils prônent un esprit allemand importé et alors, d'une façon étonnante sans analyse critique sur ce qu'ils sont en train de faire et probablement sans en être trop éveillés, à partir d'un modèle de description psychologique de l'esprit, ils évoluent vers l'évaluation des aptitudes personnelles dans une tentative de l'ajustement de l'individu à son environnement. Le cadre et l'équipement sont ceux de Wundt, mais l'inspiration vient de Galton » (Boring, 1957, p. 507).

À côté de John Dewey, considéré comme le fondateur du fonctionnalisme, on voit s'affirmer dans cette voie de nombreux psychologues et en particulier James Rowland Angell. En 1906, ce dernier, alors qu'il est président de l'A.P.A., ouvre le congrès par un discours inaugural, clair et lucide intitulé « The province of fonctional psychology » dans lequel il insiste sur trois aspects du fonctionnalisme. Selon lui, nous devons « reconnaître 1° que le fonctionnalisme est la psychologie des opérations de l'esprit, ou exprimé autrement, la psychologie du « comment » et du « pourquoi » de la conscience par opposition à la psychologie du « quoi » ; 2° que le fonctionnalisme s'attaque au problème de l'esprit en tant que premier engagé d'abord à agir en médiateur entre l'environnement et les besoins de l'organisme ; 3° qu'en dernier lieu, le fonctionnalisme se décrit comme une psychologie psychophysique. En effet, c'est la psychologie qui non seulement reconnaît constamment, mais insiste sur la signification essentielle de la relation corps-esprit (mind-body relationship) pour une appréciation juste et compréhensive de la vie mentale elle-même » (Angell, 1907, p. 85). On peut constater que si, d'une part, il est assez difficile d'envisager une psychologie sans la conscience, on se permet quand même de déborder celle-ci pour inclure timidement le corps.

Comme James et Hall avant lui, Angell suscite pour le mouvement une relève aussi loyale qu'engagée. Il faut souligner les noms de J.E. Downey (1875-1932), Helen Thompson (1874-1947), auteure de travaux sur la différence des sexes, G.H. Mead (1863-1931), A.W. Moore (1866-1930) et surtout Harvey Carr (1873-1954) ; ce dernier fut comme chef de département le successeur d'Angell à Chicago. Pour sa part, il introduit dans la psychologie fonctionnelle les facteurs de motivation en plus des facteurs déjà existants de stimulation et de réaction. Certes si nous ajoutons à cette tradition de W. James à H. Carr, les noms de Ladd (1842-1921), Scripture (1864-1945), Baldwin (1861-1934), celui de Cattell (1860-1944) à Colombia, celui de E.S. Robinson (1863-1937) à Yale et plus près de nous celui du grand fonctionnaliste R.S. Woodworth (1869-1962), le rédacteur d'un excellent manuel[7] de psychologie expérimentale, cette école donne tout de même l'impression d'avoir occupé une grande place. Effectivement, il faut souligner le fait que sous un aspect ou un autre, elle a eu une influence plus profonde et plus durable aux États-Unis et en Europe qu'on le croit habituellement. En Angleterre, le fameux Galton (1822-1911), cousin de Charles Darwin (1809-1882), fut fonctionnaliste avant l'apparition du terme, comme le seront plus tard les expérimentalistes Myers (1873-1946) et Bartlett (1887-1937). En France, les principaux fonctionnalistes sont Théodule Ribot (1839-1916), l'un des premiers à vouloir faire de la psychologie une science expérimentale distincte de la philosophie, Alfred Binet (1857-1911) qui précéda Terman dans la recherche sur les tests d'intelligence, Henri Piéron (1881-1964), un fonctionnaliste assez proche des positions behavioristes même avant la déclaration de Watson en 1913. En Suisse, on peut nommer Édouard Claparède (1873-1940) et son successeur Jean Piaget (1896-1980) qui en psychologie du développement abordent les problèmes sous l'aspect fonctionnel.

COMMENTAIRE

En dépit de leurs vives controverses, il n'y a jamais eu une bien grande différence entre le structuralisme et le fonctionnalisme. Ces deux écoles demeurent assez voisines l'une de l'autre dans leur approche de la réalité. Toutes deux adhèrent à la démarche expérimentale. Toutes deux admettent le dualisme, corps et âme. « Toutes deux définissent la psychologie comme la science de la conscience ou de l'esprit... Mais le structuralisme est comme l'anatomie de l'esprit, alors que le fonctionnalisme en est comme la physiologie » (Tilquin, 1950, p. 15).

Le structuralisme, pour sa part, n'aura été qu'une théorie de passage en Amérique. Si, malgré l'érudition, la consciencieuse sincérité et l'immense somme de travail d'un homme de l'envergure de Titchener,

---

7. Les dernières éditions de cet ouvrage ont été révisées par l'auteur avec la collaboration du professeur Harold Schlosberg de l'Université Brown de Providence, R.I.

cette école n'a pu prendre suffisamment racine aux États-Unis pour être en mesure d'influencer les orientations à venir, le fait est significatif : il fait la démonstration qu'une conception de la science de l'homme, élaborée en Europe uniquement en termes de structure de la conscience, n'avait aucune prise sur un sol où la mentalité de la population était davantage tournée vers les problèmes d'adaptation à l'environnement dans un pays à bâtir. Aussi, les psychologues américains n'ont pas tardé à montrer les limites du structuralisme : ils ont oublié cependant que cette théorie importée d'Allemagne a été l'occasion et le moyen par lesquels la psychologie américaine a réussi la transition qui lui a permis de passer d'une psychologie philosophique à une psychologie scientifique élaborée en laboratoire, progrès que James lui-même n'avait su réaliser sur le plan des faits.

Le structuralisme de Titchener possède en outre le mérite de s'être appliqué à pénétrer les domaines difficiles de la mémoire, de la pensée et de la volonté, champs d'étude qui seront par la suite complètement mis de côté pendant un demi-siècle en Amérique. Mais, le fait pour Wundt et Titchener de s'être confinés à ce domaine et de vouloir y demeurer d'une manière exclusive eut pour effet de développer une conception de la psychologie qui évolue à une hauteur et dans des sphères trop pures, surtout au goût de plusieurs psychologues qui regardent la recherche sur la pensée comme stérile.

Plus empiriste et éclectique que systématique, le fonctionnalisme, de son côté, apparaît davantage une conception de la psychologie qu'une théorie en soi. La plupart des représentants de cette école s'attardent davantage à décrire les phénomènes selon une approche globale, plutôt que de tenter de faire l'analyse des contenus de la vie mentale. Ceci permet à des orientations nombreuses et distinctes d'émerger, qui toutes peuvent trouver leur source et leurs principes dans le fonctionnalisme. À ce sujet, on peut affirmer que le behaviorisme se tient dans la ligne tracée par Dewey, alors que les gestaltistes adopteront le point de vue structural. Mais, les analogies ne peuvent ici être poussées très loin, car les behavioristes se considéreront eux-mêmes comme assez opposés à tout ce qui les a précédés.

Quoi qu'il en soit, le retour aux sources permet d'affirmer que le fonctionnalisme se situe dès le départ dans la voie de la mentalité américaine, celle qui va donner naissance à la psychologie d'aujourd'hui. Il s'est opposé au structuralisme conservateur de Titchener et cette opposition s'avère un progrès, puisqu'elle ouvre la porte à des orientations nouvelles et permet à la recherche d'avancer sur des voies encore inexplorées, comme celle de la psychologie animale avec Edward Lee Thorndike. En effet, dans le cadre du structuralisme de Titchener, il eût été tout à fait hors de propos de faire entrer chats, poussins et rats en laboratoire, puisque l'introspection était la seule méthode d'investigation admise.

Sur cette terre de liberté qu'est l'Amérique, l'anathème porté à tout ce qui n'est pas introspection ne pouvait faire long feu. Les psychologues nord-américains ont le goût de sortir des sentiers trop étroits tracés par la psychologie allemande pour faire de la recherche avec des méthodes susceptibles de fournir une meilleure compréhension de l'organisme vivant. C'est pourquoi, outre l'introspection, ils élaborent une recherche psychologique fondée sur la description objective du comportement, les questionnaires, les tests mentaux, etc. Toutes ces méthodes se développent presque en même temps et laissent entrevoir des résultats intéressants, comme on pourra déjà le constater au chapitre suivant, à l'occasion de la lecture concernant les travaux exécutés par Thorndike.

CHAPITRE 3 Le connexionnisme ou l'hypothèse du lien associatif

Après les Russes, ce sera au tour des Américains de montrer le caractère plastique de l'organisme animal, mais par une voie différente de celle de Pavlov. Au tournant du siècle, pendant que l'Université de Chicago devient le principal foyer de la psychologie fonctionnaliste, l'Université Colombia à New York verra se développer chez elle un mouvement qui a déjà cours dans le monde de la psychologie, mais qui prendra ici une forme nouvelle. Les Anciens, Aristote en tête, avaient prétendu que les idées s'associent grâce à leur similitude, à leur constraste ou à leur contiguïté dans le temps et l'espace. Cependant, comme l'affirment Thorpe et Schmuller, «Aristote aussi bien que Hume s'intéressaient d'abord à l'analyse philosophique de l'association des idées. Il appartenait aux penseurs modernes d'explorer les conditions psychologiques et physiologiques du processus d'association» (1956, p. 44).

Aux États-Unis, l'associationnisme est lié au nom d'Edward Lee Thorndike (1874-1949). Mais le mouvement prendra un certain temps avant d'éclore au grand jour à la suite d'une recherche en laboratoire. C'est un fonctionnaliste, pas toujours fidèle à l'esprit du mouvement fondé à Chicago, James McKenn Cattell, qui reçoit Thorndike à l'Université Colombia. On l'a vu, les idées lancées par Dewey avaient tiré plusieurs de leurs postulats de l'évolutionnisme dont l'adaptation à l'environnement constitue le noyau central ; il n'est donc pas étonnant que l'une des idées chères aux fonctionnalistes demeure celle des différences individuelles. En effet, les capacités d'adaptation des individus, c'est un fait d'expérience, ne sont pas toutes égales. C'est pourquoi, assez tôt, on a cherché à les évaluer à l'aide de divers instruments de mesure. Comme Galton en Angleterre et Binet en France, Cattell sera l'un des principaux psychologues américains à étudier la question et à élaborer des tests mentaux[1] pour mesurer ces différences. Il travaillait dans ce champ particulier de la psychologie, lorsqu'il invita l'étudiant Thorndike à son laboratoire à Colombia.

LA RECHERCHE DE THORNDIKE

Pour sa part, Edward Lee Thorndike est fort intéressé à ce genre de problèmes chez les animaux. Né à Williamsburg, Mass., le 24 décembre 1874, Thorndike est d'abord attiré à la psychologie par la lecture des « *Principles of psychology*» de William James, et après un premier diplôme à l'Université Wesleyenne de Middletown, Conn., il s'inscrit à Harvard, où il suit les cours de ce philosophe en 1895. Après quelques insuccès lors d'une première recherche, il entreprend d'étudier, dit Boring,

> [...] l'intelligence des poussins. Lorsque sa logeuse refuse de lui permettre d'incuber et de faire éclore ses poulets dans sa chambre, James, alors à Harvard, tente de lui trouver un espace dans le laboratoire ou le musée de l'Université pour lui permettre de continuer ses expériences, mais sans succès. Il décida alors de recevoir le jeune Thorndike et tout son attirail dans le sous-sol de sa propre maison à la joie de ses enfants. Thorndike assure sa subsistance en offrant des leçons particulières ; puis Cattell lui écrit de New York pour lui proposer un poste de professeur assistant à l'Université Colombia. Il part donc pour New York en transportant avec lui dans un panier ses deux poulets les mieux « éduqués» et trouve un Cattell tout disposé à lui voir poursuivre ses expériences avec des poulets et des chats, mais sans incubateur cette fois (Boring, 1950, p. 562).

Sur le plan théorique, Thorndike est un radical. Il pose des questions nouvelles, osées et précises que la mentalité puritaine des milieux bienpensants de Nouvelle-Angleterre considère comme tout à fait stupides. Aller carrément se demander si un poulet, un chat ou un chien sont capables d'apprendre, si un animal est doué de pensée est un genre de questions qu'on ne se pose pas à la fin du siècle dernier. On s'en tient encore à l'animal machine de Descartes. Aussi, Thorndike devient-il l'objet d'insultes et de sarcasmes, même à l'intérieur des milieux scientifiques de l'époque.

Quoi qu'il en soit, Thorndike poursuit ses idées. Il possède le goût et le sens de l'expérimentation. Il laisse de côté les performances

---

1. L'expression *mental test* serait de James M. Cattell lui-même.

spectaculaires accomplies par des animaux, pour leur présenter des problèmes bien adaptés à leur situation. Il aurait, selon Skinner (1979, p. 87), puisé cette idée chez Lloyd Morgan, lors d'une série de conférences que le biologiste anglais donna à Harvard au printemps de 1896. Thorndike s'applique à enregistrer avec soin la manière dont certains animaux réagissent et résolvent certains problèmes. Ceci lui permet d'obtenir son doctorat en psychologie avec une thèse plusieurs fois rééditée depuis, qui s'intitule *Animal intelligence : an experimental study of the associative processus in animals.* La plus connue de ses expériences est menée sur des chats à l'intérieur de boîtes problèmes. Il s'agit « d'une boîte d'approximativement 20 pouces^2 de long par 15 pouces de large et 12 pouces de haut » (Thorndike, 1911, p. 29). Un déclencheur de type variable placé à l'intérieur de la boîte permet l'ouverture automatique de la porte. Affamé et mis dans la boîte,

> [...] le chat montre des signes évidents d'inconfort et cherche à s'échapper. Il tente d'exercer des pressions sur les parois. Il griffe ce qu'il rencontre, pousse les pattes à travers les ouvertures et mord tout ce qu'il atteint. Il est très peu attentif à la nourriture placée à l'extérieur de la boîte, mais semble simplement s'efforcer d'échapper de sa prison... Dans son effort pour sortir, le chat actionnera probablement et par hasard le dispositif qui fait ouvrir la porte (*Ibid.,* 1911, p. 35).

À mesure que les essais sont multipliés, le temps que les chats mettent à sortir de la boîte est généralement de plus en plus court, de telle sorte qu'il vient un moment, où le chat placé dans la boîte est capable d'en sortir immédiatement. Thorndike a produit des courbes qui établissent la progression de la performance d'une manière significative. La solution vient-elle au chat par intelligence ou par instinct ? Ni l'un, ni l'autre, selon Thorndike, mais plutôt par un apprentissage graduel de la réponse correcte. Jusqu'ici on avait attribué à l'animal des mouvements réflexes, automatiques dont les connexions du cerveau sont responsables. Thorndike est d'avis que ses chats apprennent en établissant des connexions S-R nouvelles, dictées par la situation ; mais de la part du chat le phénomène se produit en dehors de toute perception consciente ou de quelque forme de pensée.

À ce sujet, il est intéressant de constater que, dans la boîte, l'animal demeure actif, exécute une série d'essais infructueux, de tâtonne-

---

2. La conversion au système métrique donne une boîte d'environ 50 centimètres de long, 38 centimètres de large et 30 centimètres de haut.

ments, jusqu'à ce qu'il réussisse par accident. Cette sorte d'acquisition de la réponse a été nommée mode d'apprentissage par essais et erreurs.

> Parmi plusieurs réponses faites à la même situation, celles qui sont accompagnées ou immédiatement suivies d'une satisfaction chez l'animal, les autres choses étant égales, seront liées plus fermement à la situation, de telle sorte que, si cette situation se renouvelle, les mêmes réponses se reproduiront aussi avec une plus grande probabilité ; celles qui sont accompagnées ou immédiatement suivies d'un malaise chez l'animal, les autres choses étant égales, auront des liens affaiblis avec la situation, de telle sorte que, si cette dernière se renouvelle, les réponses auront tendance à se reproduire avec moins de probabilité. Plus la satisfaction ou le malaise est grand, plus grande aussi est la force ou la faiblesse du lien (Thorndike, 1911, p. 244).

Cette affirmation permet de constater que Thorndike se situe davantage comme un théoricien du lien causé par un effet heureux qu'un théoricien de la contiguïté[3]. La satisfaction ou récompense que constitue la nourriture après un mouvement fructueux a pour effet d'imprimer un lien, une empreinte dans l'organisme, *a stamping in of the stimulus-response connexion*, que la tradition behavioriste traduit par le sigle S-R, le S étant le stimulus, le R la réponse et le tiret (-) le lien entre le stimulus et la réponse.

Mais avant d'arriver à une bonne réponse l'individu fait des essais infructueux, avons-nous dit. Cette situation peut se représenter d'une manière graphique (Figure 4), la Nième réponse étant la bonne.

FIGURE 4
Une série linéaire de réponses

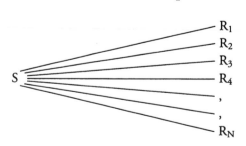

---

3. Au moment de l'exposé sur le behaviorisme, nous verrons Watson et Guthrie se situer carrément du côté de la contiguïté.

Selon le type de situation, la bonne réponse n'est pas toujours la dernière sur un plan linéaire; le sujet peut revenir sur des réponses déjà faites et procéder à des sélections successives (Figure 5).

FIGURE 5
Choix d'une réponse par sélection

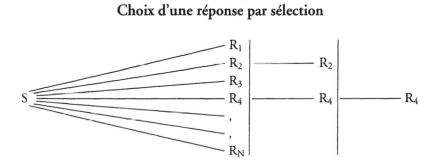

Comment ce lien s'établit-il, se demande Thorndike? À son avis, on doit chercher l'explication à l'intérieur de l'organisme. Bien que l'investigation des voies nerveuses par les neurophysiologistes ait déjà enregistré quelques résultats intéressants, l'absence de puissants microscopes électroniques et l'appareillage encore rudimentaire des laboratoires du début du siècle ne permettent pas de s'attaquer à la morphologie du neurone, comme unité anatomique et physiologique. À défaut de pouvoir analyser en profondeur le système nerveux pour voir ce qui s'y passe, Thorndike imagine que des liens doivent s'établir quelque part le long des voies nerveuses et plus spécialement au cerveau; il fait alors l'hypothèse que l'apprentissage peut être représenté comme une chaîne reliant plusieurs neurones et qu'en définitive « la grande majorité des connexions à étudier dans l'apprentissage humain commencent et se terminent par un certain état du cerveau et sont des liens entre des faits mentaux » (Thorpe et Schmuller, 1956, p. 47). Il nomme ce point de jonction entre deux neurones « synapse », terme forgé en 1897 par un helléniste anglais à la demande même du physiologiste Sherrington (1857-1952) qui lui aussi étudiait le système nerveux. Thorndike ne peut avancer beaucoup plus loin dans ce domaine de la liaison physiologique, compte tenu de l'état des sciences biologiques.

CONSÉQUENCES THÉORIQUES

Il est à noter dès maintenant que Thorndike n'est pas un théoricien du lien produit par contiguïté; il annonce plutôt la théorie du renforcement de Skinner. En effet, il croit que la satisfaction produite par la nourriture à la sortie de la boîte est l'un des facteurs importants de la création du lien. Aux yeux de Thorndike, la répétition des essais a sans doute de la valeur, puisqu'il en fait une loi, à savoir que « la connexion entre S et R dépend de l'usage ou du non-usage ». Mais selon lui, l'apprentissage réside dans une consolidation, un raffermissement (*strengthening*)[4] d'une connexion qui se produit entre une situation qui agit comme stimulus et une réponse. Cette connexion sera affermie, si la réponse produit une satisfaction pour l'animal, ou sera affaiblie, si la réponse produit un malaise. L'effet est un concept que Lloyd Morgan (1852-1936) avait discuté quelques années auparavant. Les événements passés impriment dans l'organisme des traces, qui semblent créer le montage ou la structure d'un comportement futur, à condition que ces événements soient suivis d'un succès : plus tard, Thorndike parlera de plaisir. S'il est vrai, comme on le répète souvent, que le plaisir et la douleur sont des déterminants du comportement, nous faisons les choses qui sont de nature à nous procurer du plaisir et évitons celles qui nous causent de la peine ; puis Thorndike finit par nommer ce plaisir ou ce succès une satisfaction (*satisfier*) et ce malaise une contrariété (*annoyer*). Il tend ainsi à s'éloigner de l'idée épicurienne, à savoir que le plaisir est bon et qu'il faut le rechercher dans la vie, pour s'appuyer davantage sur le principe de l'hédonisme repris par les écrivains anglais Hobbes, Locke et Spencer. Selon eux, les gens ont tendance à choisir ce qui leur est agréable[5], éclairés qu'ils sont dans leurs choix par les expériences passées.

L'ensemble de la théorie bâtie par Thorndike, à la suite de ses recherches expérimentales, peut se définir comme une position selon laquelle les médiateurs fonctionnels entre le stimulus et la réponse ou entre une situation et un comportement sont des attaches ou, si l'on veut, des liens qui peuvent être acquis par l'apprentissage.

---

4. Il faut remarquer que le mot utilisé par les auteurs américains pour décrire l'affermissement du lien est bien *strengthening* et non *reinforcement*. Skinner s'appropriera ce dernier comme un concept essentiel à sa théorie. Le mot renforcement a fait fortune dans la psychologie nord-américaine et beaucoup d'auteurs l'utilisent avec une grande liberté dans les milieux behavioristes. Ils appliquent le mot *reinforcement* aussi bien au conditionnement classique de Pavlov, à l'associationnisme de Thorndike qu'au conditionnement opérant de Skinner. Il y a là un abus qui engendre parfois de la confusion.

5. Les expériences de Thorndike ainsi que la formulation originale qu'il donne à sa loi de l'effet le mettent suffisamment à l'abri des prétentions de ceux qui l'accusent d'avoir copié Herbert Spencer. En effet, ce philosophe britannique avait prévu qu'une satisfaction ou un malaise peuvent produire des effets dans le système nerveux.

Après William James et John Dewey, Thorndike est l'un des premiers théoriciens dont les recherches et les idées ont une répercussion dans le domaine de l'éducation en Amérique. Invité au Teacher's College de Colombia, Thorndike est conduit par les principes mêmes de sa théorie à mettre l'accent en pédagogie sur certains concepts, comme ceux de la valeur de la répétition et de la récompense pour créer une habitude, puisque l'apprentissage dépend de la fixation du lien entre S et R. Chose curieuse à un point de vue plus récent, la compréhension est mise au second rang, alors que le transfert d'apprentissage acquiert de l'importance, grâce à la théorie des éléments identiques. Quant à la perception, elle est un procédé associatif ; les parties viennent avant le tout ; elles s'unissent grâce à des connexions qui « sont le lien entre un fait mental et un autre » (1913, p. 55).

COMMENTAIRE

Si on veut faire tout à fait abstraction de l'aspect philosophique, cette théorie s'inscrit vraiment dans la longue tradition associationniste des empiristes anglais, mais d'un associationnisme renouvelé et coiffé par Thorndike du titre de *connectionism*, car pour lui tous les apprentissages reposent sur des « *S-R connections* ». C'est faute d'un terme plus précis que nous parlons d'associationnisme en français.

Alors que Pavlov a montré la plasticité de l'organisme par le lien de deux stimuli, l'un inconditionnel ou imposé par la nature et l'autre conditionnel, et le plus souvent intervenant d'une façon quelconque, Thorndike fait voir un autre aspect de cette plasticité ; il découvre qu'une satisfaction peut non seulement influencer, mais modifier le comportement d'un organisme. Cette notion de la récompense mit un temps assez long à s'imposer auprès des psychologues, qui ne commencèrent à accepter l'idée que vers 1930. On a peine aujourd'hui à comprendre une période où l'apprentissage n'était pas basé sur la récompense ou le renforcement comme on l'enseigne maintenant. Pourtant une fois acceptée, cette notion deviendra l'un des concepts chers aux behavioristes. Sans devenir un membre avoué de cette école, Thorndike en sera par la suite considéré comme l'un des grands pionniers.

Par ailleurs, ce professeur adonné à la formation des maîtres est regardé, par les Américains tout au moins, comme le premier psychologue à s'être intéressé à l'apprentissage animal. G.H. Romanes (1848-1894) naturaliste anglais né au Canada, C.L. Morgan (1852-1936) psychologue anglais, l'entomologiste français Henri Fabre (1823-

1915) et Jacques Loeb (1859-1924) en Allemagne avaient avant Thorndike étudié le comportement animal, mais n'avaient pas étudié en laboratoire la question de l'apprentissage avec des méthodes aussi rigoureuses que celles qu'utilisait Thorndike. Ce dernier a contribué à démolir le concept de l'intelligence instinct, celui de la mécanique mentaliste ainsi que celui du dualisme homme-animal qui, à cette époque, étaient encore présents dans les milieux de la psychologie. Le problème est maintenant posé sous un angle nouveau : l'habileté d'un animal à apprendre dépendrait-elle de l'habileté d'un sujet à modifier les connexions de son cerveau[6] ? Selon Thorndike, le comportement ne se décrit pas en termes d'idées ou de sensations enregistrées dans des ensembles de cellules nerveuses, mais en termes de liaisons entre S et R ou, si l'on veut, en termes de « *S-R connections* ».

En dépit de leur influence profonde pendant une période assez longue sur la psychologie et la pédagogie, la théorie de Thorndike et en particulier l'hypothèse de la synapse ont été souvent critiquées. L'une des objections les plus sérieuses vient de K.S. Lashley (1890-1958) qui fit des recherches fort intéressantes sur les bases neurophysiologiques des phénomènes d'apprentissage. Lashley n'accepte pas que « le processus d'apprentissage et la rétention des habitudes dépendent de modifications structurales à localisation fine dans le cortex cérébral » (1929, p. 176). Même en l'absence de données définitives à ce sujet, la tendance scientifique actuelle ne fait pas dépendre le phénomène de l'apprentissage de connexions spécifiques comme semble l'avoir pensé Thorndike. Il reste qu'à cette époque et pour un temps l'hypothèse pouvait avoir sa valeur. Thorndike reste dans le domaine de la psychologie un grand innovateur.

---

6. M.E. Bitterman, dans un article sur l'évolution de l'intelligence, affirme que « l'habileté de l'animal à apprendre dépend simplement de son habileté à modifier ses connexions (à en défaire certaines et à en former d'autres), selon la nécessité et les circonstances. Les différences d'intelligence d'une espèce à une autre ne sont que des différences de degré. Les animaux supérieurs peuvent former plus de connexions que les animaux inférieurs en raison d'un système nerveux qui fournit plus d'éléments pour ce faire » (1971, p. 191).

II. Le behaviorisme

CHAPITRE 4 Naissance du behaviorisme

En Amérique tout comme en France et en Angleterre, les idées font leur chemin et le vieil empirisme de Locke et de Hume, qui faisait de l'expérience la source de toute connaissance, se transforme peu à peu en un empirisme rajeuni qu'on nomme le positivisme. Ce mode de penser, dont le principal instigateur est Auguste Comte, se traduit par une position philosophique et scientifique qui soutient 1° que la connaissance se limite à l'expérience et aux faits observables, 2° que les questions métaphysiques concernant la nature de la réalité, l'origine et la finalité des choses se situent en dehors du champ de la science et de la philosophie. De ce point de vue, le positivisme est autant une méthode qu'une théorie[1]. Les positivistes ont tendance à voir dans la mise à l'écart de certains problèmes d'ordre spéculatif et dans l'application des mathématiques à certains phénomènes l'acte « positif » par excellence qui a conduit l'humanité « du sommeil métaphysique vers la froide observation des faits » (Musil, 1973, p. 472). À certains moments, le mouvement prend l'aspect d'une croisade contre la philosophie dominante considérée comme idéaliste et réactionnaire. Il provoque ainsi les adversaires qui reprochent à la pensée positiviste d'attacher une importance extrême à de simples détails au détriment

---

1. Littré définit ainsi le positivisme : « un système philosophique émané de l'ensemble des sciences politiques ; Auguste Comte en est le fondateur ; ce philosophe emploie cette expression *philosophie positive* par opposition à philosophie théologique et à philosophie métaphysique ».

d'une compréhension étendue, synthétique, profonde et vraiment holistique du réel. Le débat n'est pas à trancher ici, mais il est important de noter l'influence de plus en plus marquée de la méthode positiviste dans les sciences de la nature. En psychologie, le positivisme ne tarde pas à donner à cette discipline non seulement une perspective, une teinte nouvelle, mais il contribuera à la naissance d'une théorie très large, sujette à de multiples applications dans divers domaines de la vie et de la société. Grâce à des méthodes d'analyse réductionnistes qu'il suscitera, le positivisme, nouvelle école de pensée, mettra l'accent sur l'environnement et rejettera les concepts à caractère mentaliste. Les succès obtenus orienteront les chercheurs vers des méthodes empiristes et opérationnelles. Nous définirons ce qu'est l'opérationnisme à l'occasion de l'étude du renforcement opérant ; quant à l'empirisme, nous en avons dit l'origine lors de notre présentation des empiristes anglais. Il restera à dire ce qu'il est devenu au XXᵉ siècle au début du chapitre sur la gestalt, face au nativisme de certains auteurs allemands.

LES PRÉCURSEURS

En 1910, nous sommes donc à un point tournant. Cette évolution progressive de la pensée philosophique au cours des dernières décades ne fait pas que modifier l'idée qu'on se fait des réalités à étudier, mais amène la psychologie elle-même à se questionner sur son objet et l'étendue de son champ d'application. Cette psychologie qui a « régné en souveraine jusqu'à ce jour est inévitablement un compromis. Elle a remplacé le concept d'âme par celui de conscience » (Watson, 1925, p. 12) ; mais même ce nouveau concept gêne les chercheurs qui, sans toujours l'ignorer, l'écartent de leurs préoccupations dans les faits. Le chemin parcouru par la tradition de Locke à Wundt a beau nous montrer que la psychologie étudie le mental, cette étude finit par se nommer la psychologie physiologique. Les hommes de science qui travaillent dans le domaine centrent graduellement leur attention sur l'organisme, sans prendre position pour autant quant à l'aspect philosophique de la question et sans poser sérieusement le *mind-body problem*, qui semble de moins en moins un problème que l'on doive aborder en sciences expérimentales. D'ailleurs la distinction traditionnelle établie par Descartes entre les animaux conçus comme machines et les hommes doués d'une âme substantielle perd graduellement de sa force en France, comme explication valable de la matière et de l'esprit : déjà au XVIIIᵉ siècle, La Mettrie (1709-1751) juge le comportement de l'homme comme aussi automatique que celui des animaux ; Condillac (1715-1780) et Cabanis (1757-1808) enseignent un matérialisme qui tente de s'appuyer sur des explications physiologiques ; puis Auguste Comte (1798-1857) rejette l'introspection et établit l'ensemble de son système sur des données de base observables, sans référence au spirituel ; enfin Henri Piéron (1881-1964) un peu timidement, mais en 1908, quelques années avant Watson, assigne à la psychologie l'étude du comportement animal et humain. De son côté au début du XXᵉ siècle, Freud (1856-1939) montre que les expériences vécues durant le jeune âge ont sur le comportement de l'adulte une influence prépondérante.

Par ailleurs, on a vu comment par le biais de la psychologie animale Pavlov découvre en Russie le réflexe conditionné et Thorndike aux États-Unis met en lumière un autre aspect de l'apprentissage, soit l'effet de la récompense dans un processus d'essais et erreurs. Beaucoup de psychologues américains brisent le vieux moule de la psychologie introspectionniste pour évoluer progressivement vers un fonctionnalisme teinté de la théorie de l'adaptation de Darwin. Cette évolution ne doit pas laisser croire à une progression des idées sans retour. Il faut le signaler : plusieurs auteurs en psychologie expérimentale tentent de récupérer le concept de conscience et restent attachés à des vues plus traditionnelles de l'interprétation du comportement de l'animal et de l'homme. Entre autres, qu'il suffise de nommer, près de Watson, H.S. Jennings, *Contributions to the study of the behavior of the lower organisms* (1904), S.J. Holmes, *The evolution of animal intelligence* (1911) et surtout W. McDougall (1871-1938) qui prend position dans de nombreux ouvrages. Cependant en Amérique comme ailleurs le concept de conscience, sans toutefois disparaître, s'estompe ; bien qu'il ait tenu beaucoup de place dans les écrits de James et de Dewey, on voit le fonctionnaliste Cattell s'attacher à l'aspect mesure lors de ses observations des performances humaines et animales et affirmer : « C'est certes le temps pour les hommes de science d'appliquer des méthodes scientifiques pour déterminer ce qui aide ou entrave le progrès de la science » (Boring, 1957, p. 539).

Mais même si le temps est arrivé, la psychologie aura besoin d'une prise de position plus fracassante que celle de Cattell avant de devenir la science du comportement. C'est John B. Watson, un psychologue à la personnalité colorée, qui, dans un article célèbre au printemps de 1913, signera l'acte de naissance du behaviorisme ou de la psychologie du comportement.

JOHN B. WATSON (1878-1958)

Né le 9 janvier 1878, à Greenville en Caroline du Sud, John Broadus Watson se décrit lui-même comme un garçon paresseux, raisonneur, peu enclin à la discipline, content comme écolier de n'obtenir aux examens que la note de passage. Il fut un jour mis sous arrêt pour avoir utilisé des armes à feu à l'intérieur des limites de sa ville (1961, p. 271). Il frise la délinquance tout au long de son adolescence (Bakan, 1966, p. 9). À 21 ans, il s'inscrit à l'Université de Chicago, où il poursuit des études avec John Dewey. Il trouve ce professeur incompréhensible : « Je n'ai jamais su ce dont Dewey nous entretenait et malheureusement pour moi, je ne le sais pas encore aujourd'hui » (1961, p. 274). Ceci ne l'empêche pas d'obtenir en 1903 l'un des premiers doctorats en psychologie décernés par cette université. Il se marie la même année et demeure à cette institution comme associé de Dewey, Angell et Donaldson. Il aide ces derniers à fonder un laboratoire de psychologie animale et semble, malgré son comportement agressif, assez satisfait de sa situation. Pendant cette période, il entreprend des recherches sur les animaux[2].

En 1908, James M. Baldwin, alors professeur à Johns Hopkins, invite Watson à cette université et lui offre le salaire de 3 500 dollars par année, somme fabuleuse pour l'époque, semble-t-il[3]. « Pendant les deux premières années, j'enseignai, dit-il, une espèce à peine modifiée de psychologie générale à la William James, en me servant des manuels de Titchener pour la partie expérimentale de mes cours » (Watson, 1961, p. 256). Tout en poursuivant en laboratoire des recherches sur la psychologie animale, Watson se demande ce qu'il advient de ceux qui, comme lui, étudient le comportement des chiens, des chats et des rats. La psychologie ayant été définie la science de la conscience, sont-ils une espèce de « ratologues » tout à fait étrangers à la psychologie ? Selon la tradition de Descartes à Locke, de Berkeley à Wundt, l'étude du comportement animal devient une activité de coulisse, *a side show*, qui n'a rien de relié à la grande tradition du jour. Il est impressionné au cours de ses recherches par le fait que le comportement qu'il observe est réel, objectif, facile à expérimenter, tandis que la conscience appar-

---

2. Dans une brève autobiographie publiée par Murchison (1961), Watson avoue : « *With animals, I was at home...* » – « Avec les animaux, je me sentais chez moi. Cette étude me gardait proche de la biologie, les pieds bien au sol ».

3. Cette somme équivaut approximativement à 14 100 nouveaux francs français, en tenant compte des taux de change d'aujourd'hui.

tient au domaine de l'imaginaire. « Le temps est venu, dit-il, pour la psychologie d'éliminer toute référence à la conscience » (1913, p. 163).

UNE ORIENTATION NOUVELLE

En 1913, comme on le sait, paraît dans *Psychological Review,* sous la signature de Watson, un article au ton vigoureux, « Psychology as the behaviorist views it », qui a

> [...] un retentissement considérable, au moins aux États-Unis, et qui constitue l'acte de naissance d'une conception psychologique nouvelle, le behaviorisme, selon laquelle une psychologie véritablement scientifique ne peut porter que sur le comportement objectivement observable des organismes animaux et humains (Tilquin, 1950, p. 51).

> La psychologie telle que le behavioriste la voit, affirme-t-il, est une branche des sciences naturelles, dont la méthode est expérimentale et objective. Théoriquement son but doit être de prédire et de contrôler le comportement. [...] Le behavioriste dans ses efforts pour obtenir un schème unifié de la réponse animale ne reconnaît pas de ligne de séparation entre l'homme et la brute. Le comportement de l'homme avec tous ses raffinements et sa complexité ne forme qu'une partie du schème total de l'investigation du behavioriste (Watson, 1913, p. 158).

Watson considère que le concept de conscience est présent en psychologie comme un résidu ou une survivance des enseignements de la philosophie du Moyen Âge sur l'âme et devrait être écarté aujourd'hui comme une superstition.

> On pourrait difficilement exagérer la singularité de la vision avec laquelle l'orthodoxie watsonienne voit la situation présente en psychologie. D'un côté il y a le behaviorisme, de l'autre la psychologie traditionnelle. Les psychologies non behavioristes peuvent différer entre elles, mais devant le fait qu'elles sont toutes de type mental, leurs différences sont négligeables. Elles ont toutes la même teinte dualiste, matière et esprit, et comme telles, ne peuvent être scientifiques. [...] Si la psychologie doit un jour devenir une science, elle doit suivre l'exemple des sciences de la nature et être matérialiste, mécaniste, déterministe et objective (Heidbreder, 1933, p. 234).

Pour Watson, des termes comme sensation, perception, affection, émotion, volition utilisés par les fonctionnalistes autant que par les structuralistes doivent être évincés comme illusoires et trompeurs (1913, p. 165). La psychologie n'a plus à se servir des mots : image, contenu, esprit, état mental, conscience et ceux du même genre. D'un autre côté, il est absurde, prétend-il, de se servir de l'introspection comme les psychologues le font : si on ne réussit pas par l'introspection à rendre compte de la conscience, des états affectifs, de l'imagerie, on met la faute sur la faiblesse de l'observateur ; l'erreur en est une de méthode. On a assez étudié ce que les gens pensent et ressentent, étudions ce qu'ils font (1913, p. 163).

Ses collègues de l'Université de Chicago acceptent plusieurs des objections formulées par Watson, mais ils mettent sur le compte de la fougue juvénile ce que le texte semble avoir d'excessif et de radical. « Ça passera », disent-ils. Mais ça ne passe pas ainsi. L'année suivante, en 1914, Watson publie *Behavior : an introduction to comparative psychology*, où il démontre avec succès que l'animal ou, si l'on veut, la psychologie comparative a sa place parmi les sciences. Il met l'accent sur les avantages qu'il y a pour les psychologues d'utiliser les animaux comme sujets de recherche en psychologie. Watson étonne, et certains psychologues sont incapables d'admettre ses vues. L'un d'eux, Titchener, ne fut pas lent à réagir à de telles positions et à prétendre, comme le rapporte Edna Heidbreder, que des résultats qui ne sont pas établis en termes de conscience doivent être exclus du champ de la psychologie. À ceci, Watson répond que la seule psychologie digne du nom de science doit provenir de tels résultats, que la psychologie qui s'intéresse à la conscience est une pseudo-science. Puis une nouvelle dispute éclate entre Watson et McDougall, dont les grandes lignes nous sont fournies dans un livre intitulé *The battle of behaviorism* (1929).

Mais un fait demeure : les déclarations de Watson plaisent à la jeune génération des psychologues qui sentent que ce batailleur est tout de même en train de nettoyer l'atmosphère de la poussière accumulée par les siècles. Aussi dès 1915, deux ans après la parution de son manifeste, John Watson est élu président de la prestigieuse American Psychological Association. Il a 37 ans. Au congrès annuel de Chicago, au mois de décembre de la même année, son discours d'ouverture commence ainsi :

> Depuis la publication, il y a deux ans, de mes textes quelque peu impolis contre les méthodes courantes en psychologie, j'ai senti qu'il m'incombe, avant de faire d'autres remarques désagréables, de suggérer certaines méthodes que nous pourrions commencer à utiliser à la place de l'introspection. J'ai constaté, comme vous pouvez bien le prévoir, que c'est une chose de condamner une méthode depuis longtemps établie et c'en est une autre d'en proposer une nouvelle à la place. Je désire dans mes remarques ce soir vous faire rapport du progrès qui a été obtenu dans cette direction (1916, p. 89).

Puis Watson décrit alors comment il a réussi à faire produire à des animaux des réactions défensives (flexion de patte, augmentation du rythme cardiaque) en unissant deux stimuli, le pincement d'un courant électrique et le son d'un timbre, l'animal finissant par réagir au seul son du timbre. Puis il en profite pour annoncer devant cet auditoire de psychologues que le conditionnement est une réalité et la meilleure manière d'étudier l'apprentissage. Il faut se souvenir cependant que, en 1915, les travaux de Pavlov ne sont pas encore traduits en anglais. Watson n'avait eu accès à Pavlov que par une traduction française du fameux ouvrage de Bekhterev (traduit du russe en 1913), *La psychologie objective*, qui lui plut beaucoup parce que la philosophie de fond de ce livre est tout aussi mécaniste et réductionniste que la sienne propre. Bekhterev y décrit en plus un type de conditionnement assez proche de celui de Pavlov et les méthodes à utiliser pour l'obtenir. Selon Lashley (1916), Watson fut incapable dans son laboratoire d'entraîner un animal à saliver par conditionnement, bien qu'il se réclame dès cette époque comme un psychologue du conditionnement et en utilise la terminologie. Lorsqu'en 1927 les ouvrages de Pavlov sont traduits en anglais et se répandent dans le monde, la psychologie américaine est déjà familiarisée avec une espèce de conditionnement à la manière de Watson ; cependant les travaux du chercheur russe sont assez peu compris. Jusque-là le mot conditionnement a signifié, à partir des explications qu'en donne Watson, l'acquisition d'habitudes de type S-R, lorsqu'un stimulus et une réponse surviennent ensemble un certain nombre de fois.

LE PRINCIPE DE BASE

Au départ en effet l'interprétation de l'apprentissage proposée par Watson est assez élémentaire. Dans un livre intitulé *Psychology from the standpoint of a behaviorist* paru en 1919, Watson, prenant comme point de départ de son système les éléments stimulus et réponse, explique le comportement animal, puis étend cette explication aux agirs de l'être humain. Le principe de base en est le suivant : quand un stimulus et une réponse surviennent en même temps, le lien entre les deux est renforcé selon la fréquence des répétitions. Il entend expliquer ainsi le conditionnement classique. Bref, pour lui, une réponse devient conditionnée quand cette réponse est liée à un stimulus qui ne la produisait pas initialement ; pour Pavlov aussi, le conditionnement est un lien nouveau dans l'organisme, mais il insiste un peu plus que Watson sur le fait que ce résultat est produit par la rencontre dans le même temps d'un stimulus conditionnel (SC) et d'un stimulus inconditionnel (SI).

Au point de départ, quand l'enfant arrive au monde à la naissance, il possède quelques réflexes rudimentaires inscrits dans ses structures corporelles et des modes de fonctionnement tels des mouvements corporaux qu'il exécute au hasard ; peu à peu d'autres réactions et des formes plus complexes de comportement se construisent sur les précédentes par conditionnement. Watson rejette la transmission par hérédité de toute habileté spéciale, de traits de caractère, de structure de personnalité et même de l'instinct. « L'homme n'est pas né, il se construit » – *Men are built, not born* (Tilquin, 1950, p. 121). En d'autres termes, l'homme s'ajuste à son environnement qui est décomposable en deux éléments simples : une stimulation ou une situation susceptible de déclencher une action et une réponse, c'est-à-dire une réaction de l'individu ou un acte posé dans l'environnement.

À partir de cette explication de l'apprentissage, Watson conclut que toute l'éducation dépend d'un jeu de réflexes :

> Donnez-moi une douzaine d'enfants bien portants, bien conformés, et mon propre milieu spécifique pour les élever, et je garantis de prendre chacun au hasard et d'en faire n'importe quel type de spécialiste existant : docteur, juriste, artiste, commerçant et même mendiant et voleur, sans tenir compte de ses talents, penchants, tendances, capacités, de sa vocation ni de la race de ses ancêtres (1925, p. 82).

Une expérience souvent citée tend à montrer le bien-fondé de cette affirmation : un enfant de 11 mois, le petit Albert, peut jouer avec un rat blanc sans montrer de signes de crainte. Watson et Rayner choisissent un bruit intense comme stimulus inconditionné.

> Le son est produit en frappant une barre d'acier de quatre pieds de long et de trois quarts de pouce de diamètre[4] avec un marteau (1920, p. 4). Soudainement le rat blanc est tiré du panier et présenté à Albert. Il tend la main gauche pour atteindre le rat. Au moment où sa main touche l'animal, on frappe la barre violemment derrière sa tête. L'enfant sursaute (1920, p. 4).

Après trois essais, le rat seul déclenche la peur et un comportement défensif. Après six essais, la simple vue du rat suscite une forte réaction émotive, réaction qui se généralise, et dans le cas d'Albert, s'est transférée à un lapin blanc, à un chien et même à un manteau de fourrure.

---

4. Une barre d'acier de 1,22 mètre de long et de 2 cm de diamètre.

Des expériences comme celle-ci contribuent à convaincre Watson que les difficultés d'ajustement ne sont pas dues seulement à des problèmes de sexualité enfantine, comme Freud l'enseignait alors depuis vingt ans. Différents types de réponses émotives peuvent être conditionnés et même transférés à des situations nouvelles comme le montre l'expérience du petit Albert. Watson met alors au point un programme d'amélioration de la qualité de la vie basé sur les principes scientifiques nouveaux qui font l'essence du behaviorisme.

Malheureusement, un événement déplorable vient couper court à ce travail accompli auprès des enfants, au projet qui en découle et surtout à une carrière universitaire qui s'annonce des plus prometteuses. En 1920, alors qu'il a 42 ans, Watson demande le divorce et épouse Rosalie Rayner de Baltimore, son assistante de recherche. La publicité faite à cet événement, jointe au puritanisme qui sévit en Nouvelle-Angleterre, soulèvent l'opinion publique à un point tel que l'université demande sa démission. Plusieurs de ses collègues, y compris le professeur Angell qui avait guidé le début de sa carrière, le critiquent vertement. Chose curieuse c'est Titchener, un adversaire sur le plan des idées, qui apporte à Watson une aide matérielle et morale. Ce dernier pourra écrire en 1922 : « Vous avez fait pour moi durant cette crise plus que tous mes autres collègues ensemble » (Larson et Sullivan, 1965, p. 346). D'une manière moins assidue, Watson continue à propager sa théorie jusqu'à 1930, mais sans produire rien de bien nouveau. En même temps, il met ses connaissances au service d'une maison de publicité et contribue ainsi à grossir le pouvoir de grandes firmes, qui cherchent à cette époque à « conditionner » la population en faveur des produits qu'elles fabriquent.

Durant les dernières années de sa vie, Watson vit retiré sur une ferme du Connecticut.

COMMENTAIRE

Héritier du pragmatisme[5] expérimental de James et du fonctionnalisme de Dewey, initiateur et principal porte-parole de la révolution behavioriste, Watson a assigné à la psychologie en 1913 un champ de recherche

---

5. Au départ, le pragmatisme est une doctrine philosophique qui prend pour critère de la vérité la valeur pratique et considère en un sens que la pensée doit être subordonnée à l'action ; mais sur le plan scientifique le mouvement pragmatiste se présente davantage comme « une philosophie de la science, dont la rationalité substitue au doute de type cartésien les questions concrètes du savant et qui fonde par là une théorie expérimentale de la signification » (*Encyclopaedia Universalis*, vol. 13, p. 441).

et lui a indiqué une méthode à suivre. Avant cette date, l'orientation était certes déjà donnée vers une psychologie objective, mais Watson lui imprime une telle vigueur et un tel impact qu'il est considéré à juste titre comme le père d'une école nouvelle, le behaviorisme.

À la vérité, il s'agit plus d'un mouvement que d'une école puisque, dès le début, le behaviorisme se présente comme étant très opposé non seulement au structuralisme et au fonctionnalisme, mais à presque toutes les théories qui l'ont précédé. Il fait facilement figure de religion pourvue d'un credo bien précis. À certains moments, ses disciples partent en croisade contre les ennemis de la science. En 1930, la bataille est gagnée. Les adhérents du behaviorisme watsonien sont en possession d'une vérité, à partir de laquelle ils prononcent des sentences et des jugements qui séparent à jamais les brebis des boucs : d'un côté, il y a les justes, qui sont les behavioristes fidèles à l'esprit scientifique ; de l'autre, il y a tous les introspectionnistes, les animistes, les superstitieux, tous ces reluctants encore attachés à une psychologie philosophique et encore ignorants de la vraie méthodologie scientifique.

Il est vrai qu'on a peut-être eu tort, pendant de longues époques, de vouloir appuyer des conclusions d'ordre expérimental sur des idéologies et de confondre souvent les méthodes : la déduction philosophique d'une part et les démarches propres aux sciences naturelles de l'autre. Le progrès de la psychologie vers la pure objectivité, nous l'avons montré, s'en est trouvé retardé d'autant.

Mais est-ce que Watson, tout en étant rigoureux sur le fond du problème, n'est pas tenté de se laisser lui-même inconsciemment glisser dans un certain subjectivisme, à son tour ? Dans quelle mesure résisterait-il à une analyse critique sur le plan théorique ? Même après 1913, un humain demeure un humain ; il doit se demander dans quelle mesure ses croyances profondes influencent, sinon les résultats de ses expériences, du moins l'interprétation qu'il en donne.

> Une évaluation critique d'une théorie de la nature humaine doit toujours inclure une discussion des biais idéologiques de cette théorie. Nos idées sur ce qu'est la nature humaine, et par la suite sur la manière de l'expliquer, sont toujours liées à des convictions extra-scientifiques, qui souvent exercent une certaine influence sur ce que nous regardons comme une bonne explication (Kalikov, 1980, p. 1).

Si on reprenait les ouvrages et les nombreux articles de J.B. Watson, on y verrait, à mon avis, suinter très tôt un monisme matérialiste qui n'est pas, sur le plan de l'objectivité et de la rigueur logique, le résultat d'une expérience de laboratoire. À ce sujet, l'insistance que met Watson à situer la pensée surtout au niveau périphérique de l'organisme et à en faire implicitement un comportement moteur, une conversation sous-vocale impliquant des habitudes musculaires et laryngiennes, paraît une position plus dogmatique qu'expérimentale. À un autre point de vue, Paul Fraisse prétend que « Watson ne nie pas l'existence de la conscience, comme on aime à le lui faire dire » (1963, p. 46).

C'est exact, si on s'en tient à ses premiers textes ; ainsi en 1913, Watson écrit :

> Doit-on laisser au-dessus de la psychologie un monde de pur psychisme, selon le terme de Yerkes ? J'avoue que je n'en sais rien. Les plans que je favorise pour la psychologie conduisent en pratique à ignorer la conscience au sens où l'utilisent les psychologues d'aujourd'hui. J'ai virtuellement nié que cette réalité du psychisme soit ouverte à l'investigation expérimentale. Je ne désire pas m'avancer plus loin dans le problème actuellement, parce qu'il nous conduit infailliblement à la métaphysique (1913, p. 169).

Peut-on être plus rigoureux sur un tel sujet ? Mais d'un Watson qui ne savait pas en 1913, on passe en 1925 à un Watson qui sait et fait relever la conscience de contes de grands-mères et de concepts religieux qui ont leur source dans la superstition : « Un exemple de ces concepts (religieux), écrit-il, est que chaque individu a une âme séparée et distincte du corps. Cette âme est vraiment une partie de l'être suprême » (1925, p. 4). Ceci n'a que valeur d'exemple. La question entière de l'influence de l'idéologie sur les conclusions scientifiques pourrait faire l'objet d'une recherche dans l'œuvre de Watson. À notre sens, parti d'un behaviorisme méthodologique, Watson a glissé peu à peu vers un behaviorisme métaphysique.

Cette réserve ne doit pas nous faire oublier les services que Watson a rendus à la psychologie et ceux qu'il aurait pu rendre encore, si sa carrière n'avait pas été écourtée de la façon que l'on sait. La ferveur envers l'objectivité dans les méthodes de recherche alliée à la foi en la puissance des mécanismes d'apprentissage vont littéralement balayer les milieux scientifiques et capter l'imagination populaire. Il plaît à l'homme de la rue d'avoir de l'humain une explication claire qui s'approche de la mécanique ou de l'*engineering*[6]. En effet, le behavio-

---

6. En américain, « engineering » signifie construction mécanique ou génie mécanique.

risme s'ajuste mieux à la mentalité des Américains qu'à celle des Européens, car sur le vieux continent on cherche à comprendre plutôt qu'à prévoir et contrôler. On s'intéresse à l'homme en général, peut-être un peu moins à l'individu.

Enfin Watson a toujours tellement engagé tout lui-même dans son enseignement et sa recherche qu'on peut dire une fois de plus : « L'œuvre, c'est l'homme ». En définitive, qui était John B. Watson ? Un homme à la personnalité attachante et énigmatique à la fois. Doué d'un ensemble de qualités exceptionnelles telles qu'une intelligence vive, une belle apparence, une élocution facile et des aptitudes au commandement, Watson possédait un charme certain : les moyens de communication d'aujourd'hui auraient pu faire de lui un meneur de foule autant qu'un semeur d'idées. D'autre part, ce garçon que des parents méthodistes avaient tenté de diriger vers la vie cléricale s'est vu, adolescent, enclin à l'anxiété, sinon à l'angoisse[7]. Devenu adulte, un tel homme, dont les attitudes et prises de position trahissent de l'agressivité, retient l'attention. On aimerait le connaître davantage et on souhaiterait qu'un analyste s'attarde aux profondeurs de son psychisme comme le fit Karl Stern pour Descartes.

Pour l'instant, il est intéressant de rappeler qu'en 1957, un an avant sa mort, l'American Psychological Association l'honore d'une citation sur l'ensemble de son œuvre, qui est considérée par l'importante société « comme l'un des déterminants essentiels de la forme et du contenu de la psychologie moderne [...] et le point de départ d'une recherche fructueuse ».

---

7. On rapporte que, lors de ses études, Watson ne parvenait pas à s'endormir sans qu'on laisse dans sa chambre une lampe allumée.

5 Un behaviorisme fondé sur la contiguïté

Nous avons vu avec quelle vigueur Watson donne une orientation nouvelle à la psychologie, et comment les années de 1913 à 1920 ont été déterminantes. Il nous paraît opportun de dégager maintenant quelques observations qui, le temps venu, nous permettront d'établir des liens entre Watson, ses précurseurs et ses successeurs.

Retenons en premier lieu que l'un des concepts de base de l'apprentissage, le conditionnement classique découvert par Pavlov, mis de côté par Thorndike et modifié par Watson comme il le sera par Guthrie, est l'un des principes que les behavioristes récupéreront pour en faire l'un des piliers de leur théorie du comportement. Le principe du plaisir ou de la satisfaction (c'est ainsi qu'il le nomme) introduit par Thorndike est un autre concept essentiel à l'édification du behaviorisme. Il n'est donc pas étonnant que la tradition ait tendance à faire de Pavlov et Thorndike des « behavioristes », bien que leurs recherches soient pour la plupart antérieures à 1913. Certes les travaux de ces deux grands maîtres ont préparé l'avènement du behaviorisme ; mais, il convient de préciser qu'ils appartiennent à une époque caractérisée par des habitudes de pensée spécifiques d'une ou plusieurs régions, sans liens réels de filiation. En fait, la relation de Watson à ses deux prédécesseurs est plutôt ténue. Sans doute, l'auteur du manifeste de 1913 établit le conditionnement comme base de son système, mais on sait qu'il n'a eu accès aux travaux de Pavlov qu'assez tard. Par ailleurs, Watson rejette les concepts de « synapse » et de « satisfaction » de Thorndike comme superflus. Il paraît alors plus exact de regarder Pavlov et Thorndike comme des précurseurs du behaviorisme plutôt que d'en faire des adeptes, comme on le donne souvent à entendre.

Une deuxième constatation s'impose et concerne plus immédiatement Watson. Celui que l'on considère le père du behaviorisme a assigné à la psychologie une définition, une méthode et un champ d'action élargi. Sa pensée a eu un impact immense : en effet, on voit d'abord disparaître peu à peu le fonctionnalisme de Dewey et le structuralisme de Titchener ; puis, durant les décades qui suivent 1920, aux États-Unis tout au moins, le behaviorisme s'impose avec une autorité telle qu'il occupe tout l'espace et devient *la* psychologie. Ainsi, à leur arrivée en Amérique, au début de la Deuxième Guerre mondiale, les fondateurs de la psychologie de la forme auront l'impression de prêcher dans le désert, tant le climat sera peu propice à une théorie qui s'écarte du behaviorisme.

Enfin, une troisième constatation découle de la deuxième. Le behaviorisme étant devenu toute la psychologie, on assiste par voie de conséquence à son éclatement, et à la naissance d'une série d'approches, de systèmes et de théories. Leurs auteurs, tout en élaborant des conceptions divergentes, ne se réclament pas moins d'authentiques représentants du behaviorisme et des fils spirituels de John B. Watson.

Le behaviorisme a donc pris en Amérique, si on le compare à d'autres écoles, des proportions énormes. C'est pourquoi il est important d'interroger les générations de chercheurs qui se sont succédé, de dresser en quelque sorte leur arbre généalogique, de les regrouper selon leur filiation. Dans ce sens, tout en les distinguant, nous établissons une parenté certaine entre Watson d'une part, et Guthrie, Hull et Skinner d'autre part. Mais avant de présenter chacun des membres de ce trio que nous situons au centre du mouvement, il est utile, pour une meilleure compréhension du behaviorisme et du concept d'apprentissage, de mettre en évidence ce que devient la psychologie ou, encore mieux, de décrire avec plus de précision l'étendue de cette pensée psychologique et de ses applications. Watson, après avoir mis de côté toutes les théories animistes antérieures, a défini la psychologie comme étant la science du comportement de l'homme et de l'animal. « Le comportement de l'homme avec tous ses raffinements et sa complexité ne forme qu'une partie du schème total » (1913, p. 58).

Ce « schème total » recouvre dès lors le comportement de l'animal le moins organisé, l'amibe, le comportement de tous les représentants de la vie marine et terrestre, y compris celui de l'homme, l'organisme le plus évolué et le plus capable de s'adapter à son environnement. Si alors on s'attarde à considérer et à étudier les comportements observables de toute la hiérarchie des êtres vivants, si surtout on entreprend de les cataloguer et de les grouper, on aboutit à une multitude de schèmes et à une diversification dans toutes les directions. Parmi les tentatives faites pour classer tous les comportements de l'homme et de l'animal, il est intéressant de considérer celle de V.G. Dethier et Elliot Stellar (1964, p. 194) citée dans *Mind* par John Rowan Wilson.

Dethier et Stellar commencent par distinguer cinq grands types de comportement de l'être vivant, ceux qu'on rencontre le plus souvent dans les ouvrages de psychologie. Ce sont en les énumérant des plus simples aux plus complexes : les taxies[1], le réflexe, l'instinct, l'apprentissage et le raisonnement. Puis après avoir classé les organismes vivants par ordre de complexité, ils établissent des courbes de leurs différents comportements (voir Tableau 1). La recherche à mesure qu'elle progresse pourra peut-être établir une autre classification et apporter plus de précision à ce sujet ; pour le moment, les courbes de ces auteurs nous permettent de mieux situer certains problèmes.

Les chercheurs auxquels nous nous sommes attardés jusqu'ici se sont en général consacrés à l'étude du réflexe et ont l'habitude de le considérer comme un des éléments de base de l'apprentissage. Ils le décrivent comme une force nerveuse qui parcourt l'arc réflexe ; dans certains cas, cet arc se termine à la moelle épinière, dans d'autres, au cerveau. La stimulation de l'environnement provoque une entrée d'énergie à laquelle l'organisme réagit, c'est sa réponse. Le conditionnement dont Pavlov décrit le phénomène, constaté chez l'humain par Watson, s'appuie sur le double concept, stimulus-réponse. Bien sûr, les physiologistes ont décelé dans l'organisme une structure extrêmement complexe dont l'unité est la cellule nerveuse, structure qui permet à Thorndike d'élaborer l'hypothèse de la synapse ; quant à Guthrie, il ne bâtit sa théorie sur l'activité nerveuse que d'une manière implicite.

---

1. Comme le tropisme (Candolle, 1835) est un phénomène propre aux plantes qui les rend sensibles aux influences de l'environnement, la taxie (on dit parfois le tactisme), de son côté, est une caractéristique de l'activité motrice de certaines espèces du règne animal. Elle consiste en une attraction ou une répulsion exercées par certaines substances ou certains phénomènes sur le protoplasme. Claude Bernard (1856), J. Sachs (1887) et J. Loeb (1890) sont à l'origine de la distinction et de la description du phénomène. Les variations de l'intensité des mouvements de l'amibe sous l'effet de la lumière en est un exemple classique.

TABLEAU 1
Le comportement des organismes vivants

Invertébrés				Vertébrés				
Proto-zoaires	Méta-zoaires	Vers	Insectes	Poissons Reptiles	Oiseaux	Mammi-fères inférieurs	Primates inférieurs	Homme

Raison-nement

Appren-tissage

Instinct

Réflexes

Taxie

EDWIN RAY GUTHRIE (1886-1959)

L'un des premiers grands convertis au behaviorisme de Watson se nomme Edwin Ray Guthrie. Nous savons qu'il naît à Lincoln, Nebraska, le 1er janvier 1886, qu'il obtient un B.A. (1907) et un M.A. (1910) à l'Université d'État de sa ville natale, puis qu'il détient un Ph.D. de l'Université de Pennsylvanie (1912). Deux ans plus tard en 1914 et dix ans après Watson, sans avoir étudié avec ce dernier, il devient professeur à l'Université de Washington à Seattle, à l'époque de la montée du behaviorisme. Il y demeure jusqu'à sa retraite en 1956.

En 1921, en collaboration avec Stevenson Smith, E.R. Guthrie publie un ouvrage intitulé *General psychology* qui ne fait que redéfinir l'apprentissage en termes de liaisons S-R à la manière de Watson. Dans *The psychology of learning*, en 1935, il élabore sa position personnelle sur un mode d'association qu'il définit, celui de la contiguïté. Nous pouvons bien nous demander, écrira-t-il plus tard,

> [...] quel progrès la théorie de l'apprentissage en termes d'association par contiguïté a pu faire depuis Aristote. Je ne suis pas convaincu que ce progrès ait été substantiel et je ne crois pas qu'il ait avancé beaucoup en dépit des nombreuses recherches faites en laboratoire durant la dernière génération (Guthrie, 1959, vol. II, p. 169).

L'INFLUENCE DE PLUSIEURS STIMULI

Après avoir passé en revue l'associationnisme des empiristes anglais, Berkeley, Hume, Mill, Hartley, ainsi que les idées de W. James sur le sujet, Guthrie pose un principe de base, fort semblable à celui du conditionnement de Watson, mais formulé en termes plus généraux :

> Une combinaison de stimuli qui a accompagné un mouvement tendra, si cette même combinaison de stimuli se présente de nouveau, à être suivie de ce mouvement (A combination of stimuli which has accompanied a movement will on its recurrence tend to be followed by that movement) (1952, p. 23).

En d'autres termes, si vous faites quelque chose dans une situation donnée, la prochaine fois que vous serez dans la même situation vous aurez tendance à faire la même chose[2]. Guthrie ajoute :

---

2. Alexander Bain avait dit en 1868, dans un ouvrage intitulé *Mental science* que « la contiguïté unit les choses qui arrivent ensemble ou qui sont, par une circonstance ou une autre, présentes à l'esprit en même temps. Il en est ainsi lorsque nous associons la chaleur et la lumière, la chute d'un corps et un ébranlement » (1868, p. 127).

Bien que le principe tel qu'il a été énoncé soit bref et simple, il ne peut pas être bien compris sans explication. Le mot « tendre », par exemple, est utilisé ici parce que le comportement est sans cesse soumis à une grande variété de conditions. Des tendances conflictuelles ou incompatibles sont toujours présentes. Le résultat d'un seul stimulus ou d'un ensemble de stimuli (*stimulus pattern*) ne peut être prédit avec certitude, précisément parce qu'il y a d'autres ensembles de stimuli présents. On peut exprimer ceci en disant que le comportement final est causé par la situation totale ; mais par cet énoncé nous ne pouvons pas nous flatter de n'avoir fait plus qu'offrir une excuse pour les erreurs de prédiction. Personne n'a jamais enregistré et n'enregistrera jamais les stimuli d'une situation dans leur totalité ou n'a jamais observé une situation totale, de telle sorte qu'en parler comme d'une cause ou même d'une partie de comportement est un leurre. Le principe de conditionnement ainsi énoncé avec le mot « tendre » affirme simplement qu'au retour d'un ensemble de stimuli semblables, nous pouvons nous attendre à la même réponse. Avec quelle certitude ? Cela n'est pas dit (1952, p. 23).

Il est à remarquer d'abord que lors de l'énoncé de ce principe général, Guthrie semble peu se préoccuper du conditionnement classique de Pavlov et des liens qui peuvent s'établir entre le stimulus conditionné et le stimulus non conditionné. Il ne fait qu'affirmer qu'une première réponse à un premier stimulus tendra dans l'avenir à accompagner le même stimulus ou encore, si on veut être plus précis, qu'une réponse donnée peut être associée à un ensemble de stimuli fournis par une situation précise en un seul essai.

En second lieu, ce type d'apprentissage étonne ; il est acquis sans qu'on ait recours à la satisfaction, au renforcement ou au succès de l'action, ni à la répétition. Guthrie contourne la difficulté en redéfinissant le concept de stimulus qu'il attribue à une situation globale. Selon lui, l'apprentissage est généré par une seule action sous l'influence de la masse des stimuli présents au moment de cette action. Peu importe que soit bonne ou mauvaise l'action de telle personne dans telle situation, c'est cette action qu'elle refera plus tard. Ainsi se fait l'apprentissage. De plus, comme une situation vitale est toujours mouvante, le stimulus se transforme sans cesse ; il n'est donc pas étonnant, selon Guthrie, que l'organisme vivant puisse fournir des réponses nouvelles.

Si on compare l'interprétation que Thorndike propose de l'apprentissage à celle de Guthrie, on constate qu'elles sont orientées dans des directions opposées, quant au lien S-R de Watson. Alors que Thorndike définit l'apprentissage comme une connexion qui se crée entre un stimulus et une réponse, réponse sélectionnée entre plusieurs possibles, Guthrie, pour sa part, le voit sous l'angle de l'adaptation du comportement résultant de plusieurs stimuli pas toujours identifiables, mais pouvant tous avoir une influence sur la réponse (voir Figure 6).

FIGURE 6

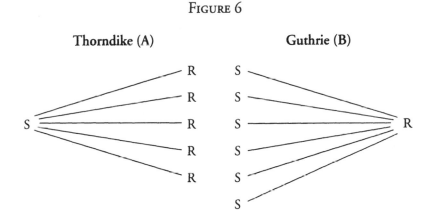

Les graphiques A et B mettent l'accent sur les points de vue différents de Thorndike et de Guthrie. Le premier, Thorndike, propose « l'essai et l'erreur » comme explication de l'apprentissage et prétend que l'individu fait plusieurs réponses avant d'en sélectionner une bonne, tandis que Guthrie à l'opposé insiste sur l'ensemble des stimuli présents au moment de la réponse.

Pour vérifier sa théorie, Guthrie entreprend en collaboration avec George P. Horton une série d'expériences sur le comportement des chats placés dans des boîtes problèmes. « Nous étions, dit-il, particulièrement intéressés à savoir si tous les comportements observés étaient cohérents par rapport au principe du conditionnement ou si pouvait apparaître un comportement en désaccord avec le principe énoncé » (1952, p. 253). Après avoir systématiquement observé environ huit cents (800) sorties de la boîte problème effectuées par des chats, Guthrie et Horton acquièrent la conviction que toutes les données, recueillies à l'aide de photographies, montrent qu'une routine ou un stéréotype de réponses tend à s'installer chez le chat, lorsqu'il sort de la boîte. On explique le phénomène par le « pattern » de la situation, c'est-à-dire le modèle d'ensemble des stimuli présents : si à l'essai 10, le chat K est sorti en donnant un coup de tête sur une tige, à l'essai 11, il sortira de nouveau en répétant le même type de comportement.

APPLICATIONS À LA VIE QUOTIDIENNE

Puis à partir de ses positions théoriques et de ses conclusions expérimentales, Guthrie fait dans ses ouvrages de nombreuses applications à la
vie quotidienne par des exemples et des anecdotes qui forcent notre
adhésion. Il est intéressant de lire à ce sujet la description des trois
méthodes qu'il suggère pour se débarrasser d'une habitude. Elles sont
toutes basées, selon lui, sur une règle très simple : « le meilleur moyen,
écrit-il, de détruire une habitude consiste à trouver les stimuli qui incitent à cette action et à décider d'une réponse différente en présence de
ces stimuli » (1952, p. 115). Cette nouvelle réponse devrait se produire
de nouveau à la prochaine occasion, lorsque les mêmes stimuli seront
présents. Il ne faut pas entendre ici que cette réponse conditionnée se
produit comme s'il s'agissait d'une stimulation isolée bien identifiée et
d'une action qui en serait la réponse. Il n'est pas question selon lui de
considérer un seul stimulus comme on le fait en laboratoire ; la vie est
tellement différente : les stimuli s'y présentent par centaines et par milliers. En réalité, Guthrie s'écarte ici des interprétations de ses prédécesseurs : le stimulus et la réponse sont quant à lui des abstractions tirées
du flot continu des changements qui se produisent autant dans le
monde environnant que dans l'organisme vivant qui agit. Comment
peut-on alors isoler un stimulus et expliquer ainsi un comportement ?
Dans cet ordre d'idées, il faut comprendre que toutes les actions posées
par un sujet dans la situation qui provoque sa réponse font aussi partie
de la situation globale ou de l'ensemble des stimuli. Guthrie fait la re-
marque que des fumeurs profondément engagés dans des activités dis-
sociables de la possibilité de fumer peuvent passer de longues périodes
sans même penser au tabac ; mais, l'expérience quotidienne le démontre, s'asseoir à son bureau, finir un repas, commencer à causer avec un
ami, sortir d'une représentation théâtrale, s'installer devant l'appareil de
télévision sont les stimuli inclus dans une chaîne d'actions qui introduisent celle d'allumer une cigarette, comme s'il s'agissait d'une routine.
« Les habitudes bien établies ne disparaissent que lorsque de nouvelles
habitudes les remplacent » (1952, p. 113). La clef du succès, selon cette
approche, consiste à changer carrément l'ordre des choses ou des actions
de façon à provoquer la réponse désirée.

Guthrie donne l'exemple d'une fillette de dix ans qui, chaque fois
qu'elle entre à la maison, jette sur le parquet manteau et béret. Maintes
fois, sa mère l'a grondée et envoyée accrocher ses vêtements sans obtenir
d'amélioration, jusqu'au jour où, après avoir consulté, elle a adopté une
méthode nouvelle : elle oblige sa fille à remettre manteau et coiffure, à
sortir à l'extérieur, à entrer de nouveau et, sur-le-champ, à pendre au

bon endroit ses vêtements. Ainsi la réponse désirée fait suite à « l'action de passer la porte » et non à une « gronderie ». Cet exemple illustre un mode de contrôle de l'apprentissage. Guthrie rappelle, entre autres, qu'il faut bien préciser la réponse ou le but à atteindre et s'efforcer de créer les situations particulières qui engendreront les comportements désirés. Ainsi, les étudiants de collège se plaignent souvent que, même s'ils possèdent leurs matières, ils sont incapables d'en rendre compte à l'examen. Ce à quoi Guthrie répond que, si l'action que comporte un examen est celle de rédiger un exposé sur un sujet donné, il faut s'entraîner à rédiger de tels exposés et cela de la manière la plus proche possible de la situation à reproduire, c'est-à-dire celle de l'examen.

Les ouvrages de Guthrie sont ainsi parsemés d'exemples tirés de la vie quotidienne qui illustrent le caractère associatif de sa théorie.

> Avant que la science du comportement ne fût développée, dit-il, certaines lois d'association étaient formulées pour décrire l'origine de la séquence des idées. Ces lois stipulent que, dans une série, une idée en suit une autre uniquement lorsque sont reliées les expériences à l'origine de ces idées. Quand nous voyons un éclair ou que nous pensons simplement à un éclair, l'idée de tonnerre est susceptible de se présenter à notre esprit. La loi qui décrit cette séquence est celle de l'association par contiguïté dans le temps. La loi qui décrit les associations dues à une contiguïté dans l'espace est réductible à la première (Smith et Guthrie, 1921, p. 253).

Selon Guthrie, cette loi de l'association tient lieu des interprétations qu'on donne au concept de réflexe conditionné.

Le principe de la contiguïté est vraiment la base de la théorie behavioriste de Guthrie.

COMMENTAIRE

Différent de Thorndike, on l'a vu, Guthrie n'est pas un psychologue de la satisfaction. Il rejette les lois de l'effet et de la fréquence. Chez lui, il n'est pas question de besoin, de conduite (*drive*), de renforcement, mais d'union entre plusieurs stimuli et une réponse particulière. Selon lui, le renforcement ne peut être cet élément magique capable de déterminer l'apprentissage et il est faux de considérer que le renforcement en fournit une explication scientifique. A-t-il raison ? Ce sera certes une question à élucider. Est-ce que ce sont les psychologues du renforcement ou ceux du lien entre le stimulus et la réponse qui détiennent la vérité dans l'interprétation de l'apprentissage ? Pour l'instant, il nous faut constater que Guthrie met l'accent sur le lien, la contiguïté, non seulement comme une amorce de l'apprentissage, mais comme son élément pri-mordial. À ce titre, il se rapproche du conditionnement de Watson et même aussi de celui de Pavlov, même s'il refuse le concept de renforce-ment établi par Thorndike. Pour éviter d'être mal interprété, il se nomme lui-même un « psychologue du conditionnement simultané », phénomène d'où il tire sa loi fondamentale de l'apprentissage.

Plus doux et plus nuancé que Watson, Guthrie donne de l'appren-tissage une interprétation ni moins rigide, ni moins mécanique que celle du père du behaviorisme. Pour lui, l'apprentissage dépend de la conti-guïté des stimuli et de la réponse ou, si l'on veut, du fait qu'ils se pro-duisent ensemble. C'est une des raisons pour lesquelles on nomme parfois Watson et Guthrie des théoriciens de la contiguïté, par opposition aux théoriciens du renforcement que seraient Thorndike, Hull et Skinner. Bien que ces derniers soient, eux aussi, partisans de l'association ou du lien S-R, leurs théories ne rejettent pas pour autant le renforcement ou l'effet de la récompense. On prétend assez souvent que les idées de Guthrie n'ont pas eu le retentissement qu'elles auraient pu avoir, parce qu'elles ne s'insèrent pas dans un programme de recherches très suivi. Professeur au niveau sous-gradué, Guthrie ne jouissait pas d'un pro-gramme d'études avancées. Telle fut sa situation durant la majeure partie du temps où il a donné son enseignement à l'Université de Washington à Seattle. En contrepartie, il présente, à l'aide de nombreux exemples tirés de la vie quotidienne, une interprétation de l'apprentis-sage proche de la réalité telle que nous la vivons tous les jours dans des situations complexes et globales. Ce qui confère à ses écrits un sens de l'humain et une aisance dont ne peuvent se flatter d'autres behavioristes.

Un théoricien qui fournit de l'apprentissage des interprétations aussi immédiatement applicables aux situations de tous les jours n'a pas à se sentir gêné de sa contribution, devant ceux qui ont passé la majeure partie de leur vie à analyser et à mesurer le comportement des rats dans un labyrinthe. D'ailleurs, un signe indéniable de la valeur des idées de Guthrie est le fait que des behavioristes livrés à la recherche théorique les ont reprises. En 1950 et en 1958, William-K. Estes (1919-) propose un modèle mathématique de l'apprentissage qui rejoint d'assez près le prin-cipe émis par Guthrie. D'autres chercheurs, comme Sheffield (1949, 1954), Voeks (1948, 1950), Adelman et Maatsch (1955), Denny (1971) ont contribué à propager certaines de ses idées. Bref, Guthrie demeure un psychologue d'une grande stature dont la pensée continuera à intéres-ser les chercheurs nord-américains. En 1958, l'American Psychological Foundation décerne à Edwin R. Guthrie une Médaille d'or en reconnais-sance de sa contribution au développement de la psychologie.

CHAPITRE 6 Un système behavioriste

Parmi les psychologues qui s'imposent à notre attention, en particulier ceux qui suivent les traces de John B. Watson, il faut nommer Clark S. Hull (1884-1952). Né dans l'État du Wisconsin, de deux ans plus jeune que Tolman, Hull vient assez tard à la psychologie. Issu d'un milieu peu fortuné, il doit d'abord travailler pour gagner ses études. Par ailleurs, il est frêle de santé, et il est atteint à 24 ans d'une poliomyélite qui le marque à une jambe pour le reste de ses jours. Il devient d'abord ingénieur minier, puis, il se réoriente et obtient un Ph.D. en psychologie en 1918. Il a alors 34 ans. Après dix ans d'enseignement à l'Université du Wisconsin, il passe à l'Université Yale à New Haven, Connecticut.

Tout comme Guthrie, Clark Hull s'efforce de lier le comportement d'un organisme aux objets considérés comme stimuli ; ce lien cependant n'est pas aussi simple que chez Guthrie ; Hull le fait passer par des voies tortueuses à l'intérieur de l'organisme et fait intervenir des concepts nouveaux qu'il invente pour préciser avec plus de rigueur son interprétation du comportement.

DÉMARCHE SCIENTIFIQUE PARTICULIÈRE

Esprit scientifique, Hull transporte en psychologie, avec l'intention d'aboutir à une théorie idéale du comportement, la méthode hypothético-déductive telle qu'on la retrouve dans les sciences de la nature. Il tente donc d'édifier une structure logique de postulats et de théorèmes comparables à celle qu'Euclide a su bâtir en géométrie. « Les caractéristiques essentielles d'un système théorique vraiment scientifique, par contraste avec la spéculation philosophique ordinaire, peuvent se regrouper sous trois chefs » (Hull, 1978, p. 312). On pourrait parler, sans trahir la pensée de Hull, de trois étapes ou trois stades de ce développement de la théorie scientifique, jusqu'à ce qu'elle atteigne une stature convenable et génératrice d'explications vraisemblables des faits observés. Nous suivons pour demeurer fidèle à l'auteur l'exposé qu'il en fait lui-même :

> 1° Une théorie scientifique satisfaisante devrait commencer par une série d'énoncés explicatifs, nommés postulats, accompagnés par des définitions spécifiques ou opérationnelles des termes critiques utilisés (1978, p. 312).

Ces postulats sont donc des énoncés concernant les différents aspects du comportement et non des lois tirées des expériences, selon la méthode utilisée jusqu'ici par les théoriciens de la psychologie. Tout comme les postulats de la géométrie d'Euclide, ils n'ont pas à être prouvés.

> 2° De ces postulats, on déduit le plus rigoureusement possible une série de théorèmes interreliés couvrant les phénomènes concrets et majeurs du champ en question (1978, p. 312).

Jusqu'ici cette construction logique ne dit rien de sa vérité ou de sa fausseté, bref de sa concordance ou non-concordance avec la réalité. Une autre étape, celle de l'expérimentation, nous renseignera sur la valeur de la théorie et nous permettra de savoir si elle est susceptible de fournir une bonne interprétation des faits.

> 3° Les affirmations des théorèmes doivent être en accord avec les faits connus par l'observation. Si effectivement les théorèmes sont en accord avec les faits observés, le système est probablement vrai ; s'ils sont en désaccord, le système est faux. S'il est impossible de dire si oui ou non les théorèmes d'un système concordent avec les faits, le système n'est ni vrai ni faux ; du point de vue scientifique, il ne signifie rien (1978, p. 312).

Ce mode de raisonnement scientifique, qui paraît aller à contre-courant, a été décrit par les tenants de la méthodologie des sciences expérimentales.

Hull lui-même (1940) considère cette démarche essentielle et prétend que la stratégie propre à la science doit être de partir de certains postulats spécifiques vérifiables, même s'ils doivent être basés sur une évidence minimale. Ce procédé est légitime à condition, comme le fit Hull, de ne pas considérer ces énoncés de départ comme l'explication finale, l'expression exacte de la nature du comportement. Hull regarde sa théorie comme sans cesse en progression et toujours sujette à la révision à mesure que ses recherches et celles de ses collègues fournissent de nouvelles idées. C'est, il va sans dire, une méthode de recherche en harmonie avec le courant behavioriste. Cette méthodologie une fois adoptée, Hull envisage d'écrire trois ouvrages qui devraient constituer les trois grandes étapes de l'exposé de sa théorie. Le premier paru en 1943, *Principles of behavior*, demeure la pierre angulaire de son système ; il y expose les principes fondamentaux et molaires qui serviront de base ou d'introduction à sa théorie. Le deuxième, publié en 1952, contient, tirés de postulats, cent trente-trois (133) théorèmes qui tentent d'établir les lois de tous les comportements des organismes supérieurs. Malheureusement le troisième volume ne voit jamais le jour. Perclus et malade, Hull est incapable de terminer ce travail. Dans la préface de son deuxième volume, il exprime ses regrets de ne pouvoir publier le dernier volume de la série. Il meurt quatre mois plus tard.

INTRODUCTION DE L'ORGANISME

Le système de Hull est de type associationniste et a tendance à expliquer le comportement comme flexible, adaptable et intelligent. Cette position l'amène à faire plier la rigueur behavioriste face à l'organisme. Woodworth déjà en 1929 avait proposé qu'on insère « O » pour organisme dans le sigle S-R, afin de coiffer ainsi les variables intervenant entre le stimulus et la réponse. Hull le fait résolument et Spence en 1942 est d'avis que le système de Hull peut être considéré comme l'élaboration herculéenne de la formule S-O-R.

Selon Hull, pour survivre l'organisme s'adapte par degrés infimes.

Depuis la publication de l'origine des espèces par Charles Darwin, dit-il, il a été nécessaire de considérer les organismes en rapport avec le développement de l'évolution organique et de penser aux structures organismiques et à leurs fonctions en termes de survie. La survie certes s'applique autant à l'individu qu'à l'espèce. Les études physiologiques ont montré que la survie requiert des conditions spéciales et considérablement variées ; des conditions optimales d'air, d'eau, de nourriture, de température, d'intégrité des tissus et ainsi de suite ; pour la survie de l'espèce chez les vertébrés supérieurs, la présence au moins occasionnelle et le comportement réciproque du mâle et de la femelle sont nécessaires. Par ailleurs, quand l'un ou l'autre de ces éléments de base ou conditions nécessaires font défaut, ou quand ils s'écartent de la situation optimale, on dit exister un état de besoin primaire (*primary need*) (1943, p. 17).

La fonction primordiale chez le vertébré supérieur, c'est d'être à même de répondre à ses besoins primaires. La réaction normale du sujet consiste alors à devenir actif, comportement qui augmente ses chances de survie.

> Puisqu'un besoin, actuel ou potentiel, précède ou accompagne régulièrement l'action d'un organisme, on dit souvent que le besoin motive ou pousse (*drive*) à l'activité correspondante. En raison du caractère d'urgence motivante des besoins, ils sont regardés comme déclencheurs des tendances primaires (*primary animal drives*) à l'action (Hull, 1943, p. 57).

On constate que Hull introduit ici le concept de « *drive* »[1], qu'on traduit parfois d'une manière erronée par le mot « besoin », si on se réfère au contexte psychologique, et par le mot « conduite » selon le dictionnaire. Nous avons ici en langue anglaise des mots distincts qui correspondent à des réalités distinctes. Le *need* que nous traduisons par « besoin » est l'état d'un animal qui ressent la faim, la soif, le désir de s'accoupler, etc. À son tour, cet état produit dans l'organisme un effet motivant, un *drive*, une réaction physiologique non apprise qui déclenche une tendance à agir d'une manière générale ; elle n'est pas spécialement adaptée à un comportement particulier, mais pousse à une action quelle qu'elle soit[2]. Le mot *drive*, tout au moins chez Hull, connote une idée de commande, de mise en marche, que ne possède pas le mot « conduite » en français.

Entre la ligne du stimulus qui constitue la variable indépendante et la ligne de la réponse, variable dépendante, « il est important de noter dans cette connexion que le concept général de drive tend fortement à être accrédité pour exprimer l'état systématique d'une variable intervenante ou X (voir Figure 7) jamais directement observable » (Hull, 1943, p. 57). Il s'agit, comme on peut le constater, d'un état physiologique produit dans l'organisme par la privation d'un élément essentiel ou d'une stimulation douloureuse qui augmente la tendance à agir.

---

1. Cette idée de *drive* a été reprise par Miller, Richter et plusieurs autres psychologues contemporains. Ce terme *drive* est défini dans une note à la page 50.
2. Une recherche de Judson S. Brown (1961) tend à confirmer cette position de Clark Hull, à savoir que des sources diverses de besoin provoquent *des états particuliers*, mais *une seule* tendance à l'action ou *drive*. Cet état de l'organisme assez difficile à expérimenter a quand même été étudié à plusieurs reprises. Robert C. Bolles (1975) a fait une excellente revue des recherches faites sur cette question.

FIGURE 7
Une variable intervenante

A———————— f ———————— (X) ———————— f ———————— B

Représentation schématique « d'un cas relativement simple d'une variable intervenante (X) non directement observable, mais fonctionnellement (f) reliée à l'événement antérieur A et à l'événement conséquent B, les deux variables A et B étant directement observables. Quand une variable intervenante est aussi fermement ancrée sur les éléments observables des deux côtés, elle peut être utilisée prudemment dans une théorie scientifique » (Hull, 1943, p. 22).

Sous l'influence de cette force, l'animal devenu actif adopte des comportements variés pour répondre à son ou ses besoins biologiques. Si l'un des comportements s'avère efficace, en ce sens qu'il répond à son besoin et réduit son *drive*, il constitue un renforcement. Selon Hull, il y a renforcement chaque fois que l'animal réussit ainsi à réduire la tension produite par le *drive*. Après plusieurs essais fructueux, l'animal devient de plus en plus habile à organiser sa survie face aux problèmes que lui cause l'environnement. Hull relate à ce sujet une expérience en laboratoire qui a pour but de le démontrer : un rat blanc qu'on a placé dans une cage, « après une brève pause, commence à explorer la cage ; il flaire et inspecte les différentes parties et se lève souvent à pleine longueur sur les pattes d'arrière contre les parois de la boîte » (Hull, 1943, p. 70). Après quelques minutes, un technicien fait circuler un courant électrique sur le grillage du plancher de la boîte. Sous l'influence du choc, le comportement du rat change totalement ; il court autour de la boîte, saute, crie, fait des mouvements incohérents, et à l'occasion d'un de ces mouvements, finit par actionner sur la paroi de la cage une tige qui coupe le courant. À l'essai suivant, le rat arrive plus rapidement à la réponse satisfaisante et ainsi, par un renforcement réducteur de tension ou de *drive*, développe un apprentissage de liaison S-R que Hull nomme habitude (*habit*).

Mais l'habitude rigoureusement parlant et selon l'usage commun est un mode bien connu d'action, tandis que Hull se réfère ici à un « état persistant de l'organisme (résultat du renforcement) qui est une condition nécessaire, mais non suffisante, pour susciter une action déterminée » (Hull, 1943, p. 102). Devenue une seconde variable intervenante tout comme le *drive*, l'habitude se situe dans l'organisme et est, dans la théorie de Hull, la charpente de base de l'apprentissage. Alors que le *drive* se définit comme une force aveugle qui déclenche l'action, l'habitude s'acquiert peu à peu à partir de stimuli qui particularisent le comportement. Pour mieux la concrétiser, Hull la symbolise par la lettre H, à laquelle il souscrit S pour stimulus et R pour réponse de la manière suivante : $_SH_R$. Il est opportun de noter que l'habitude (*habit*) représentée par le construit symbolique $_SH_R$ est fonction du nombre de renforcements réducteurs de tension. Chez Hull, cette manière d'expliquer l'apprentissage se nomme l'hypothèse du renforcement réducteur de tension (*the drive reduction hypothesis*). La validité de cette hypothèse a toujours semblé difficile à établir. Sans insister sur les recherches[3] qu'elle a suscitées, soulignons qu'à la même période Guthrie et Tolman expliquaient l'apprentissage sans même faire appel au renforcement.

UNE FORMULATION MATHÉMATIQUE

Pour le moment, demandons-nous quelle relation existe, selon Hull, entre le *drive* et l'habitude dans l'apprentissage d'un comportement. S'appuyant sur les résultats d'expériences de deux étudiants gradués, Williams (1938) et Perin (1942), Hull fait l'hypothèse que la force du comportement (E) est déterminée par la puissance de l'habitude multipliée par le *drive*. Nous retrouvons cette formule au postulat numéro 7 (Hull, 1943, p. 253).

$$E = D \times H$$

C'est ce qui amène Hull à formuler le postulat 3 de la version finale de son système : à chaque fois qu'une réponse intervient en présence d'un stimulus et que cet événement est rapidement suivi par un renforcement, la force de l'habitude de cette liaison stimulus-réponse augmente.

Dans sa rigueur à déduire des lois susceptibles de décrire le comportement et à les transposer en équations mathématiques de manière à déterminer et à prévoir les résultats de ses observations expérimentales, Hull est amené à inventer de nouvelles variables. C'est ainsi qu'il se demande si l'importance de la récompense influence la motivation et par le fait même la réponse du sujet. Ayant posé le problème en ces termes, Hull entreprend d'étudier un système d'apprentissage surimposé au

---

3. Des travaux intéressants ont été exécutés pour tenter d'éclaircir ce problème par Sheffield et Roby (1950) ainsi que par Olds et Milner (1954).

système primaire constitué par le *drive* et l'habitude. Il tente donc de circonscrire une nouvelle force, une autre variable intervenante, qui elle aussi semble vraiment influencer la réponse. L'expérimentation semble lui donner raison. En 1942, Crespi, dans une expérience devenue classique, entraîne trois groupes de rats à courir dans une allée vers de la nourriture : le premier groupe reçoit une boulette de nourriture ; le deuxième groupe reçoit 16 boulettes ; le troisième groupe reçoit 256 boulettes, la ration de toute une journée. Après 20 essais dans les mêmes conditions, les trois groupes, comme il fallait s'y attendre, réalisent des performances différentes et très proportionnées à l'importance du renforcement reçu. Après le vingtième essai, Crespi change le renforcement et donne également 16 boulettes aux trois groupes ; la performance elle aussi se modifie d'une façon déconcertante : le premier groupe qui est passé de 256 à 16 réalise la performance la plus faible, pendant que le groupe qui est passé de 1 à 16 boulettes augmente d'une manière très considérable sa performance ; quant au groupe demeuré à 16 boulettes, il conserve le même comportement. Hull introduit donc à partir de tels résultats une variable intervenante, qu'il nomme la motivation activante (*incentive motivation*) et qu'il exprime par le symbole K. D'où l'équation de la force du comportement qui s'exprime maintenant ainsi :

$$_sE_R = K \times D \times {_sH_R}.$$

Les trois variables unies peuvent déterminer un taux d'énergie, un certain degré de puissance $_sE_R$ (dite excitatrice) capable éventuellement de déclencher la réponse. Il peut se faire aussi que la combinaison des trois facteurs de puissance, $K \times D \times {_sH_R}$ ne suffise pas et demeure trop faible pour provoquer une réponse. Il y a donc une valeur minimale appelée seuil que la puissance excitatrice doit atteindre pour qu'intervienne une réponse observable.

Pour mieux situer chacune des variables, comprendre leurs relations dans l'élaboration des équations, on peut procéder à une première schématisation fort simple qui a l'avantage de résumer jusqu'ici le système de Hull (voir Figure 8).

L'exposé qui précède pourrait laisser croire que tout dans un organisme travaille d'une manière positive. Pourtant Hull observe des inhibitions qui affectent la force du comportement : « Chaque fois qu'une réaction est suscitée dans un organisme, il y est laissé une condition ou un état qui agit comme une motivation primaire négative en ceci qu'elle possède une capacité innée à produire une certaine cessation de l'activité » (Hull, 1943, p. 278). Selon la logique de sa démarche, la

FIGURE 8
Un schéma du système de Hull (cité par Hill, 1963)

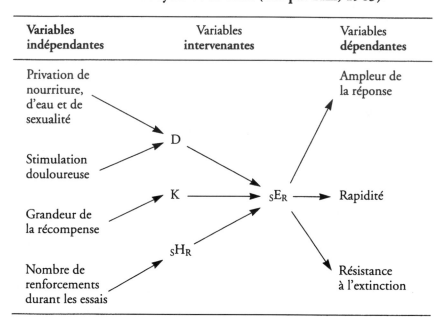

Variables indépendantes	Variables intervenantes	Variables dépendantes

réaction d'inhibition sera représentée par le symbole $_sl_R$. Dans le même sens, Pavlov a montré que certaines inhibitions peuvent être développées ou mieux être conditionnées par certains stimuli et produire ainsi dans l'organisme des inhibitions particulières « 1 ».

> Les stimuli étroitement liés avec l'acquisition et l'accumulation d'un potentiel inhibiteur (1_R) deviennent conditionnés de telle manière que, lorsque de tels stimuli plus tard précèdent ou sont présents avec d'autres stimuli, qui eux sont capables de susciter des réactions positives, ces dernières tendances excitatrices seront affaiblies (Hull, 1943, p. 282).

L'équation de base pour définir la force du comportement s'exprime maintenant

$$_sE_R = D \times {_sH_R} \times K - 1_R - {_sl_R}.$$

À mesure que des tentatives sont faites pour prévoir le comportement, Hull se rend compte que des variables interviennent dont il doit tenir compte. Ce qui contribue à qualifier le comportement de probable, ce que Hull ne rejette pas si la chose est nécessaire. Le comportement de l'homme aussi bien que celui du rat seraient-ils régis par les lois du hasard ? Non ! L'équation établie est applicable à un grand nombre de cas, même si une certaine variabilité est observable dans le comportement, variabilité que Hull ne veut pas ignorer. Il introduit donc le concept d'un mécanisme d'oscillation dans l'organisme, oscillation qu'il exprimera par $_sO_R$ dans l'équation déjà connue. Hull soustrait la valeur de cette oscillation des autres facteurs qui déterminent la force du comportement.

$$_sE_R = D \times {_sH_R} \times K - 1_R - {_s}1_R - {_s}O_R.$$

Le construit symbolique tel que représenté par cette équation ne couvre pas, il va sans dire, l'ensemble de la théorie de Hull ; il n'en révèle que les principaux concepts. Vers la fin de sa vie, Hull s'applique à donner des valeurs précises aux variables de manière à prédire, à l'aide de divers calculs, l'occurrence de tel et tel comportement chez un organisme donné. Plus il progresse dans cette direction, plus il voit dans le développement du behaviorisme un espoir pour l'humanité.

> Je crois, dit-il en 1952, que l'une des plus grandes sources de conflits internationaux provient en dernier lieu de la prédominance de notre subjectivité. Il est assez mauvais de faire intervenir des considérations religieuses dans l'évolution de la science. Il est encore plus surprenant et tout aussi malheureux de voir un système socio-économique international agir de la même manière. Espérons que ces biais et de semblables séquelles si déplorables disparaîtront en grande partie, grâce à l'objectivité suffisamment dégagée de notre science du comportement. Les moyens les plus efficaces d'atteindre cet idéal résident, semble-t-il, dans la formulation précise et tout à fait convaincante des lois primaires du comportement humain, jointe aux définitions scientifiquement claires et évidentes des phénomènes du comportement individuel et social. La réalisation de ce projet est encore à son début, le but en est au moins clairement identifié (Hull, 1952, p. 162).

COMMENTAIRE

Le système de Hull nous propose une explication de l'apprentissage qui s'appuie sur la liaison S-R. Il continue en ceci la tradition associationniste. Mais cette liaison, toujours selon Hull, peut se constituer de deux manières : 1° directement, grâce à un renforcement qui implique une motivation dans le sujet ; 2° indirectement, par des liaisons excitatrices ou inhibitrices, comme on peut le constater dans l'exposé qui précède. Ceci revient donc à une formule où l'apprentissage s'appuie sur le renforcement ou sur la satisfaction, comme l'explique Thorndike, plutôt que sur la contiguïté seule, à la manière de Guthrie. Cet associationnisme, qui s'inscrit dans la ligne de la psychologie objective, ne tient aucun compte de la conscience et propose une explication très mécaniste du comportement. Même si Hull réintroduit l'organisme dans le sigle S-R et s'il crée des variables intervenant entre le stimulus et la réponse, ces mêmes variables demeurent soudées aux conditions du stimulus et de la réponse et pour cette raison sont quantifiables.

Hull est donc l'auteur d'un système behavioriste conforme aux théories de Pavlov et de Watson, mais plus radical par son esprit, puisqu'il fournit du comportement de l'homme une explication qui tient du robot. Car la méthode, qu'il préconise pour résoudre certains problèmes, consiste à regarder de temps en temps l'organisme et à le considérer comme une mécanique complètement autosuffisante et dont les matériaux n'ont rien à voir avec l'humain dans son entité.

Hull a donné une telle ampleur à son système qu'il a pu intégrer dans ses postulats, corollaires et théorèmes presque tous les concepts que les chercheurs avaient élaborés avant lui et situer le tout dans un cadre susceptible de fournir une interprétation valable du comportement en général. Il avait rêvé faire pour la psychologie ce qu'Euclide et Newton avaient fait pour la géométrie et la physique, développer de la même manière une théorie précise et intégrale qui réunirait tous les éléments de la science du comportement connus au moment des années 1940... Louable essai que plusieurs jugeront prématuré dans le cas d'une science aussi jeune que la psychologie.

D'une manière générale, on lui fait les mêmes reproches qu'à Watson et à ceux qui ont suivi la tendance mécaniste. On s'attaque généralement à sa vision trop réduite du comportement et au particularisme de ses résultats qui ne s'appuient pas sur des recherches assez abondantes. Serait-ce dû à ses essais de quantification ? Wolman le prétend, lui qui écrivait en 1960 : « Hull devint victime de son enthousiasme pour les mathématiques... Chaque fois que l'occasion lui fut donnée, il quantifia ses énoncés poursuivant ses conclusions jusqu'à l'absurde » (Wolman, 1960, p. 124).

Quelles que puissent être les critiques acerbes faites à Hull et à son approche, on ne peut oublier que ce chercheur demeure l'un des chaînons parmi les plus importants de la démarche behavioriste, surtout si on considère qu'il fit une excellente synthèse de tous les auteurs de cette école qui se sont imposés avant lui. Par ailleurs, il a provoqué après lui une série de chercheurs qui ont laissé leur nom dans les annales de la psychologie comme des théoriciens reconnus. Avant de les citer, il convient de souligner ceci : à la fin de sa vie Hull est non seulement conscient de n'avoir exposé qu'une partie de sa théorie, mais, en raison même de sa méthode hypothético-déductive, il est resté un homme de science détaché de ses idées et de ses formules, toujours prêt à les modifier si l'expérimentation l'exige. Cette qualité rare liée à sa rigueur scientifique lui ont attiré de nombreux étudiants qui sont devenus d'excellents chercheurs dans le cadre qu'il avait proposé lui-même. Leurs travaux ont donné le jour à des exposés, des articles de revues et des ouvrages, qu'on a qualifiés de « publications de l'École de Yale » auxquelles on réfère encore aujourd'hui.

Puisque Clark Hull a influencé plusieurs disciples, c'est lui rendre justice que d'en nommer quelques-uns : J. Dollard (1900-1980), C.-I. Hovland (1912-1961), G.-A. Kimble (1917-), N.-E. Miller (1909-), O.H. Mowrer (1907-), Kenneth W. Spence (1907-1967), William K. Estes (1919-).

CHAPITRE 7 Le comportement opérant

Avec B.F. Skinner, le mouvement behavioriste atteint un point culminant car l'influence de cet homme a marqué toute l'Amérique du Nord. En effet, nous sommes devant un psychologue qui, comme Sigmund Freud, a été des plus vivement controversé durant les soixante dernières années. Adoré comme un dieu par les uns, il est en même temps répudié comme une menace par les autres. Spiro Agnew, vice-président des États-Unis sous le président Nixon, déclarait même lors d'un discours devant les agriculteurs du Middle West :

> L'Amérique, en tant que société, fut fondée sur le respect de l'individu et sur la foi inébranlable en sa valeur et en sa dignité... Skinner attaque les prémices mêmes sur lesquelles notre société repose, en affirmant que la vie, la liberté et la poursuite du bonheur furent des buts valables jadis, mais n'ont plus aucune place dans l'Amérique du XXe siècle, ni dans la création de la nouvelle culture qu'il propose (Cité par Richelle, 1977, p. 9).

Quelles que soient les déclarations des hommes politiques, Skinner ne tarde pas à susciter l'étonnement au sein des milieux intellectuels américains. Dès le début de sa carrière, il est déjà disposé à proposer une reformulation du comportement des organismes vivants à partir de l'observation des animaux selon un modèle d'expérience qu'il invente. De fait il utilise des méthodes de recherche, des appareils de laboratoire, des techniques et des orientations qui lui sont tout à fait propres. Et lorsqu'en 1948, il donne la parole à « Frazier », personnage d'un roman en qui tous les lecteurs reconnaissent Skinner lui-même, il lui fait dire :

Je n'ai eu dans ma vie qu'une seule idée – UNE VRAIE IDÉE FIXE[1] –
l'idée d'avoir une route bien à moi seul. Le mot maîtriser (*to control*)
l'exprime. Ce désir de maîtriser m'a habité avec frénésie dès mes premières expériences. Je me souviens de la rage ressentie quand une prédiction se montrait erronée. J'aurais pu crier: COMPORTE-TOI
MON MAUDIT! COMPORTE-TOI COMME TU LE DEVRAIS!
(1948, p. 271).

Selon la voie tracée par Watson et la tradition behavioriste, Skinner entreprend «une investigation du comportement en tant que fait
scientifique de plein droit» (1938, p. 4). À l'inverse de Hull, qui avait
d'abord édifié un cadre théorique avant de le vérifier dans la réalité,
Skinner commence par observer et expérimenter, afin d'éviter comme
il l'exprime lui-même les fictions, dépassées mais encore séduisantes,
des systèmes antérieurs. À ce point de vue, il est non seulement un des
plus fidèles protagonistes de la méthode behavioriste, mais il écarte
avec rigueur, même dans son vocabulaire, tous les résidus d'une philosophie mentaliste et d'une psychologie qui n'aurait pas encore coupé
les ponts avec le concept de conscience. Mais avant d'aborder cette
théorie, voyons un peu l'homme et les débuts de sa carrière.

B.F. SKINNER (1904-1990)

Burrhus Frederic Skinner est né le 20 mars 1904, en Pennsylvanie à
Susquehanna, petit village situé le long d'une voie ferrée. Son père est
un avocat au service d'une compagnie, sa mère musicienne amateur,
chante à l'église lors des mariages et des funérailles. Il fréquente la
même école secondaire que ses parents. Esprit curieux, fort intéressé à
la nature, à l'invention et au bricolage, il coule des jours heureux
jusqu'à ce qu'on l'inscrive au Collège Hamilton sur l'avis d'un ami de
la famille. De cette période, il dira plus tard:

Je ne me suis jamais adapté à la vie étudiante… J'ai rejoint une communauté sans savoir de quoi il s'agissait. Je n'étais pas très habile aux sports
et j'éprouvais de vives douleurs aux jambes et à la tête, lorsque je rece-
vais des coups lors des jeux d'équipe[2]. À la fin de ma première année, je
fis un article pour expliquer que le collège nous imposait une série
d'exigences inutiles (y compris le service religieux chaque jour) et que

---

1. En français dans le texte.
2. Dans la plupart des collèges américains, le règlement oblige les étudiants à s'adonner
   à un sport d'équipe.

les étudiants ne manifestaient aucune curiosité intellectuelle. Lorsque j'arrivai à la dernière année, j'étais complètement révolté (Skinner, 1967, p. 392).

Cette révolte se manifeste par une participation active à des escapades et à des harassements envers la direction jusqu'au moment de la collation des grades. Ce jour-là, il fit un tel chahut que le président du collège dut avertir, séance tenante, M. Skinner et ses amis que, s'ils ne se calmaient pas, ils ne recevraient pas leur parchemin.

Quelques mois avant de quitter le collège, pressé de choisir une carrière, il tire de ses tiroirs ses travaux d'étudiant, choisit trois courtes narrations et les envoie au poète Robert Frost, qui dans une réponse enthousiaste l'encourage à devenir écrivain. De son propre aveu, cette orientation fut un désastre : il gaspille son temps à flâner dans le Greenwich Village de New York, s'embarque pour l'Europe, visite l'Italie et la France, puis il revient enfin dans sa famille et retourne à ses premiers intérêts d'enfant, l'observation des animaux et les courses dans la nature.

La lecture d'un article de Bertrand Russell[3] dans la revue *The Dial* consacré à John B. Watson l'enthousiasme. Skinner est conquis par l'idée d'étudier le comportement. En 1928, à l'âge de 24 ans, il entre à l'Université Harvard de Boston dans le but d'obtenir un doctorat en psychologie. Trois volumes symbolisent son orientation nouvelle ; ils s'alignent sur le manteau de la cheminée. Ce sont *Philosophy* de Bertrand Russell, *Behaviorism* de John B. Watson et *Conditioned reflexes* d'Ivan Pavlov.

> Quand j'arrivai à Harvard pour mes études, dira-t-il plus tard, l'atmosphère n'était pas tellement favorable au behaviorisme. Il n'y avait que Walter Hunter, qui venait chaque semaine de l'Université Clark pour un séminaire, et Fred Keller, un étudiant gradué, bien au fait de la sophistique et des techniques propres au behaviorisme (1956, p. 223).

Skinner s'intéresse à la physiologie et établit des relations avec W.J. Crozier, directeur du Département de biologie et ancien élève du physiologiste et zoologiste allemand Jacques Loeb (1859-1924).

---

3. Selon Ronald W. Clark (1975), biographe de Russell, c'est au moment de son internement à Brixton en 1917 à cause de son antimilitarisme que ce philosophe mathématicien britannique est attiré par les idées behavioristes. Il en résulte une analyse de la nouvelle théorie américaine dans la première partie d'un ouvrage paru en 1925, intitulé *Philosophy*.

À Harvard, pour la première fois de ma vie, dit-il, je m'engageai dans un régime sévère. À l'école secondaire et au collège, j'avais exécuté ce qu'on attendait de moi, mais je n'avais que rarement travaillé ferme. Conscient du fait que j'étais très en retard dans ma nouvelle discipline, j'établis alors un plan rigoureux de travail et le maintins pendant presque deux ans. Je devais me lever à six heures, étudier jusqu'au petit déjeuner, partager mon temps entre les cours, le laboratoire et la bibliothèque sans ne laisser plus que quinze minutes non planifiées durant le jour, et de nouveau, étudier jusqu'à neuf heures du soir, moment d'aller au lit. Je n'allais jamais au théâtre, ni au cinéma, peu souvent au concert ; je ne rencontrais que rarement une jeune fille et ne lisais rien d'autre que des livres de psychologie ou de physiologie (Skinner, 1967, p. 397).

La deuxième année, « j'achetai un piano, mais la règle de conduite que je m'imposais ne me permettrait pas de jouer autre chose que les fugues de Bach » (Skinner, 1971, p. 58).

Ce régime de spartiate lui permet d'acquérir les connaissances préalables avec une rapidité étonnante. Il se plonge dans l'ouvrage de G. Udney Yule, *Introduction to the theory of statistics* et passe avec succès l'examen de statistique. C'est aussi par un travail personnel intense qu'il développe ses connaissances de la langue allemande. L'atmosphère intellectuelle de Boston et plus spécialement celle d'Harvard le stimulent ; mais sur le plan académique, au lieu de faire converger au départ ses études sur la philosophie, comme on le propose aux étudiants selon l'usage en cours dans les universités issues de la tradition d'Oxford, Skinner annonce à nul autre qu'au professeur A.N. Whitehead, alors professeur de philosophie, que lui, l'élève Skinner, désire dès le départ s'orienter vers l'épistémologie psychologique. Après trois ans de travail assidu, où les cours et la recherche expérimentale sont entremêlés, « il dépose en 1931 une thèse considérée très inorthodoxe au point que le président du jury, le professeur E.G. Boring, décide de refuser et de retourner le texte » (Weigel, 1977, p. 30). Le jeune rebelle avait mené des expériences sur le comportement des rats et sur les changements spécifiques du taux de réponses à la faim, d'après des conditions observables et contrôlées. « Il avait radicalement simplifié les procédures dans le but d'obtenir des données très précises conduisant à la découverte (le mot n'est pas utilisé d'une manière accidentelle) d'un conditionnement nouveau genre » (Weigel, 1977, p. 30). Fidèle à lui-même, Skinner ne modifie rien à sa thèse que Boring a rejetée. Malgré les jugements sévères portés par Skinner sur les travaux de Boring, celui-ci a quand même l'honnêteté de nommer un nouveau jury sans en faire partie. Cette thèse qui deviendra éventuellement *The behavior of organisms* (1938) fut dès lors approuvée, mais sans l'enthousiasme qu'on montrera quelques années plus tard quand Skinner sera invité à revenir à Harvard comme membre de la faculté» (Weigel, 1977, p. 31).

En 1931, immédiatement après l'obtention de son doctorat, Skinner demeure à Harvard comme professeur chercheur, soutenu sur le plan financier par le National Research Council jusqu'en 1934, puis devient assistant de recherche au Département de psychologie. À l'été 1936, les subventions de recherche prennent fin ; Skinner doit se chercher un emploi. Une lettre du professeur Boring à son collègue R.M. Elliott, directeur du Département de psychologie à l'Université du Minnesota, fait pencher la balance en faveur de Skinner qui est engagé au salaire de 1960 dollars par année. En réponse à Boring, dans une lettre de remerciement, Elliott écrit : «Je suis content ; enfin, j'ai au moins un Ph.D. de Harvard dans mon département» (Skinner, 1979, p. 187). L'histoire se chargera de montrer qu'il avait acquis plus qu'un Ph.D. de Harvard. Skinner demeure neuf ans à l'Université du Minnesota, puis pendant trois ans il dirige le Département de psychologie de l'Université d'Indiana. En 1948, à l'invitation de Boring, il réintègre le Département de psychologie de l'Université Harvard, vingt ans après s'y être inscrit comme étudiant. Il y passera le reste de sa carrière.

La recherche

Vers le début des années 1930, au temps où Skinner commence à faire sérieusement de la recherche en psychologie, le conditionnement classique tient une si grande place que les mots « apprentissage » et « conditionnement» signifient à peu près la même chose. Toutefois, certains théoriciens se sont opposés à cet abus du sens des mots, surtout depuis que Thorndike a montré par sa loi de l'effet qu'un organisme peut modifier son comportement et apprendre par un autre procédé que celui mis au jour par Pavlov, c'est-à-dire le lien créé entre un stimulus inconditionné et un stimulus neutre comme le son d'une cloche. Bref, en dépit du sens abusif qu'on donne au mot « apprentissage », on sait maintenant que le conditionnement classique n'explique pas tout ; il demeure sans doute une excellente interprétation de ce phénomène, mais on se rend bien compte qu'il existe d'autres modes d'apprentissage, d'autres formes d'acquisition de comportements nouveaux. Skinner se chargera de le montrer par ses recherches : selon lui, une excellente méthode consistera à concentrer l'attention sur deux éléments fort utilisés, le stimulus et la réponse, mais surtout à mieux préciser et décrire le lien qui les unit, « le comportement réflexe d'un organisme intact » (Skinner, 1979, p. 37).

> J'étais convaincu, ajoute Skinner, que le concept de réflexe embrassait tout le champ de la psychologie. Je me proposais de diviser le comportement en différents types de réflexes, d'imaginer pour chacun d'eux une mesure de leur force, je pourrais alors considérer le conditionnement, le « *drive* » et l'émotion comme des variables dont cette force serait la fonction. Je pensais que c'était là un projet convenable pour une thèse. Quand j'allai voir un jour Beebe-Center[4] et lui fis part de mon projet, il me regarda un instant et dit : « Qui pensez-vous être ? Helmholtz ? » (Dans un autre domaine, il aurait dit Einstein ?). Il insista pour me faire comprendre que j'avais plus qu'il n'en faut pour une thèse et que je devais en soumettre une seule à la fois. Je n'en étais pas certain. Hallowel Davis[5] avait dit, « Vous devez vous souvenir que vous serez connu dans l'avenir pour ce que vous êtes en train de faire aujourd'hui », or le projet que j'avais en tête était précisément quelque chose pour lequel je désirais être connu (Skinner, 1979, p. 70).

Malgré ses doutes, Skinner entreprend la rédaction d'un article intitulé « The concept of the reflex in the description of behavior » (1931), dans le but d'attaquer les interprétations mentalistes du comportement et un certain mauvais usage que l'on faisait de la physiologie. Il tire ses exemples d'une recherche qu'il mène sur l'ingestion de nourriture par des rats, sans se rendre compte pour le moment que ce texte deviendra une partie importante de sa thèse de doctorat. Il s'applique à faire l'histoire du réflexe depuis Descartes. On sait que ce dernier évince du fonctionnement physiologique humain certains phénomènes qui relèveraient de réalités métaphysiques considérées comme causes susceptibles de produire des mouvements. Puis, toujours selon Skinner, Robert Whytt (1763) contribue à établir ou à séparer deux éléments fondamentaux, le stimulus et la réponse. À son tour, Marshall Hall (1837), par sa distinction entre le réflexe et l'action volontaire, oppose le phénomène physiologique à sa contrepartie psychique. Il en résulte cependant, du point de vue de Skinner, une définition malheureuse du réflexe qui ne considère que les aspects négatifs, à savoir un mouvement inconscient, involontaire et non appris. De plus Hall

---

4. En 1930, John Gilbert Beebe-Center est un jeune professeur du Département de psychologie d'Harvard. Skinner l'admire en particulier pour sa connaissance des langues française et allemande.

5. Hallowel Davis est un chercheur en physiologie du Département de médecine de l'Université Harvard.

identifie le réflexe par une caractéristique qu'il appelle la nécessité scientifique (il aurait pu dire aussi la nécessité mécanique ou organique), fort distincte de cet autre phénomène, dit l'acte volontaire dont la caractéristique est d'être imprévisible (*impredictability*). À la suite de Magnus, Sherrington et Pavlov[6], Skinner préfère regarder les choses d'un point de vue plutôt empiriste : « Je suis, dit-il, intéressé au concept de réflexe sur le plan de l'opération » [*We are concerned with the reflex as a working concept*] (1931, p. 438). Dès le départ, il faut donc considérer

> [...] la corrélation observée entre deux éléments, un stimulus et une réponse. Par ailleurs, les caractéristiques négatives par lesquelles on définit le réflexe comme involontaire, inconscient et non appris ont découlé de présuppositions non scientifiques concernant le comportement des organismes (1931, p. 438).

À partir de ces faits, Skinner s'efforce de ne donner du réflexe qu'une définition empirique. Il le définit alors sur le plan expérimental comme une corrélation observée entre le stimulus et la réponse.

> Quand nous disons, par exemple, que Robert Whytt a découvert le réflexe pupillaire, nous ne voulons pas exprimer qu'il a découvert la contraction de l'iris ou la rencontre de la rétine avec un rayon de lumière, mais que, le premier, il a réussi à établir la relation nécessaire entre ces deux événements. En termes de comportement, le réflexe pupillaire n'est rien d'autre qu'une relation. Une fois donnée une corrélation spécifique entre le stimulus et la réponse, nous pouvons certes investiguer les phénomènes physiologiques sous-jacents à cette interrelation. L'information recueillie peut alimenter notre définition, mais elle ne peut affecter l'état du réflexe en tant que corrélation (1931, p. 439).

Regarder le réflexe en termes de corrélation statistique, c'est vraiment donner au principe behavioriste émis par Watson l'un de ses meilleurs aboutissements. Déjà l'approche de Skinner pour expliquer le comportement est fort différente de celle de Hull, qui s'était évertué à donner des valeurs précises aux différentes forces qui peuvent agir au niveau physiologique entre le stimulus et la réponse. Skinner s'oriente

---

6. En 1979, Skinner rappelle le fait : « Je suis venu à la psychologie enthousiasmé par Pavlov et j'ai bientôt découvert Sherrington et Magnus. Ils me semblent plus près d'une vraie science du comportement que tout autre de leurs contemporains. Le concept du réflexe les a bien servis et, dans ma thèse, j'ai dit que cela est tout ce qui est nécessaire à l'étude du comportement » (1979, p. 201).

dans une autre voie : « De plus en plus, je ne conçois pas le réflexe comme une activité cérébrale à la manière de Pavlov, ni comme l'action intégrante du système nerveux à la manière de Sherrington, mais comme un comportement » (1979, p. 46). Le 29 décembre 1931, dans une allocution à l'American Association for Advancement of Science, le professeur Boring (1932, p. 32) affirme que si la psychologie doit survivre elle doit faire entrer le système nerveux et la conscience dans ses préoccupations. Skinner trouve la thèse de son directeur de département tout simplement scandaleuse. Avec lui, les principes fondamentaux du behaviorisme prennent une orientation radicale que Woodworth (1951, p. 112) résume ainsi : « L'expérimentation en psychologie doit être centrée sur le comportement clairement manifesté et non sur les mécanismes internes du comportement. On n'a pas à s'occuper de l'arc réflexe, ni des synapses à l'intérieur du système nerveux. Skinner adopte ainsi le point de vue molaire ». Fidèle à cette position, il n'accepte aucun concept dérivé des unités d'analyse proposées par l'anatomie. Toutes les réalités susceptibles d'entrer dans la composition structurale d'un comportement ne peuvent être incluses dans des définitions *a priori* de ce que les termes sont censés représenter.

> Je n'ai jamais abordé un problème, dit-il en 1956, en construisant une hypothèse, ni ne les ai soumis à une vérification expérimentale. En autant que je le peux constater, je ne possède aucun modèle préconçu du comportement, pas plus physiologiste que mentaliste et je ne crois pas non plus à un modèle conceptuel (Skinner, 1956, p. 227).

L'opérationnisme

Dix-sept ans après le manifeste de Watson, Skinner s'applique à donner au behaviorisme des méthodes empiristes raffinées et adopte des définitions qui ne visent pas à autre chose qu'à décrire les phénomènes sur le plan expérimental. Déjà en 1930, « j'avais proposé, dit-il, une définition opérationnelle[7] du réflexe, influencé par Bridgman, Mach et Poincaré » (1979, p. 116). Mais qu'est-ce qu'une définition opérationnelle ? Skinner avait découvert à la Boston Medical Library l'ouvrage

---

7. Le qualitatif *opérationnel*, utilisé en français dans certains travaux scientifiques est emprunté à l'américain *operational* ; il signifie relié à l'opération. Ce néologisme donne à entendre que, selon la logique scientifique proposée par l'opérationnisme, les faits et les concepts sont reliés aux opérations concrètes dont on se sert pour les produire. Ainsi selon les adeptes de cette théorie, le concept d'intelligence n'a d'autre sens que celui que décrivent les procédés utilisés pour en mesurer le comportement.

d'Ernst Mach, *Science of mechanics* (1883) et celui d'Henri Poincaré, *Science et méthode* (1908). Il s'agit là des premières versions de ce qu'on commence à nommer l'opérationnisme. D'autre part, Skinner avait retenu que Russell a dit quelque part que le terme de réflexe tient la même place en physiologie que le terme de force en physique (Skinner, 1972, p. 429). Or, il savait à quoi s'en tenir sur la notion de force. Il avait longuement discuté cette question avec son ami Cuthbert Daniel, élève de Bridgman (1882-1961), Prix Nobel de physique en 1946. Ce dernier venait de faire paraître un travail, *The logic of modern physics* (1927) dans lequel il traitait du phénomène de force et montrait qu'un concept scientifique doit être défini par les termes qui découlent des opérations qui ont permis de les observer. Quelques années plus tard, en 1939, Stanley Smith Stevens, auteur d'une théorie psychophysique fondée sur l'appréciation directe de l'intensité de la stimulation et opposée à celle de Weber et Fechner, affirmera « *The logic of modern physics* a été qualifié de livre excellent, animé par une seule idée, celle de considérer un concept comme rien de plus qu'un ensemble d'opérations ; 'le concept est synonyme de l'ensemble des opérations correspondantes', dit Bridgman » (Stevens, 1939, p. 224). Mais lors de sa parution en 1927, l'ouvrage de Bridgman n'avait pas recueilli pour autant toute l'attention qu'il aurait dû mériter de la part des milieux scientifiques américains.

Trois ans plus tard en 1930, un jeune physicien nommé Herbert Feigl (1902-)[8], membre actif du Cercle de Vienne[8], se présente à Boston pour un stage d'étude. Bien au fait du positivisme opérationnel de Bridgman, il contribue à faire connaître aux hommes de science de Boston les idées de leur propre collègue ainsi que le positivisme logique enseigné à Vienne à la même époque. Même avant la visite de Feigl à Harvard, Skinner, on l'imagine, est tout préparé à couler ses concepts

---

8. Le Cercle de Vienne désigne un groupe de savants et de philosophes réunis autour du physicien Mauritz Schlick (1882-1936). Nommé en 1922 professeur de philosophie des sciences inductives à l'Université de Vienne, Schlick accède à la chaire occupée avant lui par Mach et Boltzman. Parmi les principaux représentants de ce cercle, il faut nommer Rudolph Carnap (philosophe), Philipp Frank (psychologue), Otto Neurath (sociologue), K. Goder, H. Hahn, F. Waismann (mathématiciens), F. Kaufmann (juriste), V. Kraft (historien) et H. Feigl (physicien). Opposés à l'idéalisme de Kant et influencés par la logique mathématique (Frege, Russell) et les progrès de la physique moderne (Planck, Einstein), ils enseignent un positivisme que Feigl qualifiera de logique. Il consiste à affirmer que les données de base servant aux inférences scientifiques doivent être les opérations de l'observation elles-mêmes. Ce principe a conduit en droite ligne à l'opérationnisme.

dans cette nouvelle tendance qui n'est pour lui qu'une nouvelle forme de behaviorisme : « À mon avis, dit-il, il n'y a que des différences mineures entre le behaviorisme, l'opérationnisme et le positivisme logique. Ma thèse n'est qu'une définition opérationnelle du réflexe » (1979, p. 161).

L'opérationnisme est donc une démarche de la science, une manière de circonscrire la réalité, bref il s'agit plus d'un principe méthodologique que d'une école. Les définitions en sont nombreuses et Stevens s'applique à en faire l'inventaire (1939, p. 277). Il finit par prétendre à ce sujet que tout ce qui est possible de faire, c'est de donner chacun pour soi sa propre définition de l'opérationnisme. C'est ce qu'il fit lui-même dans une série d'articles[9] publiés en 1935 et 1936. Pour sa part Skinner voit l'opérationnisme

> [...] comme une manière de parler (*the practice of talking*) au sujet 1° des observations de quelqu'un, 2° des procédures de calcul et de traitement lors des observations, 3° des étapes logiques et mathématiques qui interviennent entre les énoncés, 4° et rien d'autre. Jusqu'ici sa contribution la plus importante émane du quatrième point et, comme lui, elle demeure négative (1945, p. 270).

Par rapport aux positions prises par l'empirisme et le positivisme, la démarche entreprise par l'opérationnisme avait pour but d'accroître la précision des concepts et des définitions en psychologie, de séparer les problèmes scientifiques de ceux que pose la métaphysique. Il s'ensuit que toute proposition non vérifiée par l'observation ne peut avoir un sens valable en sciences expérimentales.

L'opérationnisme, une fois adopté comme méthode de travail, entraîne Skinner à refuser le concept de cause. En effet, si un événement en suit un autre, nous avons tendance à dire à la légère qu'il est probablement causé par lui, selon un principe des Anciens : « *Post hoc, ERGO propter hoc* » (À la suite de cela, donc à cause de cela) (1974, p. 9). Les questions doivent changer ; au lieu de poser des « pourquoi », il faut poser des « comment » et préférer les termes qui décrivent les opérations aux abstractions philosophiques. C'est pourquoi nous voyons Skinner chercher une autre explication et relier cette explication aux conditions avec lesquelles le comportement est en corrélation. Cette méthode lui fait constater qu'il existe des réflexes où la corréla-

---

9. Il s'agit de trois articles qu'on peut retrouver dans la bibliographie (1935a, 1935b, et 1936).

tion entre le stimulus et la réponse est très élevée et d'autres pour lesquels la corrélation observée est plus faible.

Jusqu'ici Skinner n'apporte rien de vraiment nouveau au behaviorisme de Watson, sauf peut-être sa manière d'utiliser le concept de « réflexe » pour couvrir toutes les variétés possibles de liens entre le stimulus et la réponse. Cette façon de définir le réflexe n'éclaire pas beaucoup la situation ambiguë dont nous avons parlé concernant la notion d'apprentissage, situation provoquée par les conclusions différentes auxquelles arrivent Pavlov et Thorndike. Elle constitue cependant un point de départ appuyé sur la psychologie traditionnelle élaborée depuis le début du siècle. Depuis Watson, on tenait pour certain que toute réponse dépend d'un stimulus, même si, dans beaucoup de cas, le stimulus déclencheur n'est pas identifiable. Skinner considère qu'il s'agit là d'une position qui force les faits. Il propose carrément deux classes de réponses : les unes « répondantes », les autres « opérantes ».

Une distinction fondamentale

1° La première classe de réponses englobe toutes celles qui sont produites, suscitées (*elicited*) par des stimuli connus ; on doit les regarder comme des comportements « répondants ». Une fois donné le stimulus, la réponse surgit automatiquement. En présence d'un morceau de viande, un chien salive ; une grenouille piquée au muscle de la cuisse exécute un mouvement. Les comportements répondants sont des connexions spécifiques ou des liaisons innées ; même si pour l'instant, Skinner a tendance à les ignorer pour ne s'intéresser qu'à la fréquence de la réponse, il admet le fait : nous sommes nés avec un nombre de réflexes bien définis ; puis Pavlov a montré que nous pouvons acquérir une multitude d'autres comportements répondants greffés sur les montages innés par conditionnement classique[10] :

> Avec la découverte du stimulus et la reconnaissance d'un grand nombre de relations spécifiques entre des stimuli et des réponses, plusieurs auteurs en vinrent à croire que tout comportement pouvait relever de ce modèle, dès que les stimuli pouvaient être identifiés (Skinner, 1938, p. 19).

Skinner avait d'abord espéré, à la suite de Pavlov, établir clairement que le contrôle du comportement d'un organisme adulte pouvait s'obtenir

---

10. Il est à noter que Skinner n'utilise jamais le terme *classique* pour qualifier le conditionnement.

à partir de certains stimuli qui avaient acquis en quelque sorte cette capacité de déclencher une réponse spécifique.

> Plusieurs essais ont été faits pour établir la vraisemblance de cet énoncé, mais à mon sens, dit Skinner, ils ne se sont pas avérés convaincants. Il existe donc une multitude de comportements qui ne semblent pas produits dans le sens où une scorie dans l'œil suscite la fermeture de la paupière (1938, p. 19).

C'est le moment pour Skinner d'en venir à un tout autre type de comportement. Même s'il soutient que beaucoup de comportements ne peuvent s'expliquer que par des montages innés ou par le conditionnement classique.

2° La seconde classe concerne des réponses qui sont émises (*emitted*) par des organismes, mais ne peuvent être reliées à un ou à des stimuli spécifiques. Skinner les étudie comme des événements spontanés et les nomme des comportements « opérants » pour les bien distinguer des comportements « répondants ». C'est dans une réponse à un article de Konorski et Miller (1937)[11] que cette distinction apparaît.

> Dans ma réplique, dit Skinner, j'utilisai le terme « opérant » pour la première fois et réservai le mot « répondant » pour le phénomène pavlovien. Ç'aurait été le bon moment d'abandonner le terme réflexe, mais j'étais encore trop fortement sous l'emprise de Sherrington, Magnus et Pavlov; puis je continuai à m'y tenir avec ténacité, lorsque je rédigeai *The behavior of organisms* (1938). Cela me prit plusieurs années à me libérer du contrôle du stimulus dans le domaine du comportement opérant. Mais une fois ce résultat obtenu, je ne fus vraiment plus un psychologue du type stimulus-réponse (1978, p. 119).

Le comportement opérant peut s'apprendre par conditionnement, mais il s'agit, il faut le remarquer, d'un conditionnement bien différent de celui que Pavlov avait démontré. Le principe en est le suivant: quand un organisme émet par hasard un comportement dans l'environnement et que ce comportement est récompensé, ou comme dit Skinner, suivi d'un renforcement[12], il y a probabilité que l'occurrence de ce comportement augmente dans l'avenir (1938, p. 21).

---

11. Konorski et Miller avaient publié en polonais un article sur le même sujet en 1928.

12. Pour Skinner, le renforcement se définit d'une manière empirique comme un événement capable d'augmenter le taux de réponses chez un organisme, alors que, pour Hull, le renforcement est fondamentalement un élément susceptible de donner plus de fermeté (*strengtheness*) aux connexions, bref un événement qui produit l'apprentissage.

L'organisme se conditionne à la situation; on utilise aussi dans ce cas l'expression «conditionnement instrumental» (type R), l'accent étant mis sur la présence d'une réponse suivie d'un renforcement, par opposition au conditionnement classique (type S) faisant davantage référence à l'influence du stimulus. Par ailleurs, le conditionnement de type S serait restreint aux réponses du système nerveux autonome, alors que le conditionnement du type R est produit par le système nerveux central responsable du comportement moteur.

À mesure que Skinner développe son concept, dit conditionnement opérant et sa philosophie du comportement, il se détourne avec détermination de tous les processus qui ne peuvent être observés directement. Ceci l'amène à traiter du comportement et uniquement du comportement en relation avec les conditions de l'environnement qui ont une influence sur l'organisme. Alors à partir de situations expérimentales, Skinner en vient à attacher une importance capitale au renforcement produit par l'environnement au détriment du stimulus. D'ailleurs le lien stimulus-réponse tel que défini par Thorndike demeure inobservable. Ce dernier l'a fait reposer sur une hypothèse. Certes «l'organisme n'est pas vide et il ne peut être traité simplement comme une boîte noire, mais nous devons soigneusement distinguer ce qui est connu, ce qui est inconnu et ce qui repose sur des inférences» (Skinner, 1974, p. 212).

C'est donc à toutes fins utiles par le renforcement que l'homme peut agir sur les organismes. Le seul moyen proprement efficace dont nous disposons, pour changer le comportement de quelqu'un, consiste à changer les variables de son milieu. Cette conclusion s'impose comme une suite logique de la recherche poursuivie en laboratoire par Skinner d'abord sur les rats, ensuite sur les pigeons, puis d'une certaine manière sur les humains.

Skinner, l'antithéoriste, fort attaché au principe de Watson, s'efforce de réduire les situations à des phénomènes observables aussi radicalement simples que possible. Ainsi après quelques tâtonnements, il est rapidement amené à placer un rat affamé dans une cage (*Skinner box*) et à donner un renforcement au geste de presser un levier. Cette stratégie a pour avantage de ne pas entraîner des observations qui durent des heures pendant lesquelles l'expérimentateur attend et observe un comportement complexe, comme celui d'apprendre une route dans un labyrinthe ou de toucher par hasard la tige qui permet de sortir d'une boîte problème. Marc Richelle, un assistant de recherche dans le laboratoire de Skinner, décrit ainsi l'expérience :

Dans la fameuse cage de Skinner, un rat appuie un levier (chaque appui constituant une réponse) et reçoit à la suite de cet acte un peu de nourriture, dit 'renforcement'. Pas de réponse, pas de renforcement. Ce dernier dépend donc du comportement du sujet ; il en est la conséquence. Skinner a désigné cette relation par l'expression « conditionnement opérant », l'opposé du schéma pavlovien, nommé par Skinner conditionnement répondant. Ce qui est remarquable cependant, ce n'est pas que la réponse entraîne un renforcement car celui-ci peut être parfois dû à l'effet du hasard ; mais s'il survient à la suite d'une conjonction d'événements, la réponse renforcée tend à se reproduire car sa probabilité augmente en fonction du renforcement. L'expérimentateur observe l'augmentation du débit de la réponse. Le rat qui actionnait le levier rarement ou pas du tout fournit un nombre important de réponses, si elles sont suivies d'un renforcement. Le comportement est contrôlé par ses conséquences : c'est là la relation fondamentale qui met en évidence le conditionnement opérant (Richelle, 1977, p. 34).

Même si on définit désormais le renforcement comme un événement qui augmente le taux de la réponse, il demeure évident qu'il peut aussi maintenir la réponse à un taux élevé. Les travaux de Skinner en laboratoire l'ont montré. Sa manière de procéder est efficace. Au début de sa carrière, il enregistre le comportement de ses rats à l'aide de procédés mécaniques ; puis, par la suite, les techniques ayant évolué, il emmagasine tous les résultats dans la mémoire d'un ordinateur par des procédés électroniques, de telle sorte que les réponses des rats et les renforcements qu'ils reçoivent puissent être transmis de la cage à l'ordinateur, durant les vingt-quatre heures d'une journée et à la semaine longue. Il établit des courbes qui expriment le comportement d'un organisme dans les situations de privation, de satiété, de conditionnement et d'extinction. Déjà en 1938, il a recueilli une masse énorme de courbes et d'informations qu'il publie en partie dans *The behavior of organisms*, un livre technique qui constitue la bible des skinnerriens et dont la partie théorique est une reprise partielle de la thèse de doctorat qu'il avait soumise à l'Université Harvard quelques années auparavant.

Ce texte fait état d'une situation nouvelle expérimentée en laboratoire et déjà exposée dans un article intitulé : « The reinforcing effect of a differential stimulus » (1936). Très tôt, Skinner a utilisé la discrimination comme un renforcement conditionné reprenant à l'inverse la technique de Pavlov, qui lui accolait un stimulus neutre à un stimulus inconditionné. À son tour, Skinner associe un indicateur neutre : le son d'un timbre ou une lumière peuvent être associés à une réponse renforcée. Le stimulus discriminant (S^D), celui pendant l'apparition duquel le comportement est récompensé, est alterné toutes les trois minutes avec un stimulus complémentaire ou non discriminant, pendant l'apparition duquel le comportement n'est pas récompensé (S^A). Ainsi, lorsqu'une lumière rose (S^D) s'allume et que le rat actionne le levier à ce même moment, il reçoit une boulette de nourriture, mais il ne reçoit rien pendant qu'une lumière verte (S^A) est allumée. Le comportement opérant se structure et finit par n'apparaître que lorsque le stimulus discriminant est présent. Hull et ses disciples nomment la mise en place de ce genre de contrôle du comportement un renforcement secondaire, alors que Skinner parle plutôt de renforcement conditionné ou de pseudo-réflexe.

> Ce que j'appelle un pseudo-réflexe, dit-il, est une relation entre une réponse et un stimulus de discrimination. Quand j'allume la lumière et que le rat presse le levier, la lumière semble susciter la réponse, mais la séquence temporelle nous induit en erreur. Comme la lumière est présente au moment du renforcement de la réponse, la lumière augmente la probabilité qu'une réponse soit donnée de nouveau (1979, p. 142).

Skinner s'intéresse peu à la description détaillée des comportements des organismes ; le point essentiel demeure pour lui le taux des réponses et la manière dont l'organisme réagit au renforcement de l'environnement. Il n'est pas nécessaire de faire appel à la physiologie pour expliquer le comportement. Comme les contingences de l'environnement peuvent le structurer, il suffit de contrôler ces contingences pour forger des conduites. Bref, le comportement peut être structuré par l'utilisation appropriée de conditionnements appropriés. Voilà la thèse fondamentale de Skinner !

Par la suite, pour faire la preuve de la possibilité de ce contrôle du comportement, il s'applique à le montrer par des apprentissages variés acquis par des animaux. Il amène un pigeon à exécuter des conduites diverses, comme se promener en exécutant une figure en forme de 8 (Figure 9).

> Je surveille, dit Skinner, un pigeon affamé d'une manière très attentive, et dès qu'il fait un pas dans le sens désiré (*a light clockwise turn*), il est récompensé pour cela. Après qu'il a mangé, immédiatement il essaye de nouveau ; j'attends alors qu'il complète un tour et je lui donne un autre renforcement. En dedans de deux ou trois minutes, je peux obtenir qu'un pigeon fasse un tour complet. Par la suite, je lui donne un renforcement uniquement s'il fait un pas dans l'autre direction. Alors j'attends jusqu'à ce qu'il ait complété les deux tours et je le renforce encore et encore afin que ceci devienne une autre sorte de manœuvre.

En l'espace de 10 à 15 minutes, le pigeon fera la figure parfaite d'un huit (1971, p. 58).

Les mêmes procédés lui ont permis d'apprendre à deux pigeons à danser l'un avec l'autre et à jouer au ping-pong.

FIGURE 9
Apprentissage d'un comportement

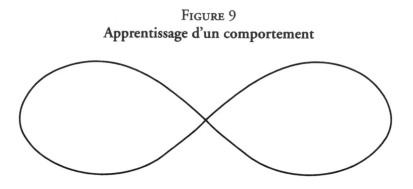

Quelques applications

En avril 1940, après l'invasion de la Norvège et du Danemark par les Allemands, Skinner songe à apprendre à un pigeon à diriger une fusée en utilisant le conditionnement opérant. C'est ainsi qu'il fut amené à participer à l'étude des possibilités du projet « Pellican » du Pentagone. Harnaché dans le nez d'un énorme projectile d'artillerie, un pigeon doit picorer devant lui un point qui se déplace, de manière à diriger ainsi l'engin vers un objectif déterminé. L'expérience obtint d'excellents résultats en laboratoire (1960), mais le Pentagone n'a jamais donné suite au projet.

En dépit de ses inventions et de son originalité en recherche, Skinner n'est pas connu en dehors du cercle restreint des psychologues américains. Après avoir publié son œuvre maîtresse, *The behavior of organisms*, il se plaint que les gens du peuple ne lui offrent pas de « renforcement » comme le font ses rats. Ce « renforcement » viendra par l'intermédiaire d'un groupe de femmes américaines qui acceptent la publication d'un article de Skinner (1945) dans le *Ladies' Home Journal*, concernant une boîte d'un nouveau genre. En effet, Skinner délaisse un moment ses rats et ses pigeons pour tenter l'expérience suivante qu'il raconte lui-même :

Quand Yvonne me dit qu'elle accepterait de porter un second enfant, mais qu'elle redoutait surtout les soins à donner durant les deux premières années, je fis la suggestion de simplifier les soins du bébé... Je me mis à bâtir un enclos fermé (*crib-sized living space*), que nous commencions à appeler un garde-bébé (*a baby tender*). Il possédait des parois à l'épreuve du son et une large fenêtre. L'air pénétrait par des filtres au bas et, après avoir été réchauffé et humidifié, montait à travers et autour des bords d'une toile légèrement tendue qui servait de matelas. Une longue bande de papier de dix (10) mètres enroulée à chaque bout permettait de garder le fond de l'enclos très propre en quelques secondes (1979, p. 275).

Cette boîte dont tout est soigneusement vérifié et contrôlé permet à Deborah de s'ébattre et de se promener nue à la chaleur, sans cette demi-douzaine de couvertures qui immobilisent habituellement les bébés. Deborah passe deux ans et demi dans le garde-bébé. Mais même avant la fin de l'expérience, au printemps de 1945,

[...] le garde-bébé, dit Skinner, a plus que rempli nos espoirs. Debbie (Deborah) était un poupon de 9 mois, bien en santé, qui avait éprouvé un nouveau mode de soins, autant que nous. Je pensai que l'expérience devait être connue et j'envoyai un article au *Ladies' Home Journal* (1979, p. 293).

En quelques semaines, une controverse s'élève. À l'âge de onze mois, Deborah est l'enfant dont on parle le plus en Amérique. À plusieurs, cette boîte apparaît comme le plus atroce bol à poissons rouges destiné à l'humain. La critique est virulente. Skinner ne se soucie que d'une chose : que Deborah n'en soit pas atteinte. Par cette boîte, il a peut-être simplifié les soins à donner à l'enfant, il a organisé l'environnement, mais à part se faire connaître, il n'a rien prouvé de bien nouveau. Il tentera de le faire en s'efforçant de contrôler une situation qui, pour beaucoup de parents, est un problème, celle de l'apprentissage de la propreté.

Quand Debbie est assez âgée pour devoir aller à la salle de toilette, je trouvai une solution mécanique à ce problème. Si le père ou la mère se tient tout près de l'enfant jusqu'à ce qu'il urine avant de le ramener au garde-bébé ou au parc pour enfant, ce dernier peut facilement retarder la miction, parce que la présence du parent est ainsi prolongée et la situation demeure agréable. Si, au contraire, l'enfant est laissé seul, il peut y demeurer beaucoup plus longtemps que nécessaire et se retrouver avec un cercle rouge autour des fesses. Je reliai le siège d'aisance à une boîte à musique qui faisait entendre *Le Danube bleu*, dès que les premières gouttes de liquide atteignaient une bande de papier sous le siège. Nous laissions Debbie à la salle de toilette jusqu'à ce que nous entendions la musique et alors nous venions la chercher. La musique s'est révélée un bon renforcement (1979, p. 288).

À la suite d'expériences comme celles-ci, on constate l'intérêt que Skinner porte à l'application de ses principes théoriques à des situations pratiques et complexes telles qu'elles se présentent dans la vie quotidienne, mais en même temps on décèle une dimension plus fondamentale : Skinner croit qu'il est en mesure de montrer qu'on peut aboutir à un véritable déterminisme du comportement, qu'on peut en utilisant des renforcements appropriés former (*to shape*) le comportement des organismes, qu'il s'agisse des rats, des pigeons ou des humains. En 1948, en l'espace de sept semaines, Skinner termine un roman didactique *Walden two*[13] dans lequel les deux personnages principaux, Burris et Frazier, représentent deux aspects antagonistes de la personnalité de l'auteur lui-même : d'un côté, Burris est ce professeur d'université aux idées arrêtées, un peu traditionnelles ; de l'autre, Frazier, celui qui veut changer la société par le comportement opérant, fonde, dans la grande nature, une communauté qui vise au bonheur en appliquant les principes skinnerriens, communauté à laquelle Burris lui-même finit par adhérer. La critique dans l'ensemble est assez partagée, mais un journaliste de la revue *Life* (le 28 juin 1948) condamne le livre, « comme une flétrissure sur un nom et la corruption d'un mouvement ».

En dépit des critiques, un groupe de jeunes, enthousiastes pour l'expérience décrite dans *Walden two*, décident de fonder en 1967, au milieu des collines de Virginie, une communauté agricole susceptible de reproduire une société selon la mécanique skinnerrienne. Ils sont trente-cinq (35), hommes et femmes, à s'installer sur une ferme de 123 acres, nommée Twin Oaks. Tous sur un pied d'égalité, les participants possèdent tout en commun à l'exception de leurs vêtements et de quelques livres. La règle de vie à Twin Oaks consiste à fournir des renforcements pour les comportements appréciés du groupe et à ignorer les autres. On y bannit les drogues ; on y déconseille l'alcool et le tabac ; la télévision est considérée comme le véhicule des valeurs traditionnelles. Quant à la sexualité, on la voit, selon un membre du groupe, « comme

---

13. *Walden two* doit son titre à *Walden (one)* ou *La vie dans les bois*, l'œuvre maîtresse de Henry David Thoreau (1817-1862), écrivain poète, qui s'était livré à l'observation de la nature dans le but d'y découvrir l'esprit. « Il est encore aujourd'hui, dit William Howart, un guide pour notre époque. Ses enseignements sont fondamentaux : vivre simplement ; préserver la nature et demeurer libre dans son corps et son esprit » (1981, p. 386).

un passe-temps agréable ; en effet nous n'avons pas une bien haute opinion du mariage » [14].

Le résultat final est un échec. À travers de multiples difficultés, on constate que la ferme fournit plus de renforcements émotifs que monétaires. Par ailleurs, la compétence des plus intelligents n'est pas, semble-t-il, reconnue à sa juste valeur. Quant à Skinner, dans la préface du rapport de Kathleen Kinkade qui analyse l'expérience, il dit ceci :

> Twin Oaks est tout simplement le monde en miniature. Les problèmes auxquels ses membres ont fait face et les solutions qu'ils ont tenté d'apporter sont celles d'une communauté dans le monde. Pendant que Kate et ses amis cherchent des solutions à leurs problèmes, le reste du monde doit faire quelque chose au sujet de *ses* surplus de nourriture, de *ses* systèmes d'éducation, de *son* hygiène et de *sa* santé, de *ses* relations interpersonnelles, de *ses* activités culturelles et de *ses* jeux olympiques (1973, p. X).

Cet insuccès fournit aux milieux libéraux l'occasion d'attaquer Skinner. On l'accuse d'avoir donné une interprétation spéculative trop simplifiée du comportement, d'avoir voulu faire de l'homme une espèce de pigeon mécanique dont les montages sont artificiellement réglables. Tous les partisans de théories psychologiques humanistes se lèvent pour défendre le concept de liberté chez l'être humain. Pour sa part, Skinner admet que l'homme n'est peut-être pas un pigeon, mais il souligne en même temps que ses idées sont appliquées avec succès dans plusieurs domaines de l'activité humaine. En effet on utilise souvent la technique du comportement opérant dans les hôpitaux psychiatriques, dans les institutions carcérales, dans l'industrie, dans les écoles, etc.

Même lorsque le comportement opérant est considéré comme une thérapie susceptible de guérir le malade mental,

> Skinner ne propose aucune théorie de la névrose ou de la psychopathologie en général. Son approche est pragmatique et empirique. Jamais Skinner ou ses disciples se demandent : « Qu'est-ce que la névrose ou quelle en est la cause ? » Skinner ayant postulé que le comportement est dirigé de l'extérieur, c'est-à-dire dirigé par un environnement renforçant, il n'est pas question pour lui de conflits internes et de psychopathologie. Il s'agit uniquement de conditionner un comportement absent ou d'éteindre un comportement présent par modification de la situation de renforcements (Malcuit *et alii*, 1968, p. 33).

---

14. La description présentée ici de Twin Oaks s'inspire d'un reportage de la revue *Time*, « Twin Oaks : On to Walden two », le 20 septembre 1971, p. 57.

C'est là, il faut le reconnaître, un mode de traitement de la maladie mentale fort opposé à la psychologie dynamique classique. Puisque la plupart des désordres de comportement, comme le croient les behavioristes, sont dus à des réponses apprises par renforcement, il faut arriver à l'extinction des conduites répréhensibles et à l'acquisition de nouveaux apprentissages par des renforcements appropriés.

En milieu carcéral et dans l'industrie, on a tendance à établir le système de jetons pour renforcer les comportements désirés. Au Robert Kennedy Center en Virginie de l'Ouest, on a tenté l'expérience de réhabiliter de jeunes délinquants (meurtriers, voleurs, désaxés sexuels) sans rien exiger, ni demander ; le procédé consiste à récompenser par des jetons de différentes valeurs certains comportements qui sont de nature à améliorer les connaissances ou à développer la personnalité, ces jetons servant par la suite à acheter de meilleurs repas, une chambre personnelle ou des périodes de temps devant le poste de télévision.

Cependant, c'est peut-être dans l'enseignement que Skinner a provoqué le renouveau le plus important. Après avoir visité une salle de cours à l'école secondaire, où l'une de ses filles poursuit ses études, Skinner prétend qu'on y détruit l'intelligence... Même si la psychologie de l'apprentissage n'en est encore qu'à ses débuts, l'école semble ignorer totalement les quelques progrès qui ont été faits dans ce domaine. Selon Skinner, le cheminement de l'école est erratique : elle ne sait pas définir ses objectifs généraux et spécifiques ; en conséquence les méthodes sont mal adaptées et ne sont pas reliées à des buts précis. Pour améliorer les processus d'acquisition des connaissances, Skinner se propose d'appliquer à l'apprentissage scolaire sa théorie du renforcement opérant. Chaque fois que l'enfant émet une bonne réponse, il faut lui donner un renforcement positif. La manière de procéder consiste donc à découvrir le mieux connu de l'élève, puis à fractionner la matière à apprendre de manière à faire cheminer l'élève à l'aide de questions suffisamment simples pour qu'il trouve lui-même la bonne réponse. Cela suppose qu'un cours de chimie, par exemple, soit complètement décortiqué en ses notions élémentaires, et gradué de telle sorte que l'élève soit peu à peu conduit à l'intérieur de la discipline. Après chacune des bonnes réponses exprimées, l'élève reçoit un renforcement positif varié du genre suivant : « C'est exact » ; « Très bien » ; « Excellent » ; « Vous avez la bonne réponse » ; etc. Ici encore la technique vient servir la cause de Skinner : afin de libérer le professeur incapable de fournir un renforcement personnel à chacun des vingt ou trente élèves de sa classe, chaque fois que c'est nécessaire de le faire, il imagine des machines à enseigner que l'enfant peut manipuler lui-même. Puis dès que l'électronique devient suffisamment élaboré, il fait l'expérience de l'enseignement programmé assisté d'ordinateur. Skinner s'applique à propager ce type d'enseignement et espère une révolution dans le domaine de l'apprentissage scolaire. En dépit de son utilité et des progrès réalisés, beaucoup de milieux sont demeurés longtemps réfractaires à l'introduction de l'ordinateur dans la salle de cours, en raison de l'investissement financier exigé et du caractère de déshumanisation qu'il semble imprimer à l'enseignement.

En 1957, comme il l'avait fait souvent jusqu'ici, Skinner étonne son entourage. Cette fois, il s'agit d'une publication inattendue de la part d'un psychologue de laboratoire qui travaille sur le comportement des rats. Il publie *Verbal behavior* (Le comportement verbal). Même s'il existe une certaine parenté entre les pigeons et les hommes, ces derniers sont d'une espèce différente puisqu'ils parlent. Déjà en 1938, Skinner prétend que « les seules différences entre le comportement des pigeons et des rats et celui des hommes (à part les différences de complexité) reposent dans le domaine du comportement verbal » (1938, p. 442).

Skinner aborde le problème en commençant par montrer que, même si tous les linguistes qui l'ont précédé ont sans doute recueilli une foule de données, ils n'ont pas réussi cependant à expliquer le « comment » de la formation et du développement des langues. Sa thèse fait du langage un comportement externe objectif, la signification des mots étant mise de côté. La langue a pris naissance, lorsque des sons émis au hasard par l'organisme ont été renforcés par le groupe ou l'environnement. Une fois renforcés, ces sons se sont transformés en habitudes vocales. Puis la communauté s'est chargée le moment venu de renforcer un type de comportement plutôt qu'un autre... Lors de l'apprentissage de la langue maternelle, dans une communauté donnée, on constate que, si un enfant n'articule pas suffisamment bien pour se faire comprendre, il ne reçoit pas de réponse à sa demande ; le renforcement ne se produit que s'il réussit à exprimer ce qu'il désire. Quant à l'adulte, on sait que la conversation ou, plus spécialement, les réponses successives que se donnent à tour de rôle les personnes qui conversent sont un excellent moyen de renforcement mutuel. Ceci rend compte de l'orientation de l'ouvrage et non de sa complexité. L'effort sérieux que Skinner fait dans le domaine du comportement verbal[15] ne semble pas recevoir de la part des psychologues et de la

---

15. Un ouvrage de J.B. Carroll (1964) fournit un bon aperçu des idées de Skinner concernant ce qui touche à l'aspect signification dans le comportement verbal.

population américaine toute l'attention méritée. En 1957, l'enseignement programmé accapare l'attention ; néanmoins les linguistes sentent leurs théories menacées et réagissent violemment à l'ouvrage de Skinner. Il s'ensuit une controverse qui n'est pas près de s'éteindre. En effet Skinner s'était astreint à une méthode d'analyse vraiment particulière et « vraiment scientifique » du comportement verbal. « Aucune description, selon lui, de l'interaction entre l'organisme et son milieu n'est complète, si elle n'inclut l'action du milieu sur l'organisme après qu'une réponse a été produite » (1971, p. 20).

On ne peut nier l'influence du milieu sur un comportement verbal, car Skinner, qui s'en tient au niveau des possibilités théoriques de l'analyse expérimentale du comportement, aboutit à l'apprentissage d'un répertoire verbal, grâce à l'histoire du sujet dans un groupe social déterminé. Dans quelle mesure cependant peut-on faire disparaître le concept de signification ? Pour appuyer cette position, Skinner tend à soustraire du sujet parlant l'aspect production d'un comportement significatif. « Le locuteur est l'organisme qui s'engage dans, ou qui exécute, le comportement verbal. C'est un lieu, une place dans laquelle de nombreuses variables se rassemblent et convergent pour produire un résultat unique » (1957, p. 313). Le problème posé en ces termes ne pouvait que faire sursauter les théoriciens de la linguistique et de la psycholinguistique ; Noam Chomsky en tête, tous s'appliquent à donner une analyse formelle de la langue en y incluant certes la signification et la structure syntaxique. Ceci constitue l'objet d'un débat qui prendra de l'extension.

Dans la revue *Language*, Chomsky fait paraître en 1959 une analyse de l'ouvrage de Skinner et l'intitule « Review of Skinner's verbal behavior », dans laquelle il s'efforce de démolir la position de Skinner, qui avait tenté de situer les idées au niveau de l'articulation buccale. Skinner jette un coup d'œil à l'article et déclare que Chomsky ne comprend rien à son travail. Quand même, réimprimé à plusieurs reprises l'article fait son chemin et Chomsky reprend certaines des mêmes idées dans deux nouveaux essais : le premier, « The case of B.F. Skinner's verbal behavior » (1971, p. 18), englobe dans sa critique le dernier ouvrage de Skinner sur la liberté et la dignité humaine ; ce texte est fort apprécié des partisans de Chomsky et a le don d'agacer Skinner qui se livre à une réponse quelque peu déguisée dans *About behaviorism* (1974) ; le second essai de Chomsky (1972a) paru dans la revue internationale *Cognition*, sous le titre « Psychology and ideology », reprend des arguments exposés dans le tout premier article de 1959, en y ajoutant une critique de la dimension idéologique dissimulée dans les ouvrages de Skinner ; Chomsky en profite aussi pour malmener

R.J. Herrnstein, un autre professeur de Harvard, qui se charge d'intervenir pour défendre les positions adoptées par les tenants du behaviorisme. La discussion se continue dans *Cognition* et certaines autres revues nord-américaines. On peut discuter; le problème demeure: peut-on tout expliquer chez l'humain par une analyse fonctionnelle du comportement sans aborder l'analyse formelle? Cette controverse aux incidences philosophiques sera soulevée de nouveau lors d'un débat provoqué par un livre mettant en question la liberté de l'homme.

« Au-delà de la liberté... »

Skinner intitule son nouvel ouvrage *Beyond freedom and dignity* (1971) [16] et fournit un exposé définitif de ses conceptions de l'homme et de la science. La question posée consiste à se demander si l'être humain est oui ou non responsable de lui-même. Skinner répond: « Non! ». L'homme est façonné par les renforcements que lui fournit son environnement. L'auteur pense que la croyance en une volonté libre vient uniquement du besoin que l'homme ressent de s'accorder le crédit de son bon comportement et de ses réalisations. Croire en l'autonomie de l'être humain devient selon Skinner une position vulnérable:

> L'homme autonome ne sert à expliquer que les choses que nous ne sommes pas encore capables d'expliquer autrement. Son existence dépend de notre ignorance, et il perd naturellement son prestige à mesure que nous en savons plus sur le comportement. La tâche d'une analyse scientifique est d'expliquer comment le comportement d'une personne, en tant que système physique, est relié aux conditions dans lesquelles l'espèce humaine a évolué et aux conditions dans lesquelles vit l'individu. À moins d'imaginer quelque intervention capricieuse ou créatrice, ces événements doivent être reliés; aucune intervention n'est en fait nécessaire (1972, p. 25).

Il faut donc, selon Skinner, abandonner l'idée que les hommes sont dirigés par un être intérieur, un pouvoir de décision, un libre choix; qu'ils sont poussés à effectuer leurs actions par des forces internes, par leurs propres conceptions du bien et du mal. Les hommes agissent comme ils ont été conditionnés à le faire dans leur propre environnement par la famille, l'Église, l'école, l'usine, la société. Le monde est une immense boîte qui façonne l'individu. Nous pouvons donc, con-

---

16. Ce livre, traduit en français par Anne-Marie et Marc Richelle, est paru conjointement en 1972 chez Robert Laffont à Paris et aux Éditions HMH à Montréal.

clut Skinner, «suivre la route prise par la physique et la biologie en abordant directement la relation entre le comportement et l'environnement et en négligeant les états mentaux qui servent soi-disant d'intermédiaires» (1972, p. 26). Nous en sommes arrivés là avec lenteur : plusieurs raisons expliquent ce retard à comprendre le comportement. À cet égard,

> [...] l'histoire de la théorie de l'évolution illustre bien le problème. Avant le XIXᵉ siècle, on voyait simplement dans l'environnement un décor passif dans lequel naissaient, se reproduisaient et mouraient diverses espèces d'organismes. Personne n'avait vu que l'environnement était responsable du fait même qu'il «existait» beaucoup d'espèces différentes (fait que, assez significativement, on attribuait à un esprit créateur). La difficulté venait de ce que l'environnement agit d'une manière peu spectaculaire, peu frappante : il ne tire ni ne pousse, il 'sélectionne'. Pendant des millénaires d'histoire de la pensée humaine, le mécanisme de la sélection naturelle passa inaperçu en dépit de son extraordinaire importance. Dès que, finalement, on le découvrit, il devint naturellement la clé de la théorie de l'évolution (1972, p. 27).

L'environnement est responsable de la sélection et de l'évolution des espèces. Quant à l'individu à l'intérieur de l'espèce humaine, son comportement est façonné dans son organisme par les renforcements positifs ou négatifs que lui procure l'environnement à chaque instant. L'enfant, né à Québec de parents chinois, qui grandit et s'éduque en milieu canadien-français, finit à vingt ans par montrer un comportement beaucoup plus proche de celui des Québécois que de celui de ses cousins demeurés en Chine. Est-ce dû à l'environnement seul ? Skinner le prétend :

> Les preuves en faveur de l'environnementalisme le plus sommaire sont assez claires. Les gens sont extraordinairement différents d'un endroit à l'autre, et peut-être précisément à cause de l'endroit. Le nomade Mongol sur le dos de son cheval et l'astronaute dans l'espace sont des êtres différents mais, pour autant que nous le sachions, s'ils avaient été échangés à la naissance, ils auraient pris la place l'un de l'autre (1972, p. 224).

Dans cette longue dualité théorique toujours soutenue jusqu'ici entre l'inné et l'acquis, Skinner prend fermement position. Il est possible, selon lui, de contrôler le comportement de l'homme ; il suffit d'organiser son environnement de façon à orienter les renforcements dans le sens du comportement qu'on désire lui voir produire. Mais pour contrôler le comportement et bâtir une société selon des principes vraiment behavioristes, il faut renoncer à l'idéologie actuelle. En effet l'homme dans sa vanité refuse de s'accepter lui-même comme un organisme façonné par son environnement. Le trouble commence, dit Skinner, avec l'orgueilleuse croyance qui supporte la démocratie : la notion qu'en chacun de nous il y a un être mental, un *ego*, une personnalité, une âme, un esprit (Harris, 1971, p. 33).

Le livre de Skinner obtient un extraordinaire succès de librairie, car personne ne demeure indifférent aux conclusions sociales qu'il propose. À plusieurs, il semble attaquer les principes libéraux sur lesquels est fondée la nation américaine et nier, chez l'homme, cette autonomie que la déclaration de l'indépendance revendique comme un droit inaliénable. La critique s'élève, d'autant plus virulente que Skinner a atteint une grande notoriété et que son nom est devenu synonyme de behaviorisme. Plusieurs milieux considèrent ses conclusions philosophiquement désastreuses et socialement mauvaises. Les principales objections viennent des théologiens, des psychologues humanistes, des partisans de la psychanalyse, bref de tous ceux qui tiennent pour certain l'existence d'une volonté libre contre un déterminisme façonné par l'environnement. Parmi les voies les plus autorisées, il faut signaler celles de Karl Rogers, de l'écrivain Arthur Koestler, de l'historien Peter Gay, du théologien Richard Rubenstein et de combien d'autres.

Peu à peu autour de Skinner, deux camps s'affrontent : l'un regroupe tous les tenants d'un behaviorisme pris au sens strict qui s'appuie sur le conditionnement opérant, l'autre englobe tous les psychologues plus ou moins opposés à la formule skinnerrienne. Ces derniers ont parfois tendance à réintroduire l'aspect physiologique dans leurs recherches et proposent dans bien des cas un type de psychologie dite « cognitive » (de *cognition*[17]). La discussion s'engage habituellement sur le plan de la méthodologie et finit toujours par révéler des préférences théoriques. On peut facilement y discerner les anciennes positions épistémologiques et avec elles les fondements philosophiques sur lesquels reposent les oppositions.

Ces guerres de clocher n'ont pas empêché Skinner de faire reconnaître la valeur de ses travaux par l'intelligentsia des milieux scientifiques américains. Déjà en 1958, lors de la remise d'une récompense,

---

17. Le terme *cognition* est utilisé pour exprimer en américain un concept embrassant toutes les formes de connaissance, perception, imagination, raisonnement, jugement, etc. Appliqué à l'apprentissage, il indique une théorie qui accepte les variables intervenantes de nature physiologique ou mentale au sens large. En général, ce sont des théories qui s'opposent à celles dites « stimulus-réponse ».

l'American Psychological Association (A.P.A.) reconnaît la contribution de F.B. Skinner à la psychologie et le présente « comme un homme de science imaginatif et créatif, caractérisé par une grande objectivité en matière scientifique, ainsi que par la chaleur et l'enthousiasme de ses contacts personnels » (A.P.A. 1958b, p. 735). En 1968, le gouvernement des États-Unis lui décerne la National Medal of Science et en 1972 l'A.P.A. revient de nouveau avec une médaille d'or. B.F. Skinner a poursuivi son travail jusqu'à la veille de sa mort survenue à l'âge de 86 ans à Cambridge en périphérie de Boston.

COMMENTAIRE

La théorie de Skinner

Tenter de porter non pas un jugement, mais un regard honnête, objectif et sans parti pris sur l'homme et la théorie peut s'avérer une entreprise hasardeuse : d'une part, il est encore trop tôt pour situer Skinner à sa vraie place dans le contexte de la recherche actuelle et des théories qu'elle engendre ; d'autre part, les positions fracassantes régulièrement prises par Skinner et quelques-uns de ses disciples ne peuvent laisser indifférent. Plusieurs milieux le craignent comme l'un des plus grands sorciers de la psychologie. Approcher B.F. Skinner, lire ses œuvres, c'est faire connaissance avec un homme déconcertant, qui expose des vérités extrêmement simples, vérités qu'il mène d'ailleurs à leurs ultimes conclusions. Pour l'instant, il faut le rappeler, sa théorie est à l'échelle de l'homme ; elle en épouse les grandeurs et les faiblesses. Skinner demeure le champion incontesté du mouvement behavioriste, le plus habile démonstrateur du principe établi par Watson, à savoir qu'on peut faire de la psychologie à partir de l'observation du comportement et obtenir sur le plan expérimental des résultats étonnants. Si on doit le situer dans la tradition behavioriste, Skinner est le plus empiriste des théoriciens behavioristes. Il a cru avec une foi inébranlable que l'entière explication du comportement doit être trouvée sur le plan de l'opération, en recherchant les conditions externes reliées à tout comportement, quel qu'il soit.

Dès le début des années 1930, Skinner s'intéresse aux réponses observables et enregistre les faits et uniquement les faits qui les accompagnent. Cette méthode d'observation le conduit à établir des corrélations statistiques entre un comportement et ses conséquences, c'est-à-dire les déterminants du comportement. Il permet d'isoler le phénomène observé et de concentrer l'attention du chercheur sur l'objet, pour en mieux comprendre la structure et les mécanismes. Il en arrive ainsi à découvrir un processus nouveau, qu'on peut appeler au sens large, un mode d'apprentissage ; il le nomme le conditionnement opérant, responsable du comportement opérant. Il s'est efforcé de montrer que ce mode d'apprentissage est fort différent du conditionnement classique de Pavlov et de l'apprentissage par essais et erreurs décrit par Thorndike.

Il reste des recherches poursuivies par Skinner 1° une véritable collection de concepts, de principes et de distinctions, 2° une stratégie de recherche et 3° une philosophie, qui ont commencé à s'imposer au cours des années 1940 et qui ont littéralement dominé les théories d'apprentissage des années 1960. Il semble qu'on peut qualifier le conditionnement opérant de phénomène réel, qu'on peut le reproduire à volonté pourvu qu'on le fasse dans les conditions établies par Skinner. Dans ce contexte, il peut s'avérer un mode d'acquisition d'un comportement différent du mode de conditionnement dit classique ; en avoir montré l'existence a classé Skinner, pendant quelques décades, au même rang que celui qui a fait la preuve du phénomène de la salivation au son d'un timbre. Cependant ce clivage établi entre le conditionnement classique et le conditionnement opérant, remis en question par les chercheurs depuis une vingtaine d'années, soulève de sérieuses interrogations et ouvre la voie à de nouvelles formulations (N.E. Miller, 1969, Terrace, 1973). Il est maintenant reconnu qu'une assez grande variété de réponses du système nerveux autonome (type S) peuvent être modifiées par la technique du conditionnement opérant (type R). À l'inverse, on sait aussi qu'à certaines réponses de type conditionnement opérant peuvent s'associer des stimuli conditionnés (Shapiro, 1961, Williams, 1965). Bien que les résultats de la recherche actuelle mettent en question les fondements de la distinction du conditionnement répondant-opérant, il demeure indéniable au moment de faire le bilan des travaux de Skinner que ce dernier a orienté le behaviorisme et a fait progresser la psychologie expérimentale. Qu'il suffise de rappeler quelques-uns de ses travaux sur la discrimination, les réponses en chaîne, les cédules de renforcement, sans oublier les nombreuses applications de sa théorie dans le domaine de l'éducation, de la santé, de l'industrie, de la criminalité, etc.

À travers ses nombreuses recherches expérimentales, cependant, Skinner s'est toujours présenté comme un antithéoriste. Il centre son attention sur rien d'autre que le comportement ; il accumule avec minutie les données expérimentales ; il expose avec précision le déroulement de ses expériences. Ses attitudes se rapprochent plus de celles de l'ingénieur que de celles de l'homme de science, surtout si on fait l'inventaire des explications qu'il donne des comportements complexes de l'organisme humain. Il raille ceux qui comme Boring tentent d'échapper au mentalisme en s'appuyant sur la physiologie. On lui répond qu'il est impossible d'éliminer toute théorie et qu'on ne doit pas faire des extrapolations trop rapides du laboratoire à l'humain. Peut-on, en effet, à partir des conditions aussi réduites qu'une boîte de Skinner où on amène un rat à presser un levier, un pigeon à picorer une rondelle de fibre, prétendre que, dans l'environnement normalement plus vaste de la nature, ces animaux se comportent de façon identique ? Est-il possible, à la suite d'une expérimentation aussi simplifiée, d'étendre graduellement ce schème expérimental au règne animal et à l'homme ; de s'en servir pour expliquer par la suite des comportements aussi complexes que sont l'apprentissage, la résolution de problèmes, le langage, la pensée créatrice, ainsi que bien d'autres dont la racine est psychodynamique ? En second lieu, si on considère la méthode utilisée, le problème n'est pas aussi simple qu'on pourrait le croire. La rigueur de l'esprit scientifique peut raffiner l'instrument, le réduire à la simple expression d'une corrélation statistique entre deux événements ; mais, si précise et si rigoureuse soit-elle, la méthode de Skinner ne peut exprimer autre chose que ce qui se passe entre les deux événements observés. Elle ignore systématiquement toutes les influences externes susceptibles d'agir sur ces événements. Cette méthode est-elle unique et exclusive, la seule utilisable ? L'esprit humain dispose de plusieurs voies pour approcher la réalité. Bref, il est permis de se demander si une méthode scientifique aussi simple, un instrument en définitive aussi imparfait, peut saisir dans leur totalité les comportements complexes des primates supérieurs et plus spécifiquement celui de l'homme. Il devient évident que Skinner, équipé d'une lunette aussi rudimentaire, ne puisse voir autre chose que du conditionnement opérant chez l'homme et qu'il laisse ainsi dans l'ombre certaines dimensions de l'être humain. Toutefois, il ne cesse pas pour autant de conclure sur un plan plus vaste : « L'homme autonome est dans une impasse. L'homme lui-même est certes contrôlé par son environnement, mais cet environnement, il l'a presque entièrement construit de ses propres mains » (1972, p. 249). Il est possible que nous ayons là des propositions vraies. Mais rien ne prouve encore qu'elles correspondent adéquatement à la réalité. Elles peuvent aussi bien être erronées. Skinner les a-t-il inférées à partir d'une approximation expérimentale ou d'une intuition théorique ? Il est peut-être vrai que « l'individu se contrôle lui-même en manipulant le monde dans lequel il vit » (1972, p. 249). Mais l'histoire des peuples de l'Antiquité à nos jours a trop souvent montré que « le pouvoir de l'homme de faire de lui-même ce qu'il veut se ramène au pouvoir de quelques hommes de faire des autres ce qui leur plaît » (Lewis, 1957, p. 41). Serait-ce là la condition de l'homme vivant en société ? Avant d'admettre cette conclusion, qui semble s'inscrire dans la voie ouverte par Skinner, il faudrait mieux connaître ce qui se passe dans la boîte noire, peu importe que son fonctionnement soit de caractère physiologique, mentaliste ou autre. Ne pas s'en soucier, c'est faire preuve d'un réductionnisme[18] qui refuse de regarder un phénomène dans sa totalité. On se souvient que Hull n'a pas pu établir ses équations sur le comportement sans être contraint de tenir compte de variables imposées à l'organisme par des phénomènes internes. Les chercheurs sur le comportement humain tendent à ignorer de moins en moins aujourd'hui les structures anatomiques du système nerveux central et les mécanismes physiologiques.

Le behaviorisme

Le behaviorisme ne se termine pas avec Skinner. Il semble convenable, avant d'aborder les théories plus directement axées sur divers aspects de la connaissance, d'ajouter un complément à ce commentaire afin de mieux voir ce que devient le mouvement fondé par Watson, pour lequel le *New York Times* déclarait en 1942 qu'il marquait « une ère nouvelle pour l'histoire intellectuelle de l'homme » (Gardner, 1993, p. 131).

Sans doute, après avoir présenté des théoriciens comme Watson, Guthrie, Hull et Skinner, nous croyons avoir atteint l'essentiel du cadre théorique défendu par cette école de pensée pour le moins tapageuse. Néanmoins, si, comme nous l'avons exprimé antérieurement, le behaviorisme est devenu *la* psychologie en Amérique durant la période de 1930 à 1960, tourner ici la page nous ferait laisser de côté un bon nombre d'autres « tenors » du mouvement qui ont tenté de se faire entendre. Quelques-uns d'entre eux ont su offrir des interprétations nuancées et convaincantes du comportement des organismes. On peut nommer, entre autres, Tolman, Hebb, Estes, Bandura et Spence.

---

18. Le réductionnisme est une doctrine à laquelle les philosophes des sciences souscrivent aisément. Elle consiste à croire que « les lois des sciences d'un haut niveau, comme la psychologie et la sociologie sont réductibles aux lois de sciences d'un plus bas niveau, comme la biologie, la chimie et en définitive aux lois des particules élémentaires en physique. Accepter cette doctrine, c'est généralement croire en l'Unité de la Science (avec des majuscules) ; la rejeter, c'est croire au vitalisme, au psychisme, ou de toute façon, à quelque chose de mauvais » (Putnam, 1973, p. 73).

Par ailleurs, lorsqu'en 1990 on tente de jeter un regard en arrière sur cette école de psychologie expérimentale qui a eu tant d'influence en Amérique, on peut y déceler trois grandes étapes ; on pourrait parler aussi de trois générations de behavioristes.

La première génération

La première génération, c'est celle de ceux qui ont ouvert la marche, et qui ont nom Pavlov, Thorndike et Watson. Ce sont eux qui, à la suite de recherches fructueuses, ont surtout contribué à formuler les principes sur lesquels s'édifiera le behaviorisme. Leurs successeurs feront sans cesse référence aux écrits de ces trois pionniers. Pavlov et Thorndike apparaissent aujourd'hui comme des savants d'un haut calibre, qui ont exécuté leurs travaux absolument sans aucune attache ni aucune référence à quelque école que ce soit. Certes la richesse de leur pensée en a fait, a posteriori, des chefs de file incomparables. C'est la raison pour laquelle il a tellement plu aux behavioristes des années 1930 d'inclure ces chercheurs dans la grande tradition de l'école, d'en faire des membres actifs, bref des représentants de la première génération, bien que leurs travaux se situent en grande partie avant 1913.

La deuxième génération

La génération suivante est représentée par les successeurs de Watson dont le nombre s'accroît fort rapidement. En effet à partir de 1920, on assiste à la mise en place des assises d'une théorie qui, jeune de quelques années à peine, envahit de nombreuses sphères de l'activité à un rythme déconcertant : la recherche entreprise sur les comportements humain et animal arrive à des conclusions reçues avec ferveur par les milieux scientifiques ; il s'ensuit des développements théoriques qui pénètrent les classes intellectuelles en général grâce à l'enseignement universitaire et à des ouvrages qui font époque ; les applications des techniques behaviorales ne tardent pas à faire leur apparition dans l'industrie, le commerce, l'armée, l'éducation et les milieux de réhabilitation. La diffusion rapide de telles idées, qui semblent convenir vraiment à un certain type de mentalité nord-américaine, si elle ne fait pas éclater les cadres du behaviorisme lui-même, entraîne cependant d'importantes divergences de vues chez les divers tenants du mouvement.

Il est difficile d'évoquer cette période de la deuxième génération sans distinguer les principaux courants qui se sont exprimés à l'intérieur du behaviorisme. À cette fin, la Figure 10 que nous joignons au présent commentaire sépare certes les générations, mais elle permet aussi de distinguer les groupes, les filiations et les influences. Quelques années après Watson, une division s'opère sur le plan conceptuel entre les théoriciens de la deuxième génération.

Tout essai de classification revêt un caractère factice. En effet, une telle opération tend à épingler trop rapidement des étiquettes sur des hommes de grande envergure qui dépassent parfois de beaucoup le cadre où on voudrait les enfermer. C'est pourquoi nous établissons ici des catégories larges qui ne visent qu'à poser quelques jalons, car les auteurs comme les théories évoluent avec le temps. Il ne semble donc pas illusoire de placer dans une même lignée les théoriciens demeurés fidèles au principe de Watson, et cela même en dépit de leur particularisme certain : Guthrie, Hull et Skinner et quelques autres influencés par eux. Pour les désigner, nous donnons à ce groupe le nom d'« orthodoxe ». Il existe une autre branche dont Tolman est le principal représentant. Ce psychologue de l'Université Berkeley de la Californie, à la personnalité fort sympathique, s'éloigne de la rigueur du père du behaviorisme, adopte des positions qui le situent, dirait-on, en bordure du mouvement ; il est préoccupé de savoir comment le behaviorisme peut en définitive aboutir à des notions comme l'intention, la connaissance et la pensée ; à l'origine du comportement, il réintroduit le concept de but, de projet ou de plan (il utilise l'expression *cognitive map*). Outre Tolman, on compte dans ce groupe, avec quelques variantes théoriques, Honzik, Brunswick, Rotter, MacCorquodale et Meehl. On peut les nommer, si l'expression n'est pas paradoxale, les « behavioristes de l'intention » (*purpusive behaviorists*). Une troisième famille peut être reconnue dans cette deuxième génération de behavioristes : ce sont des chercheurs qui, tout en étant assez d'accord avec les principes émis par Watson, réintroduisent l'organisme dans leurs expériences sur le comportement. Leurs théories comportent toujours des aspects qui relèvent de la physiologie.

La troisième génération

Nés entre 1920 et 1940, les nombreux représentants de cette génération occupent actuellement les chaires d'enseignement d'un réseau bien gardé d'un certain nombre d'universités américaines. Tous travaillent sur le plan de la théorie et de ses applications dans le cadre à peine modifié d'un behaviorisme à la manière de Skinner. Kenneth Goodall, journaliste au service de l'American Psychological Association, fait paraître un article (1972, p. 53) intitulé « Shapers at work », expression qu'on pourrait traduire par « les modeleurs du comportement au travail ». Le texte fait l'inventaire d'une quarantaine de

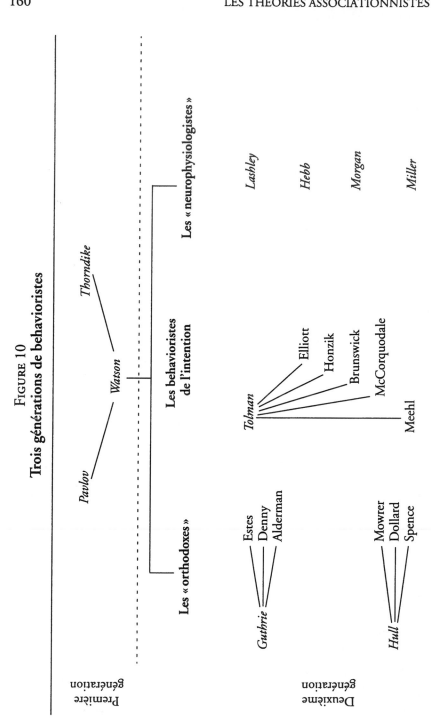

FIGURE 10
Trois générations de behavioristes

Figure 10 (suite)

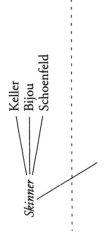

Skinner

Keller
Bijou
Schoenfeld

Les « modeleurs du comportement »

T. Ayllon – N. Azrin – D. Baer – A. Bandura – W. Becker – M. Bernal

R.L. Burgess – D.B. Bushell – H. Cohen – C.B. Ferster – W.E. Fordyce

P.R. Fuller – I. Goldiamond – R.V. Hall – N. Haring – L.E. Homme – L. Krasner

O.R. Lindsley – O.I. Lovaas – C.H. Madsen – R.W. Malott – H.S. McKenzie

M. Meacham – J. Michael – K.D. O'Leary – G.R. Patterson – D. Premack

T.R. Risley – I.G. Sarason – A. Staats – B. Sulzer-Azaroff – R.G. Tharp

J. Turner – L.P. Ullman – R.E. Ulrich – R.G. Wahler – R.J. Wetzel – M.M. Wolf

Troisième
génération

figures dominantes aux États-Unis dans le domaine du behaviorisme contemporain.

> Les analystes du comportement ont évolué à travers un réseau assez hermétique de seize centres majeurs, principalement dans le Mid-west et le Far west. Au cours des années, 17 des 42 modeleurs du comportement ont enseigné et fait de la recherche à l'Université de Washington de Seattle. L'Université du Kansas a été le port d'attache de 11 modeleurs, l'Université d'Indiana de 9, l'Université de l'Illinois et l'Université Harvard de 6 chacune (Goodall, 1972, p. 58).

Ces gens appliquent les principes du conditionnement opérant à tous les domaines de la vie privée et publique de la nation américaine.

Goodall présente 42 photographies des principaux modeleurs du comportement auxquelles il joint une biographie de chacun et les titres de leurs principaux travaux publiés.

> De ces 42 behavioristes, 21 ne proviennent que de cinq institutions : Washington (6), Harvard (5), Indiana (4), l'Université Colombia et l'Université de Minnesota (3 chacune). Ceci reflète l'influence de Skinner à Harvard, en Indiana et au Minnesota ; celle de Bijou à Washington ; celle de Keller à Colombia (Goodall, 1972, p. 58).

En dépit de l'emprise qu'exerce encore le behaviorisme sur la psychologie nord-américaine, certains auteurs qui ont cru au behaviorisme évoluent et se laissent attirer, soit par des théories à caractère humaniste (Bandura, Seligman), soit par celle qu'on nomme le traitement de l'information (Gagné).

DEUXIÈME PARTIE

Les théories cognitives

I. La psychologie de la forme

CHAPITRE **8** Empirisme
et nativisme

La psychologie de la forme qu'on nomme aussi le gestaltisme ou théorie de la gestalt[1] nous ramène en Allemagne, ce pays où naquit la psychologie comme science expérimentale. Afin de saisir comment la branche gestaltique se détache du tronc de l'arbre et de mieux définir cette nouvelle école, il est nécessaire de revenir à ses origines, de rappeler certaines tendances et certains concepts susceptibles de laisser paraître les différences d'orientation. Depuis 1879, la psychologie, après être allée chercher son inspiration chez les associationnistes anglais, se développe de Wundt à Skinner, offre différentes interprétations de la réalité, tout en demeurant fidèle à un esprit particulier. Toujours en effet, on l'a qualifiée d'empiriste, par rapport à la psychologie de la gestalt, qui prend racine en terre germanique. Mais l'empirisme, qu'est-ce au juste ? Avant d'étudier les concepts philosophiques à l'origine du mouvement nouveau, il paraît utile de décortiquer les différentes significations de ce terme pour échapper certes au piège des mots, mais aussi pour discerner les ambiguïtés auxquelles cette expression prête flanc en français comme en anglais.

Selon son acception la plus commune, le terme *empirisme* signifie le recours exclusif à l'expérience en dehors de toute théorie ou raisonnement, ou encore toute règle de conduite fondée uniquement sur une expérience plus ou moins poussée sans souci d'un raisonnement ou

---

1. « Forme » est le terme généralement admis pour traduire le mot allemand *gestalt*, qui signifie de plus *tout, ensemble, structure*. Nous reviendrons sur la terminologie utilisée en français pour exprimer ce mouvement nouveau.

d'une théorie. À partir de cette définition, le qualificatif «empirique» dérive vers le sens péjoratif de charlatan ou de mauvais médecin, comme l'attestent plusieurs dictionnaires. Mais il importe de ne pas ignorer la distinction que l'usage tend à installer entre *empirique* et *empiriste*. Ce dernier terme, à la différence d'empirique, désigne de plus en plus les partisans d'une orientation intellectuelle dont les principaux représentants sont David Hume, John Locke et William James. Pour eux, rien dans la connaissance humaine n'est vraiment a priori; Hume a écrit: «De même que la science de l'homme est le seul fondement solide pour les autres sciences, ainsi le seul fondement solide que nous puissions donner à cette science elle-même doit être cherché dans l'expérience et l'observation» (1739, p. 59).

Il est généralement admis que toute science basée sur l'expérience est *empiriste*; cependant on a fini par appliquer ce terme d'une manière spécifique à tous les représentants d'un courant qui s'accommode de la méthode des sciences expérimentales pour expliquer l'homme et même à ceux qui s'appuient sur cette méthode pour scruter la conscience. C'est aussi la signification qu'il faut donner au mot *empiriste*, quand on l'applique à cette longue tradition initiée par la psychologie objective de Wundt, continuée par le structuralisme de Titchener, le fonctionnalisme de Dewey, puis le behaviorisme de Watson et Skinner. Ces théories diversifiées ont fini par expliquer l'apprentissage et la connaissance à partir de l'environnement. En ce sens, l'empirisme s'oppose au *nativisme*, terme qui désigne les théories qui, dans leur interprétation des faits, font ressortir le rôle de l'hérédité. Les gestaltistes en sont les principaux représentants. La tradition française, cependant, a introduit le terme innéisme à la place de nativisme, qu'on rencontre surtout chez les auteurs américains.

Quand William James (1914, p. 12) oppose l'empirisme au nativisme, il se réfère au phénomène de la perception pour définir les sources caracéristiques des deux mouvements. Il établit une distinction[2], d'ailleurs reprise par Boring (1957, p. 352) et Stevens (1939, p. 221), entre les esprits forts et robustes (*the tough-minded men*) de l'Allemagne du Nord, comme Fechner, von Helmholtz, Wundt et G.E. Müller et les esprits souples et tendres (*the tinder-minded men*) de l'Allemagne du

---

2. Il faut bien noter, comme le fait Boring d'ailleurs, que les lignes de séparation qu'on peut introduire entre les esprits ne sont jamais totalement étanches. Ainsi Stumpf devient un théoricien beaucoup plus souple sous l'influence de Brentano, bien qu'il occupe la chaire de l'Université de Berlin dont les théoriciens ont l'habitude d'une ligne dure quant à l'interprétation des phénomènes.

Sud, comme Hering, Brentano, Mach et Stumpf. Les premiers sont ceux qui, à l'aide de techniques expérimentales rigoureuses, se basent sur une analyse descriptive de la perception et mettent l'accent sur l'acquis, alors que les seconds adoptent un mode de description phénoménologique et font dépendre la perception des propriétés innées ou héréditaires de l'organisme. Il serait intéressant de pousser la comparaison et de situer chacun de ces groupes dans son contexte historique. Pour l'instant, soulignons que ces deux tendances ressuscitent la vieille controverse représentée par Platon et Aristote au sujet de l'origine de la connaissance. Il s'agissait à cette époque lointaine de savoir si les connaissances sont déjà en l'homme ou si elles viennent de la réalité environnante ; aujourd'hui, la psychologie expérimentale se demande si nos apprentissages sont innés ou acquis, héréditaires ou fournis par l'environnement. Quant à nous, nous chercherons quelles théories à la base de l'explication des phénomènes humains, celles de l'empirisme ou celles du nativisme, expliquent le plus adéquatement les faits d'ordre mental.

Plusieurs auteurs ont voulu y voir une question futile et sans intérêt ; pourtant l'empirisme au regard du nativisme est l'un des problèmes qui fait régulièrement surface[3]. Au XVIIIe siècle, le nativisme s'est imposé, lorsque des philosophes mirent en doute les processus d'acquisition des connaissances proposés par les associationnistes, puis au moment où des études ont été entreprises par von Helmholtz, Fechner et Weber sur le phénomène de la perception considéré dans sa totalité.

> Les perceptions et les modifications physiologiques qu'elles font naître se présentent-elles d'une manière immédiate dans leur pleine vérité, dès le premier contact avec l'objet ? En d'autres termes, dépendent-elles uniquement de la structure congénitale de l'organisme ou se développent-elles graduellement au cours d'un entraînement ou d'une familiarisation ? Voilà les questions à l'origine du débat entre le nativisme et l'empirisme (Allport, 1966, p. 86).

Il est a priori assez étonnant qu'un processus physiologique d'apparence aussi simple que la perception d'un objet suggère,

---

3. Le quatrième Congrès international sur l'enfance surdouée tenu à Montréal du 21 au 25 août 1981 soulevait le problème à un niveau où la discussion passionnée n'était pas absente. Le professeur Albert Jackart, physicien français, allait jusqu'à affirmer : « Aujourd'hui, si vous êtes plus *con* qu'un autre, c'est la faute de vos gènes. Pourtant il m'apparaît évident que lorsque je compare deux enfants par leur quotient intellectuel, c'est la même chose que comparer un annuaire téléphonique avec la bible. Ça ne se compare pas » (*La Presse*, 22 août 1981).

lorsqu'on le soumet à l'observation, des explications et des interprétations aussi complexes[4]. Les conclusions dégagées à la suite de travaux effectués sur l'intelligence artificielle, à l'étape de l'élaboration des programmes, ont établi qu'il est plus facile de faire jouer une excellente partie d'échecs à un robot que de l'amener à identifier un objet dans l'environnement. La théorie de la gestalt est basée, de son côté, sur le fait que la perception d'un objet n'est pas un phénomène fragmenté, ni l'addition ou l'association d'éléments juxtaposés, mais un ensemble articulé en une structure, le plus souvent pourvu d'une signification particulière. L'expérimentation poursuivie par les chercheurs, à l'intérieur du cadre proposé par la gestalt, s'applique à montrer que les théories empiristes dans leur ensemble ne rendent pas compte de la perception et que l'individu peut apporter, par exemple à sa vision, certaines aptitudes internes non apparentes sur le plan du comportement et, pour cette raison, laissées ignorées et inexpliquées.

Une opposition de fond s'installe entre le behaviorisme et la gestalt. À mesure qu'à partir de recherches expérimentales, des théories scientifiques s'élaborent et se succèdent, on peut voir se côtoyer parallèlement deux traditions de pensée ou, pour être plus exact, deux idéologies. Il faut, il est vrai, enlever à ce mot toute la signification politique qu'il a acquise depuis quelques décades et le définir avec Wolfensberger (1970, p. 7) comme une combinaison de croyances, d'attitudes et d'interprétations de la réalité qui sont dérivées des expériences de quelqu'un, dérivées aussi des connaissances de ce qui est présumé par quelqu'un être les faits et, par-dessus tout, son système de valeurs.

Concrètement, ceci voudrait dire que les croyances religieuses, les systèmes politiques, la culture, les philosophies de la vie influencent en profondeur toute action humaine. À titre d'exemple, considérons les planificateurs et les gestionnaires de l'éducation : ils font reposer les systèmes qu'ils proposent sur quelques axiomes, quelques concepts qui n'émergent pas toujours très clairement à leur conscience. Par ailleurs, si on pénètre dans un laboratoire de recherche, milieu qui a pour vocation de viser à l'objectivité absolue, on se rend compte que les chercheurs qui y travaillent n'échappent pas à la pression de certaines idéologies lorsqu'ils définissent leurs recherches, tentent d'interpréter certains phénomènes, bâtissent des théories. L'histoire des sciences ne cesse de montrer que les progrès se font par bonds ou par vagues à la

---

4. Il est important de noter dans le domaine de la perception visuelle les travaux de Hubel et Weisel.

faveur de maintes conceptualisations, tour à tour responsables de la vie et de la mort de théories dont les assises sont souvent plus idéologiques qu'expérimentales. Il arrive aussi que de grands courants de pensée avancent parallèlement, donc sans jamais se croiser et sans s'enrichir de synthèses plus larges, un peu à la manière de la physique et de l'astrophysique du XXe siècle. Ainsi deux traditions, celle de l'inné et celle de l'acquis, initiées par les Grecs, ont évolué dans le temps selon une terminologie diversifiée. Que sont-elles devenues aujourd'hui ? Selon Boring, les gestaltistes sont les innéistes modernes, tandis que les behavioristes en sont les empiristes.

Si cette question n'est pas futile, nous devons lui trouver une réponse. En vérité, depuis vingt siècles, elle a été sans cesse présente, et les chercheurs ont eu toute liberté d'élaborer de nouvelles théories. Pour le moment, nous sommes en Allemagne ; la gestalt y trouve une terre de prédilection et un courant d'idées où se dessine l'ombre de Platon. On voit s'élaborer une théorie élégante et d'une ampleur certaine qui développera ses ramifications en physique, en philosophie et en sciences sociales. La gestalt naît à quelques mois de distance du behaviorisme, à la fin de 1912 et au début de 1913, en cette «année de trouble pour les théories en place», ainsi que l'affirment Woodworth et Sheehan (1964, p. 214).

Nous avons vu quelle renommée Wundt a récoltée en Allemagne et à l'étranger, avec la fondation de son propre laboratoire et sa nouvelle psychologie dite objective. Plus il avance, plus il s'acharne à expliquer les processus mentaux par l'introspection et l'analyse des sensations. C'est contre ce «credo» de Wundt que le behaviorisme et la gestalt s'élèvent comme des écoles «protestantes». La psychologie initiée par Wundt est expérimentale, introspectionniste, élémentariste et associationniste. Le behaviorisme rejette l'introspectionnisme avec vigueur, mais demeure lui aussi une psychologie de type expérimental, élémentariste et associationniste, tandis que la gestalt ne conserve de l'école de Wundt que le caractère expérimental. C'est d'ailleurs, avec sa réaction à Wundt, les seuls traits qui soient communs à la gestalt et au behaviorisme.

Avant d'aborder la théorie et les antécédents de la gestalt, examinons la terminologie utilisée en français pour désigner ce mouvement nouveau. Elle a été l'objet d'un certain flottement ; il était en effet difficile de trouver un mot ou une expression exacte pour traduire le terme allemand *Gestalt*. On utilise *psychologie de la forme* (Paul Guillaume, 1937), *configurationnisme* (Titchener, 1925 ; Frugel,

1933), *psychologie structurale* (Roger Mucchielli, 1966). Cette dernière appellation, fort convenable, prête à confusion depuis que Titchener se l'est appropriée comme antonyme de fonction et fonctionnalisme, pour désigner la psychologie wundtienne en Amérique, devenue d'ailleurs une description quasi anatomique des éléments de la conscience. Quant au terme *Gestalt*, il a commencé à s'imposer lors des recherches effectuées par Christian von Ehrenfels, qui dégagea la notion dite des *Gestaltqualitäten* ou des qualités formelles, très proches du concept de forme tel qu'élaboré ultérieurement par les théoriciens de la gestalt. Mais ces derniers ne sont pas totalement satisfaits de cette appellation, même en allemand ; ils la considèrent un peu trop restreinte au domaine sensoriel ; le terme « gestalt », par ailleurs, n'a pas l'avantage d'exprimer le sens de la théorie dans son ensemble comme le font si bien les termes « behaviorisme » et « fonctionnalisme » pour les théories correspondantes. Quoi qu'il en soit, le mot « gestalt » s'est imposé en français et en anglais aussi bien qu'en allemand.

CHAPITRE 9 Les antécédents

Les idées tout comme les théories s'élaborent lentement. Elles ont besoin, pour paraître au grand jour, d'une terre bien préparée et d'un climat favorable. Nous avons pu vérifier ce fait au sujet de la psychologie objective. Il se vérifie de nouveau, si on analyse le milieu et les circonstances qui ont présidé à l'éclosion de la gestalt. Ce mouvement repose sur certaines conceptualisations issues de la philosophie du XIXᵉ siècle. À prime abord, cette théorie nouvelle semble se situer à l'extrême du behaviorisme : elle abandonne la pure objectivité de la science pour la subjectivité de la conscience individuelle. Mais, si embrouillées que puissent paraître les sources du mouvement nouveau, certaines filiations se dégagent lorsqu'on s'efforce de situer les auteurs. À l'intérieur de la tradition philosophique allemande, tout au moins, nous reconnaissons trois tendances dont les aboutissements en psychologie ont pu donner prise aux idées prônées par les théoriciens de la gestalt. Ces tendances sont : 1° l'idéalisme de la philosophie allemande, 2° l'avènement de la phénoménologie, 3° l'influence de l'école de Wurtzbourg.

L'IDÉALISME DE LA PHILOSOPHIE ALLEMANDE

Pendant que la pensée de Helmholtz et celle de Wundt s'alimentent à la philosophie britannique du XVIIIᵉ siècle, l'Allemagne voit se développer chez elle une tradition née avec Emmanuel Kant (1724-1804), l'un des grands maîtres de la pensée au seuil de la philosophie contemporaine. Élevé sous l'influence du piétisme luthérien et initié au rationalisme de Leibniz (1646-1716) par J. Christian Wolff (1679-1754), Kant se pose à lui-même le problème, ancien mais toujours actuel : quelle est la valeur de la connaissance humaine ? À l'Université de Königsberg où il obtient une chaire en 1770, il se consacre tout entier à l'étude des lois de l'esprit humain « indépendamment de toute expérience » (1781, p. 31). Il enseigne une sorte d'idéalisme critique, établissant que si on a admis antérieurement que les connaissances se règlent sur les objets, on a erré, et que bien au contraire les objets se règlent sur la connaissance[1]. Ce retour à l'idéalisme aura certes une répercussion sur les conceptions psychologiques à venir ; déjà Kant soustrait les notions de causalité, d'espace et de temps du monde de l'objet, pour en faire des notions intuitives incorporées au sujet. Contrairement à la tradition anglaise et à celle qui est issue de la philosophie d'Aristote, Kant est ainsi amené à considérer la perception comme un acte unifié. Lorsqu'il perçoit des objets externes, le sujet n'associe pas les sensations d'une manière passive, mais il organise d'une manière active l'ensemble des éléments en une seule expérience cohérente au moment même où il pose l'acte de percevoir.

Bien que combattue par un philosophe empiriste allemand du nom de Johann Frederich Herbert (1776-1841), celui même qui, après la mort de Kant, occupe la chaire de philosophie de Königsberg, cette thèse kantienne continue à développer ses racines idéalistes grâce surtout à l'enseignement de philosophes comme Fichte (1762-1814), Hegel (1770-1831) et Schelling (1775-1854). Pour l'instant, il convient de le remarquer, nous sommes en présence d'un système qui donne de toute évidence la préséance à un innéisme basé sur la raison, et dans le domaine de la connaissance sensorielle, à l'ensemble, au tout organisé, à l'unité de l'acte perceptif plutôt qu'à l'accumulation des unités de sensation. N'est-il pas étonnant de constater que, précisément à l'époque où on cherche à interpréter ainsi le phénomène de la perception, la pensée scientifique, riche de méthodes empiristes et analytiques, commence à fournir des explications chargées de consé-

---

1. La citation exacte de ce passage est la suivante : « On a admis jusqu'ici que toutes nos connaissances devaient se régler sur les objets mais, dans cette hypothèse, tous nos efforts pour établir à l'égard de ces objectifs quelque jugement a priori et par concept qui étendit notre connaissance n'ont abouti à rien. Que l'on cherche donc une fois si nous ne serions pas plus heureux dans les problèmes de métaphysique, en supposant que les objets se règlent sur notre connaissance, ce qui s'accorde déjà mieux avec ce que nous désirons (démontrer), à savoir la possibilité d'une connaissance a priori de ces objets qui établissent quelque chose à leur égard, avant même qu'ils nous soient donnés » (Kant, 1781, p. 41).

quences pour la compréhension de la nature. La matière se laisse pénétrer à mesure qu'on rétrécit le champ d'investigation. Mendeleïev travaille en chimie sur les éléments de la nature et en 1869 établit le principe de leur classification. Les sciences de la vie orientées par les travaux de Claude Bernard (1865) adoptent à leur tour les méthodes des sciences de la nature. Les physiologistes et les psychophysiciens transportent au domaine de la conscience des procédés scientifiques qu'ils appliquent à la sensation et à l'image mentale. Bref, l'analyse objective est en train de faire oublier l'approche subjective dans sa totalité, le phénomène global auquel nous ramène la philosophie de Kant. Une question nouvelle se pose maintenant à l'attention de ceux qui s'efforcent d'expliquer les processus mentaux : l'analyse des éléments et l'association expliquent-elles mieux la réalité que l'approche de l'objet dans sa totalité ? Quel est le rôle du sujet dans la connaissance ? Est-il actif ou passif ? Pour sa part, Kant a donné une réponse qui ne sera pas étrangère à l'orientation des théories psychologiques, en Allemagne tout au moins.

L'AVÈNEMENT DE LA PHÉNOMÉNOLOGIE

À l'époque de la Renaissance et plus particulièrement avec l'extension du cartésianisme, la science au sens moderne du mot prend son essor : le sujet se sépare de l'objet afin d'appliquer à ce dernier un regard clair et pur, un regard dit objectif. Au Moyen Âge, on tentait, au contraire, de connaître par une rencontre vitale et globale avec l'objet[2], dans une vision affective aussi bien que rationnelle des choses à connaître, bref dans un contact de *connaturalité*[3] aussi étroit que possible. L'art en général et plus spécialement la poésie n'ont jamais abandonné ce mode de connaissance de l'objet ; mais aujourd'hui

> [...] la philosophie n'est plus au contact des choses, des *phénomènes* parce qu'elle s'est laissé dicter ses questions par la science, sans voir que

---

2. Vous voulez savoir ce qui se passe à l'intérieur des choses, dit von Baadder, et vous vous contentez de considérer leur aspect extérieur ; vous voulez savourer la moelle et vous collez à l'écorce » (Cité par Bachelard, 1948b, p. 7).

3. L'art est demeuré proche de ce mode de la connaissance fondé sur la *connaturalité*, ou sur l'intimité entre le sujet et l'objet. Dans une vision très poétique de l'univers, Paul Claudel expose ce thème dans son *Art poétique* (1904), admirablement commenté par Pierre Angers (1949). « Nous ne naissons pas seuls » (Claudel, p. 356) – « L'être ne naît pas, il connaît, il existe dans le réseau d'une multitude de rapports avec les autres » (Angers, p. 186). – « Connaître, c'est exister en même temps » (Claudel, p. 356).

la science est une certaine explication du monde naturel, issue de lui, mais qui ne saurait, sans sophisme, se substituer à lui. Cette certaine explication de la réalité ne peut se confondre simplement avec la réalité et, moins encore, prendre sa place (De Waelhens, 1972, p. 943).

La phénoménologie s'avère ainsi une tentative pour ramener l'attention de l'homme de science à l'expérience vécue par la conscience. Il est assez connu que Kant avait opposé le noumène au phénomène, le noumène étant la «chose en soi» telle qu'elle existe indépendamment de tout être capable de la connaître, tandis que le phénomène[4] est la «chose telle qu'elle apparaît à notre esprit». Lancé sur cette foulée, Hegel (1770-1831) dans un ouvrage intitulé *Phénoménologie de l'esprit* (1807) oppose la phénoménologie à l'ontologie, parce que l'ontologie s'abstient de chercher l'être derrière les phénomènes, mais peut être conçue comme une démarche préliminaire à cette recherche ou cultivée pour elle-même. Toutefois l'homme qui interprète ce système philosophique et le rapproche de la théorie de la gestalt, c'est Franz Brentano (1838-1917). Prêtre catholique aux idées libérales et en difficulté avec son Église, il enseigne à Wurtzbourg et à Vienne. Son système tourne autour de l'«acte psychique». Pour lui, l'objet de la psychologie n'est pas les sensations prises une à une, mais le processus global ou l'acte d'expérimenter, car toute conscience est conscience de quelque chose. Il soutient que les processus mentaux sont en premier lieu des «actes» et des «intentions» et non des contenus passifs à la manière des sensations (Allport, 1955, p. 91). Le point de vue de

---

«Aucun être ne se suffit; aucun ne forme un système clos et autonome; il est obligé de s'agréger à son milieu et, par là, à l'Univers. Naître, c'est co-naître. L'être est l'effet d'un immense concours de forces concentriques qui ont collaboré à sa production; et une fois constitué, il inaugure une longue carrière de coopération pour la création de nouvelles formes, – une carrière égale à sa durée. Exister c'est non seulement se maintenir grâce à un rythme intérieur, c'est ressentir la vibration des êtres voisins, et propager la sienne autour de soi; c'est entrer dans une composition de forces conspirantes, c'est co-exister en des rapports étroits avec tous les êtres simultanés dans l'instant qui naît. Il y a là un état de coopération perpétuellement occupé à refaire l'Univers, en voie de dissolution et de progrès» (Angers, p. 31).

De son côté, le philosophe, Gaston Bachelard, développe dans un autre style, des idées assez semblables: à l'univers de la raison s'oppose la pensée symbolique élaborée par l'imagination créatrice et inspirée par les grands éléments de la nature tels que le feu (1937), l'eau (1941), l'air (1943), la terre (1948) et l'espace (1957).

4. L'usage courant en français a eu tendance à donner au mot *phénomène* le sens d'élément matériel d'un fait empirique; très tôt cependant, le terme fait référence au perçu et d'une façon plus générale à la relation mal définie entre le sujet et l'objet.

Brentano ne tarde pas à devenir la psychologie de l'acte en face de la psychologie du contenu proposée par Wundt. En 1874, à peine un an après que Wundt eut publié la première partie de *Grundzüge der Physiologischen Psychologie* (1873), Brentano fait paraître *La psychologie du point de vue d'un empiriste* (1874). Un ouvrage qui marque une étape importante dans le développement des idées qui conduisent à la psychologie de la forme.

L'influence de Brentano ne tarde pas à s'étendre grâce à de brillants élèves[5] qui viennent suivre ses leçons. Deux d'entre eux nous intéressent en raison de la pertinence de leurs travaux : Carl Stumpf (1848-1936), qui se consacre principalement à des études dans le domaine de l'audition et qui contredit ouvertement Wundt sur le problème des distances tonales ; le second n'est nul autre que le philosophe Husserl (1859-1938), celui qui devait après Hegel donner à la phénoménologie le coup de barre décisif sur le plan des idées et ouvrir la voie en psychologie aux idées qui conduisent à la gestalt. Désormais à l'analyse des éléments de la conscience s'oppose un système nouveau, qui se donne pour tâche de rechercher l'acte lui-même d'expérimenter l'objet présent à la conscience et d'en faire une description phénoménologique.

L'ÉCOLE DE WURTZBOURG

S'il est une question toujours demeurée obscure, et qui est restée en marge de la psychologie née à Leipzig en 1879, c'est bien celle de la pensée. Préoccupé par cette situation, lors de la quatrième édition de son manuel de psychologie, *Grundzüge der Physiologischen Psychologie*, Wundt consacre un chapitre aux processus mentaux des aires supérieures en leur appliquant la méthode expérimentale. Le procédé aboutit à un succès mitigé au dire même de son assistant d'alors, Oswald Külpe (1862-1915). Ce jeune homme est lui-même un rude expérimentateur à la manière d'Ernst Mach (1838-1916). À cette époque, Külpe est

---

5. Il convient d'ajouter que Brentano est aussi à l'origine du groupe assez peu connu baptisé l'École autrichienne, dont les principaux représentants appartiennent par la suite à un cercle fervent désigné à son tour par l'École de Gratz ; il faut nommer Alexius Meinong (1853-1920), élève de Brentano, Christian von Ehrenfels (1859-1932), Stefan Witasek (1870-1915) et Vittorio Benussi (1878-1927). Ernst Mach (1838-1916), même s'il contribue, comme on l'a vu, au développement du positivisme logique, demeure sympathique aux idées du groupe de Gratz et fait basculer les notions kantiennes de temps et d'espace dans le champ de l'expérience, c'est-à-dire au niveau du phénomène. Tout cela annonce « une nouvelle psychologie en opposition radicale à tous les autres travaux qui ont été exécutés jusqu'ici » (Petermann, 1950, p. 2).

d'avis que ce qui ne peut être observé n'existe simplement pas. À la suite d'études approfondies sur les phénomènes de la sensation et de la pensée, Külpe finit par abandonner ses positions rigoureuses et laisse entendre que l'observation n'est pas si efficace que le prétendent les penseurs positivistes, que tout ce qui existe n'est pas immédiatement saisissable, qu'enfin certaines réalités peuvent être perçues par des méthodes indirectes. En 1894, il quitte Leipzig et accède à une chaire de professeur titulaire à l'Université de Wurtzbourg, où il devient presque à son insu l'inspirateur de plusieurs étudiants très actifs. Opposés à Wundt et Titchener, Külpe et ses associés conservent la méthode d'introspection, mais s'appliquent à en faire un instrument plus raffiné, au moyen duquel le sujet est amené à étudier son expérience par le menu détail comme à travers la lentille d'un microscope. Cet outil en main, le groupe, reconnu désormais comme l'École de Wurtzbourg, analyse avec rigueur les processus supérieurs du comportement humain : le jugement (Karl Marbe, 1901) ; les attitudes conscientes (J. Orth, 1903) ; la pensée elle-même (H.J. Watt, 1904 et Narziss Ach, 1905). Puis A. Messer (1906) et K. Bulher (1907 et 1908) entreprennent des travaux dans le domaine de la connaissance ; leurs recherches aboutissent à la *pensée sans image*. Cette expression recouvre un certain nombre de conclusions qui affirment que les processus de la pensée, même s'ils sont accessibles par l'introspection, n'ont pas nécessairement besoin de l'image ou de la sensation comme l'enseigne le groupe de Leipzig. En France, un expérimentaliste convaincu, Alfred Binet (1857-1911), à la lumière d'expériences tentées auprès de ses deux jeunes filles, arrive aux mêmes conclusions dans un ouvrage intitulé *Étude expérimentale de l'intelligence* (1903). De son côté, Titchener aux États-Unis intervient pour sauver la psychologie du contenu (image et sensation) menacée par Külpe et Binet ; sa série de leçons sur la psychologie expérimentale et les processus de la pensée mettent en question les idées prônées à Wurtzbourg. Puis Titchener revient à la charge avec un ouvrage intitulé *Experimental psychology of the thought processes*, qui ne tarde pas à alimenter une controverse.

Les discussions ainsi soulevées indiquent bien que les processus humains au niveau supérieur demeurent obscurs et le seront encore pour longtemps. Cependant l'approche soutenue par l'École de Wurtzbourg prépare la gestalt, en particulier, comme nous le verrons, si on tient compte de l'influence que Külpe exerce sur deux des principaux responsables de la théorie de la gestalt, Wertheimer et Koffka.

CHAPITRE **10** Trois
artisans

Ces trois tendances, que nous avons nommées l'idéalisme de la philosophie allemande, l'avènement de la phénoménologie et l'influence de l'École de Wurtzbourg, révèlent l'orientation de la philosophie allemande ainsi que les méthodes de recherche prônées à cette époque. Même si on doit prendre dans l'avenir de plus en plus de distance avec la nouvelle psychologie expérimentale de Wundt, l'obstacle majeur en 1912 sur la route de la gestalt demeure le maître du laboratoire de Leipzig. Wundt sera détrôné au cours des décades suivantes, car les deux mouvements qui naissent en 1912 et en 1913, le gestaltisme et le behaviorisme, s'appliquent à le dépasser en Allemagne avec autant de vigueur qu'aux États-Unis.

L'appellation « gestalt » et le mouvement idéologique représenté par ce terme sont liés aux noms de trois hommes qui en ont été les grands artisans : ils sont Max Wertheimer, considéré comme l'initiateur du mouvement, Kurt Koffka, le théoricien, et Wolfgang Köhler, l'expérimentateur. En réalité les rôles qu'on a tendance à assigner à ces hommes se confondent puisqu'ils ont procédé à des expériences communes et que, jeunes encore, ils se rencontrent tous les trois en 1903-1904 à l'Université de Berlin, où ils étudient la philosophie et la psychologie. Pour mieux les connaître, suivons leur propre itinéraire.

MAX WERTHEIMER (1880-1943)

Né à Prague, le 15 avril 1880, Max Wertheimer, après le Gymnasium, fréquente l'université de sa ville natale pour y étudier le droit. Il renonce à cette discipline deux ans et demi plus tard pour s'adonner à la philosophie et à la psychologie. Entre autres, il suit les cours de von Ehrenfels à Prague, de Schumann et Stumpf à Berlin, de Külpe à Wurtzbourg, où il obtient son doctorat en 1904 sur un sujet controversé : la pensée non appuyée sur l'image. À partir de ce moment, Wertheimer partage son temps entre Prague, Vienne et Berlin. En 1910, un incident contribue à l'orientation éventuelle de Wertheimer : sur le train qui l'amène de Vienne aux rives du Rhin pour quelques jours de vacances, germe en lui une idée singulière au sujet d'une expérience possible sur la perception du mouvement. Il interrompt son voyage au premier arrêt et se retrouve ainsi à Francfort ; là,

> [...] après avoir déposé ses bagages à un hôtel, il se rend acheter un stroboscope jouet ; et de retour à sa chambre, il dessine des figures afin de vérifier l'hypothèse qui vient de germer dans son esprit. La suite de l'histoire est connue : Wertheimer rencontre Shumann et Köhler à l'Université de Francfort ; Shumann vient de terminer un tachistoscope qu'il offre à Wertheimer pour ses expériences. Les mois qui suivent sont témoins d'expériences captivantes, d'abord avec Köhler et ensuite avec Koffka comme sujets. À ce moment la théorie de la gestalt est née et elle a ses deux premiers convertis (Newman, 1944, p. 429).

Ces trois jeunes gens, qui s'étaient à peine connus à l'Université de Berlin six ans plus tôt, sont heureux de se retrouver à Francfort : ils peuvent échanger leurs idées et se dire leur déception au sujet de la psychologie régnante qu'ils considèrent une psychologie faite de « briques et de mortier », les briques étant les images et les éléments sensoriels et le mortier étant l'associationnisme. À partir de ce moment, le trio s'efforce de confondre la théorie de Wundt. En 1916, Wertheimer est engagé à l'Université de Berlin, comme *Privat Dozent* ; puis en 1929, il revient à Francfort. En 1933, au moment de l'avènement du national-socialisme, Wertheimer quitte l'Allemagne ; il fait partie du premier groupe d'intellectuels à venir à cette époque vivre en Amérique. Dès 1934, on le retrouve à New York professeur à la New School for Social Research. Il y demeurera jusqu'à sa mort survenue le 12 octobre 1943. Quelques mois plus tard, son ami, W. Köhler, dans un article paru dans *Psychological Review*, tentait de situer Wertheimer sur le plan théorique comme un homme qui a su regarder la réalité par en dessus et non par en dessous, en cherchant à percevoir tous les aspects d'un problème.

> Devant une situation parfaitement nouvelle, Wertheimer avait toujours une question incisive à demander, pendant que, de notre côté, nous étions encore simplement déroutés. Il savait retourner un vieux pro-

blème, le placer sous un éclairage nouveau de manière à faire apparaître une solution inattendue. Homme plein de force, d'humilité et de convictions religieuses, Max Wertheimer fut d'une manière inusitée un homme bon (Köhler, 1944, p. 146).

KURT KOFFKA (1886-1941)

Issu d'une famille d'hommes de loi, Kurt Koffka est né le 18 mars 1886 à Berlin. Après ses études secondaires classiques, il passe un an à l'Université d'Édimbourg en Écosse et revient en 1904 à l'Université de Berlin où il poursuit des études en psychologie. En 1909, sous la direction de Stumpf, il présente une thèse sur le rythme. Immédiatement après l'obtention de son doctorat, Koffka travaille durant un semestre au laboratoire de psychologie dirigé par von Kries. De là, il passe à l'Université de Wurtzbourg où il fait de la recherche d'abord sous la direction de Külpe, puis après le départ de ce dernier, comme assistant de Marbe. En 1910, il devient assistant de Schumann à Francfort. De son propre aveu, cette année est d'une importance capitale pour son « propre développement ». Il y rencontre Köhler, deuxième assistant de Schumann et, dans le même laboratoire, Wertheimer fort occupé de la perception du mouvement. « Ainsi nous trois, dit-il, qui nous nous étions à peine connus auparavant, étions promus aux contacts les plus étroits. Il en résulte une collaboration continue » (Harrower-Erickson, 1942, p. 278).

En 1911, Koffka devient *Privat Dozent* à l'Université de Giessen, à quelque 65 kilomètres de Francfort, où il continue sa collaboration avec Wertheimer et Köhler. Il y poursuit une série d'études réunies sous le titre *Beiträge Zur Psychologie der Gestalt*. Après la première guerre, les Américains sont intéressés à la psychologie allemande, tout comme ils l'avaient été en 1880. Aussi Koffka entreprend d'écrire un article rédigé en anglais : « Perception : an introduction to the gestalt theory » (1922). Malheureusement cet essai n'atteint pas le but visé, car, à la lecture de cet article, les universitaires américains acquièrent la conviction erronée que les gestaltistes ne s'intéressent qu'à certains problèmes plutôt spécifiques de la perception. En 1924, de passage à l'Université Cornell et à celle du Wisconsin à titre de professeur invité, il saisit cette occasion pour aborder systématiquement certains sujets : l'utilisation de l'introspection comme méthode expérimentale, l'importance d'une vue vitaliste et organiciste de l'homme face au mécanisme, les implications de l'isomorphisme, etc.

En 1927, Koffka est nommé professeur chercheur au Collège Smith de Northampton, Mass., où il consacre tout son temps à des expériences sur la perception. En 1935, il fait paraître un ouvrage théorique important, *The principles of gestalt psychology*, la seule tentative d'explication complète et systématique de la théorie de la gestalt. Durant ses dernières années, en dépit d'une santé altérée qui l'oblige à restreindre ses activités, il continue à enseigner, et cela jusqu'à quelques jours de sa mort qui survient le 22 novembre 1941 à Northampton, Mass. Köhler a dit de lui : « En un sens particulier, Kurt Koffka fut une personne fière. Je ne l'ai jamais vu avoir peur de quoi que ce soit. Il a été l'ami le plus loyal pour quelques-uns, juste et équitable pour tous » (Köhler, 1942, p. 101).

WOLFGANG KÖHLER (1887-1967)

Des trois fondateurs de la théorie de la gestalt, le plus jeune, Wolfgang Köhler, est né de parents allemands, le 21 janvier 1887, à Ravel, aujourd'hui Tallim en Estonie, ville portuaire située sur la rive du golfe de Finlande. Il a six ans quand sa famille vient habiter Wolfenbüttel en Allemagne du Nord. Il poursuit de solides études aux Universités de Tübingen, de Bonn et spécialement à l'Université de Berlin où des travaux en psycho-acoustique sous la direction de Stumpf lui valent un doctorat. Il s'intéresse aux progrès de la physique et s'inscrit aux cours du grand physicien, Max Planck. C'est à ce moment, semble-t-il, qu'il aurait connu Albert Einstein et se serait lié d'amitié avec l'illustre savant[1]. Ses écrits garderont toujours la marque de son intérêt pour les sciences physiques.

En 1910, il se rend travailler à Francfort, comme assistant de Schumann, à l'Institut de psychologie de l'Université de cette ville. Il se plaint que l'hiver y est commencé d'une façon terne ; mais tout change quand apparaît Max Wertheimer avec un stroboscope jouet dans sa valise et la tête bourrée d'idées nouvelles. Ce dernier, passé

> [...] maître de la recherche expérimentale dans le domaine de la perception, commence des études extrêmement fructueuses (1967, p. 110).

> J'avais le sentiment, dit Köhler, que son travail pouvait transformer la psychologie qui avait peine à se présenter comme un sujet fascinant à étudier à cette époque (1967, p. 111).

---

1. Einstein et Köhler furent des amis intimes et se sont fréquentés durant plusieurs années.

Mais Wertheimer et Koffka sur place, en travaillant ensemble, nous devînmes les trois premiers psychologues de la gestalt (Köhler, 1949, p. 97).

Nommé directeur de l'Académie prussienne des sciences, Köhler se voit confier la direction d'une station expérimentale située dans l'île Ténériffe aux Canaries et s'embarque afin d'y aller étudier le comportement des grands singes anthropoïdes. Quelques mois plus tard, éclate en Europe la Première Guerre mondiale et Köhler passe sept ans (1913-1920) à étudier la perception et l'apprentissage sur les chimpanzés et les poulets. Il y écrit un ouvrage réputé classique, *L'intelligence des singes supérieurs,* dont la première édition paraît en 1917. De retour en Allemagne en 1920, Köhler fait paraître une étude sur les formes physiques en état statique et de repos. Jugé d'une grande valeur scientifique, l'ouvrage est plus souvent cité que vraiment lu. C'est grâce à ce travail, semble-t-il, qu'on offre à Köhler une chaire à l'Université de Göttingen pour succéder à G.E. Müller qui a pris sa retraite et, par la suite, l'importante chaire de l'Université de Berlin, celle-là même qu'avait détenue Stumpf jusqu'en 1922.

Durant les années 1925 et 1926, Köhler vient donner des leçons aux États-Unis aux Universités Clark et Harvard. Il publie en anglais en 1929 *Gestalt psychology* que les Américains, à la suite de Boring, considèrent comme l'ouvrage le plus complet sur le sujet parmi ceux qu'avaient déjà publiés les trois chercheurs de l'Institut de Francfort. En avril 1933, Köhler publie un article courageux où il dénonce publiquement le « national-socialisme » de Adolf Hitler. Le risque est énorme ; le soir du jour où paraît son texte, il fait de la musique en compagnie de quelques amis... Il s'attend à voir arriver les hommes de la Gestapo, qui se présentaient habituellement à 4 heures du matin. Son concert intime se continue jusqu'à l'aube sans interruption, mais il lui faudra fuir. Il quitte l'Allemagne, se réfugie aux États-Unis et donne des cours de philosophie au Collège Swarthmore. Il publie durant cette période *The place of value in a world of facts* (1938), *Dynamics in psychology* (1940) et *Figural after effects* (1944). Ce dernier ouvrage, rédigé en collaboration avec Hans Wallach, formule la nouvelle conception des champs en physique en tant qu'applicable à la perception.

En 1958, Köhler est nommé professeur au Collège Dartmouth, puis l'année suivante, président de l'American Psychological Association. En 1966, il est invité par la prestigieuse Université Princeton à donner une série de conférences qu'il intitule « The task of gestalt psychology». Citoyen américain depuis 1946, Wolfgang Köhler est l'objet durant les dernières années de sa vie de nombreuses distinctions et titres honorifiques dont la médaille de l'American Psychological Association. Mais il sait toujours demeurer modeste et d'une élégante simplicité. Il s'éteint à son domicile de Enfield, New Hampshire, le 11 juin 1967.

11 Élaboration de la théorie de la gestalt

NAISSANCE DU MOUVEMENT

Jusqu'ici nous avons fait connaissance avec les trois principaux représentants de la « gestalt » et nous avons distingué les tendances philosophiques à son origine, ce que les Américains qualifient de *background* et les Allemands de *Zeitgeist*. En 1912, le terrain est prêt pour l'éclosion du nouveau mouvement. En réalité la gestation intellectuelle de cette école commence à l'été 1910. À ce moment en dépit des questions précises que lui pose la phénoménologie, la psychologie traditionnelle continue ses recherches dans le domaine de la mémoire selon la méthode d'Ebbinghaus. Quant à la longue pensée associationniste, elle peut continuer à analyser les sensations comme des éléments de la conscience, elle n'arrive pas vraiment à expliquer de quelle manière elles s'unissent[1]. À Vienne, Wertheimer souhaite sortir la psychologie de ce sentier étroit. Il s'interroge sur le mouvement apparent que l'ensemble des psychologues écartent de leurs préoccupations, parce qu'ils le

> [...] considèrent comme une simple illusion dans le domaine de la conscience (*cognitive illusion*). Aucun mouvement réel et objectif n'ayant cours dans le cas d'un mouvement apparent, on croit que ce dernier ne

---

1. Les psychologues de la gestalt utilisent l'expression *bundle hypothesis* (hypothèse du ballot) pour caractériser l'idée selon laquelle le tout n'est pas plus grand que la somme des parties, idée soutenue par les structuralistes et les behavioristes.

peut être un fait perceptuel réel. Il doit être plutôt, estime-t-on, le produit d'un jugement erroné (Köhler, 1967, p. XIX).

Cet énoncé est considéré comme une explication satisfaisante, elle suffit du moins pour l'instant à la psychologie régnante.

Une expérience cruciale

C'est avec ce problème en tête et quelques autres du même genre dans le domaine de la perception que Wertheimer, en route vers un lieu de vacances, interrompt son voyage et descend du train à Francfort, pressé d'aller vérifier certaines idées avec un jouet nouveau, nommé stroboscope[2], inventé par le Viennois Stampfer. Le principe de la machine est simple : elle est constituée de disques parallèles ; sur l'un, on représente à égale distance les unes des autres les positions successives d'une personne ou d'un objet en mouvement ; sur l'autre disque, une fente radiale permet à un observateur d'apercevoir une image en mouvement s'il imprime une certaine rotation au premier disque. L'appareil rendait possible un mouvement apparent à partir d'une combinaison dans le temps d'images immobiles.

Wertheimer se sert de l'instrument pour imaginer cette expérience cruciale qui constituera à ses yeux une réfutation sans appel. En effet, à y regarder passer les images, il faut mettre en doute certaines théories encore trop bien assises en Allemagne. À mesure qu'elles se succèdent dans l'appareil, la série d'image est perçue comme un seul mouvement continu. C'est une expérience qu'on peut vérifier dans plusieurs situations, en particulier au cinéma : ce qui se passe devant les yeux du spectateur, c'est une série d'images fixes en succession rapide au rythme de 18 à 22 par seconde... Ceci n'empêche pas de percevoir un mouvement merveilleusement bien fondu.

La caméra de prise de vues emmagasine une série d'instantanés séparés un à un par un intervalle de temps, et à son tour, le projecteur lance sur l'écran des instantanés séparés par de très courts espaces noirs. Si on les considère du côté du stimulus, les images que nous voyons sur l'écran sont apparentes et non réelles, bien qu'elles aient été réelles, lors de

---

2. Ce stroboscope n'est que la réplique d'un autre appareil inventé en 1830 par Joseph Plateau, physicien belge, qui étudie le fondu des couleurs sur des disques en mouvement. Il nomme son invention un phénakistiscope. Plateau et Stampfer avaient rendu possible la production d'un mouvement apparent, c'est-à-dire un procédé provoquant une impression de mouvement.

scènes originelles au moment du tournage (Woodworth et Schlosberg, 1965, p. 512).

Une question se pose : comment peut-on observer un mouvement là où le mouvement n'existe pas ? Une explication plus poussée suppose qu'on a établi les conditions nécessaires à la *perception* du mouvement. Avec la collaboration de Koffka et Köhler, Wertheimer fait varier les espaces, les objets et le temps de présentation. À la limite, il réduit la situation à deux lampes, ou mieux encore, à deux traits lumineux.

Si on montre un trait lumineux fixe, *a*, et si à une courte distance, on montre un trait lumineux semblable, *b*, en une période de temps très brève (soit 1/30 de seconde) les deux stimuli paraissent simultanés. Si l'intervalle entre la présentation des deux traits est relativement long (soit 1/5 de seconde), *a* et *b* sont encore vus comme deux stimuli, mais successifs. À un certain intervalle de temps, entre les deux déjà décrits, on peut percevoir un mouvement. L'intervalle optimum pour obtenir cet effet se situe autour de 1/16 de seconde. Dans ce cas, on peut voir un seul trait lumineux se déplacer de la position du stimulus *a* vers la position du stimulus *b* (Allport, 1966, p. 116).

Wertheimer a nommé la perception du mouvement apparent le phénomène φ, la lettre grecque φ (phi) servant à désigner ce qui se passe entre la présentation de *a* et celle de *b*. En juin 1912, il publie un article intitulé « Experimentelle Studien über das Sehen von Bewegungen ». Il signalait par le fait même l'acte de naissance officiel de la théorie de la gestalt.

Une première conclusion

Plusieurs chercheurs, et parmi eux, Korte (1915), Neuhaus (1930), Neff (1936), Obonai et Suzumura (1954), J.J. Gibson (1954) ont réétudié ce phénomène, mais l'expérience menée à Francfort est classique. À partir des constatations faites, Wertheimer maintient que la perception du mouvement d'un objet dans l'espace ne peut s'expliquer par une sensation qui se déplace. Elle est immédiatement reçue et perçue comme un tout indécomposable ; elle n'est pas réductible en termes de temps et d'espace. On a eu tendance certes à expliquer le mouvement par la constance des sensations lumineuses sur la rétine de l'œil, c'est-à-dire au niveau de phénomènes sensoriels primaires ; mais d'autres expériences de perception établissent la validité de phénomènes internes à l'individu. À ce niveau, la perception s'élabore selon des lois propres à l'organisme. Aussi Wertheimer et ses collègues mettent peu de temps à comprendre que ce qu'ils sont en train de faire secoue à la base la tradition psychologique en place. On le sait par Köhler, le nombre de questions fondamentales que Wertheimer se pose augmente de jour en jour. Il ne publie pas encore beaucoup ; il préfère poser ses problèmes à Koffka et esquisser ses propres réponses. À son tour, Koffka rapporte à ses étudiants ce qu'il apprend de Wertheimer ainsi que les idées qu'il a personnellement développées dans un même esprit productif... « Pendant une courte période de temps, dit Köhler, j'ai pu prendre part à ce développement. C'est Koffka cependant qui, réalisant que Wertheimer hésite à écrire ce qu'il pense, formule les premiers principes de la théorie de la gestalt dans un excellent article qu'il publie en 1915 »[3]. De plus en plus, une conclusion s'impose à ce trio ; partir des éléments de la perception, c'est s'égarer ; au contraire, invoquer l'expérience immédiate, c'est revenir à la perception naïve, à la saisie spontanée non viciée par l'apprentissage. Par ce procédé, au lieu d'aboutir à des assemblages d'éléments, on parvient à un tout unifié : un paysage, le firmament, un village, etc. La « gestalt » invite à « expérimenter simplement en ouvrant les yeux et en regardant autour de soi de la manière la plus habituelle » (Heidbreder, 1933, p. 331).

DÉVELOPPEMENTS DE LA THÉORIE

Les années passent ; la guerre 1914-1918 est terminée ; en 1920, on retrouve Wertheimer et Köhler à l'Institut de psychologie de l'Université de Berlin. Kurt Lewin (1890-1947) qui cultive des intérêts pour la théorie de la gestalt vient les rejoindre, après avoir accompli son service militaire. Quant à Koffka, il est toujours professeur à l'Université de Giessen. Il vient régulièrement rendre visite à ses amis de Berlin. Selon Köhler (1971, p. 116), Wertheimer demeure l'âme dirigeante, le personnage le plus important du groupe ; il poursuit en ce moment une série d'études sur la manière dont les objets, les figures, les taches s'isolent de leur environnement. Fritz Heider, un étudiant américain, décrit l'atmosphère de ce qu'on nomme maintenant l'École de Berlin :

> Je ne connaissais pas encore beaucoup les psychologues de la « gestalt » et je vins plus ou moins par hasard, mais une fois arrivé, j'ai constaté comme j'avais été chanceux. Je suivis les cours de Wertheimer et Köhler, puis les séminaires de Kurt Lewin, avec qui j'eus de longues conversations. Je venais chaque jour à l'Institut psychologique dans le

---

3. Le titre de cet article est : « Zur Grundlegung der Warhnehmungspsychologie ». Il ne semble pas avoir été traduit en anglais ou en français.

palais que le Kaiser avait dû laisser à la fin de la guerre, trois ans auparavant. L'Institut avait pris place dans un coin de ce palais là où, disait-on,
de jeunes princesses prussiennes avaient vécu. C'était un labyrinthe
compliqué de chambres de toutes grandeurs (1970, p. 137).

Selon Heider, lors des visites de Koffka à Berlin, Wertheimer et Köhler
passant d'une pièce à l'autre avec lui, lui font voir les nouveaux appareils
et discutent avec une ardeur de néophytes les progrès des expériences en
cours. De plus en plus, les intellectuels berlinois prennent conscience
du renouveau : les salles de cours de Wertheimer et Köhler regorgent
d'étudiants ; leurs écrits sont lus et discutés dès qu'ils paraissent.

Le cheval de bataille des gestaltistes est l'organisation perceptive.
Selon eux, la perception immédiate découpe la réalité en unités globales,
en structures. Les concepts de base de la théorie se dessinent. Koffka les
formule sous forme de lois ; en réalité, il s'agit de postulats ou de géné-
ralisations empiriques, dont quelques-uns peuvent être coiffés des titres
suivants : a) l'émergence de la forme, b) le rapport figure-fond, c) la
ségrégation des unités, d) l'organisation de la forme.

L'émergence de la forme

Au départ, la question naïve, bien que fondamentale, consiste à chercher à connaître comment les choses nous apparaissent. En dehors de
l'argumentation élaborée par Koffka sur le problème de la perception
en général, il apparaît aux psychologues de la gestalt que l'idée centrale
de leur réponse théorique est fortement liée au concept de forme. Le
monde physique qui nous entoure fait émerger des objets, des unités
qui sont données à expérimenter par la conscience humaine. Quand
un être humain perçoit un objet, la forme a tendance à s'édifier elle-
même selon des contours précis, à persister dans l'organisme indépendamment du stimulus. Köhler en donne l'exemple suivant :

> Supposons que sur une table de couleur sombre devant moi, nous pla-
> cions une feuille de papier blanc. La table est une unité physique et la
> feuille en est une autre. Ceci signifie que le matériel qui constitue la
> table est maintenu comme une unité par des forces de cohésion et que
> la même chose se passe en ce qui concerne le papier, tandis qu'il n'existe
> aucune cohésion analogue entre le matériel de la table et celui du
> papier (1930, p. 8).

Les formes des objets s'imposent à nous d'elles-mêmes. Sur le plan expérimental ou phénoménologique, quand une forme survient à l'intérieur
du système nerveux et se rend au cortex, les psychologues gestaltistes

prétendent que s'y organisent des configurations physiologiques identiques à la configuration du stimulus externe ; ils nomment ce phénomène l'isomorphisme. Déjà avant les recherches de Wertheimer, la
philosophie allemande avait montré l'importance que revêt la forme de
l'objet. Von Ehrenfels (1859-1932), philosophe et psychologue autrichien, élève de Brentano, avait en 1890 souligné le fait que certaines
qualités de la forme peuvent être présentes dans un objet considéré
comme un tout et être absentes dans les éléments : ainsi, un carré est
constitué de quatre droites d'égale longueur ; la caractéristique qui fait
qu'un carré est un carré n'existe que dans le tout car, si on isole chacune
des droites, les éléments en eux-mêmes ne possèdent pas la caractéristique du tout qui est d'être un carré. Un groupe[4] se forme en Autriche
autour de von Ehrenfels, qui explique le phénomène par le fait que les
formes sont construites par des processus mentaux supérieurs. Mais
l'École de Berlin corrige cette façon d'expliquer la perception de la
forme, en affirmant que l'acte lui-même de voir ou d'entendre est déjà
un procédé d'organisation. Pour eux, les influx nerveux, qui partent des
organes des sens, commencent à interagir, à s'organiser en formes ou en
structures à mesure qu'ils se dirigent vers le cortex.

Le rapport figure-fond

Pour que la perception d'un objet puisse avoir lieu, il faut de toute
manière que la forme de l'objet se détache et fasse contraste comme
une entité séparée sur l'arrière-fond sur lequel elle paraît. Les couleurs
et les contours d'une forme, personne ou objet, délimitent son être
unique et permettent à l'observateur de dégager une perception précise
et concrète, distincte des entités secondaires qui peuvent prendre place
sur le fond. Ainsi le cercle lumineux qu'est la lune se détache sur le
fond noir d'un ciel étoilé. Pour que l'identification des êtres qui existent
dans la nature soit possible, il suffit qu'ils puissent un tant soit peu se
distinguer, se séparer d'un fond indifférencié. *Le Semeur* de Van Gogh,
toile peinte en juin 1888, constitue un exemple de ce principe : même
si les couleurs du corps de l'homme semblent faire lien avec les teintes
fortes du sol travaillé, le semeur lui-même se détache avec netteté du
fond constitué par le champ, les blés dormants et le ciel plein de soleil.
Sous des conditions normales, un certain nombre de facteurs propres
au champ visuel concourent à faire qu'une forme soit stable et que
l'image perçue par le cerveau soit relativement constante. Il existe

---

4. Ce groupe s'inspire des idées de Brentano ; outre von Ehrenfels, il comprend
Meinong, Witasek et Benussi.

cependant des situations où fond et forme peuvent s'inverser. « Une figure ambiguë offre à l'observateur un *input*, stimulus pour lequel il existe deux ou plusieurs représentations tout à fait différentes et également bonnes, quels que soient les facteurs sur lesquels le système perceptuel s'appuie » (Attneave, 1971, p. 63). À ce sujet, on peut citer les deux figures et le vase de Edgar Rubin (1915) et *Le ciel et l'enfer* de Maurits C. Escher. Ces exemples curieux ne font que mettre en évidence le postulat de Koffka qui s'énonce ainsi : « La figure tire ses caractéristiques du fond sur lequel elle apparaît. Le fond sert de cadre où la figure est suspendue, et par là, la détermine... On peut démontrer que le fond est un cadre en analysant l'influence qu'il a sur la forme de la figure » (1935, p. 181).

La ségrégation des unités

Si une figure peut se détacher d'un fond uniforme, si l'attention peut isoler un être ou un objet dans un paysage ou sur un fond rempli d'objets, les chercheurs gestaltistes constatent de plus que la perception peut grouper, structurer, constituer des ensembles. En effet, les entités de la nature peuvent être des éléments disparates ou semblables, distancés ou rapprochés, que l'acte de percevoir ou des forces propres au champ perceptif organisent de manière à former des ensembles susceptibles de cohérence et de signification. Ainsi, quand à prime abord des éléments ne représentent pas un objet identifiable, ils ont tendance dans leur perception à s'unir de manière à faire paraître des contours qui pourront assez facilement prendre l'aspect d'un objet connu. Un des exemples significatifs à cet effet est encore le ciel étoilé, où les générations passées ont perçu des formes qu'on nomme aujourd'hui des constellations, comme le Cocher, le Cygne, Orion, le Verseau, etc.

Sur le plan de la perception auditive, il est intéressant de remarquer qu'une mélodie, un thème musical sont des touts qui se détachent d'un fond fait de silences, et que l'ensemble des notes constitue une forme reconnaissable. Puisque nous sommes en Allemagne, considérons la Symphonie n° 5 de Beethoven qui s'ouvre sur le fameux motif du destin. Ce début de mélodie est constitué de huit notes, ou éléments distincts, qui s'articulent de manière à produire un effet, une forme, bref une gestalt. Que l'on change une seule de ces huit notes, on modifie l'ensemble. Par ailleurs, lorsque dans le passé, nous avons entendu une mélodie,

> [...] si nous l'entendons de nouveau, la mémoire nous permet de la reconnaître. Cependant, quand elle est jouée dans une nouvelle tonalité,

qu'est-ce qui nous la fait reconnaître ? La somme des éléments est diffé-rente, mais la mélodie demeure la même ; parfois même on peut ne pas se rendre compte qu'une transposition a eu lieu (Wertheimer, 1950, p. 4).

FIGURE 11
Le motif du destin

Il semble donc que l'ordre des éléments, c'est-à-dire leur disposi-tion ou leur relation les uns par rapport aux autres, soit l'une des causes fondamentales de la naissance d'une forme, d'un tout dont les parties fournissent une réalité nouvelle. Tout comme la phrase n'appartient à aucune de ses parties, c'est-à-dire les mots, ainsi en est-il du thème du destin ; il émerge comme un tout, un ensemble intéressant et chatoyant pour l'oreille. Le tout est plus que la somme de ses parties.

L'organisation de la forme

À la suite des trois chefs d'argumentation que nous venons d'exposer, on pourrait aligner encore de nombreux cas tirés de situations courantes et se livrer à certaines explications pour montrer que plusieurs caracté-ristiques de la vision sont parties de l'œil et de l'esprit dont dépend la perception. Qu'il suffise à ce sujet de citer la perception de la profon-deur sur un tableau en deux dimensions, la constance des grandeurs, le mouvement induit, les illusions produites par plusieurs types de figures, et bien d'autres cas susceptibles de montrer la pertinence des lois de la théorie de la forme. Toutes ces recherches sur la perception dépassent le cadre du présent exposé, mais déjà les quelques exemples fournis illustrent le principe fondamental de la gestalt, dit loi de la « pré-gnance » (*Pragnanz*) ou loi de la bonne forme.

On peut la formuler ainsi : lors de la perception, l'organisation psychologique tend à se déplacer vers une direction plutôt que vers d'autres, selon les conditions qui prévalent à ce moment. On dit qu'elle tend vers la bonne forme. « L'organisation psychologique sera toujours aussi bonne que le permettent les conditions prévalentes. Dans cette définition, le mot « bon » est indéfini. Il inclut des propriétés comme régularité, symétrie, simplicité » (Koffka, 1935, p. 110).

Chez les théoriciens de la gestalt, le mot « organisation » est magique, comme le sont d'ailleurs ceux de « forme », « tout », « champ » et « forces », qui constituent les concepts de base nécessaires à la compréhension de la théorie. Selon eux, les forces du champ s'organisent et donnent lieu à des ségrégations, des articulations, à des regroupements, etc. Ce sont elles qui établissent le contour et la forme de la figure. En ce faisant, elles tendent à un équilibre de manière à façonner la forme la plus régulière, la plus symétrique, bref la meilleure forme. En d'autres termes, les forces qui agissent sur ou à l'intérieur de la configuration du stimulus concourent à organiser une bonne figure, selon la plus grande simplicité, clarté, uniformité, équilibre, stabilité, et la meilleure possible. Le champ sensoriel a tendance à imposer sa propre organisation. Les processus primaires de la perception visuelle, au lieu de reposer sur de petits mécanismes sensoriels séparés, constituent un phénomène total dans lequel les facteurs d'organisation interagissent dans un acte unique.

L'APPRENTISSAGE

L'insight

La gestalt qui devait tant ébranler les idées reçues ne tarde pas à donner de l'apprentissage une interprétation nouvelle. Au départ, les gestaltistes selon la tradition allemande donnent plus d'importance aux phénomènes de la perception qu'à ceux de l'apprentissage, qu'ils considèrent d'ailleurs comme secondaires. Mais « en Amérique, le soulier est ajusté à l'autre pied, l'attention se porte sur l'apprentissage » (Hilgard et Bower, 1966, p. 233). Certains auteurs sont d'avis cependant qu'on a trop longtemps négligé la relation qui doit nécessairement exister entre les deux domaines. Quoi qu'il en soit, déjà en 1924, *Growth of mind* de Koffka crée de l'agitation dans les milieux universitaires américains, en attaquant la théorie de Thorndike et le mode d'apprentissage par essais et erreurs. Pour expliquer l'apprentissage, son point de départ consiste à aborder le phénomène en y appliquant les lois d'organisation établies au sujet de la perception. Köhler s'y était livré avec rigueur, entre 1913 et 1920 aux îles Canaries auprès des singes supérieurs, et avait abouti à quelques-unes des expériences les plus significatives de l'histoire de la psychologie. La version anglaise de l'ouvrage qui en résulte en 1917, *The mentality of ape*, n'arrive aux États-Unis qu'en 1925, un an après celui de Koffka.

Les deux textes portent un coup dur au cœur de la théorie de Thorndike et atteignent en même temps le behaviorisme. Désormais, l'*insight*, mode intelligent d'apprentissage, s'élève avec fermeté devant le tâtonnement aveugle proposé par l'associationnisme. Thorndike avait décrit l'apprentissage par l'impression graduelle dans l'organisme des réponses correctes (*stamping in*) et le rejet progressif (*stamping out*) des réponses incorrectes. Quant à lui, Köhler est convaincu que les animaux sont plus intelligents que les expériences de Thorndike le laissent croire. Il met en place un type de problèmes qui suppose une réorganisation de la situation. Étant donné l'importance de l'expérience menée avec un grand singe nommé Sultan, laissons l'auteur de *The mentality of ape* en raconter lui-même le déroulement.

On met à la disposition de Sultan deux tiges de roseau fermes et creuses, comme celles que les animaux ont souvent employées pour attirer des fruits. L'un de ces bâtons est plus petit que l'autre de telle sorte qu'il peut être introduit à l'une ou l'autre extrémité du second. Au-delà des barres à l'extérieur de la cage, se trouve un objectif (une banane) placé juste assez loin pour que l'animal ne puisse l'atteindre avec l'un ou l'autre des deux bâtons. Ils sont presque de la même longueur. Néanmoins il met beaucoup d'efforts à tenter d'atteindre le fruit avec l'un ou l'autre des bâtons en engageant l'épaule droite à travers les barreaux de la cage. Au moment où tout semble vain, Sultan commet une mauvaise erreur… Il pousse une boîte du fond de la cage vers les barreaux ; puis l'écarte comme un objet inutile… Immédiatement il exécute certaines activités qui, bien qu'inutiles sur le plan pratique peuvent être considérées comme des erreurs positives : il pousse un des bâtons aussi loin qu'il peut à l'extérieur, puis saisit le second avec lequel il fait avancer le premier avec précaution vers l'objectif. Ceci ne réussit pas toujours, mais s'il s'en est approché de cette façon, il prend grand soin ; il pousse gentiment, surveille les mouvements du bâton posé sur le sol et voilà qu'il touche l'objectif du bout de ce bâton. Soudainement pour la première fois, le contact a été établi avec l'objet, et visiblement Sultan (en tant qu'humains nous pouvons sympathiser) ressent une certaine satisfaction d'avoir quand même tant de puissance sur le fruit qu'il peut toucher et mouvoir légèrement du bout du bâton. La manœuvre est répétée ; chaque fois que l'animal a poussé le bâton assez loin pour ne plus pouvoir le ramener par lui-même, on le lui rend. Mais bien qu'en essayant de diriger le bâton avec précaution, le bâton dans la main pousse celui sur le sol juste à l'endroit de l'ouverture de ce dernier (bambou creux) et qu'en procédant ainsi on pourrait imaginer que Sultan pourrait fixer les deux bâtons l'un dans l'autre, il n'y a aucune indication que ce soit de la possibilité d'une telle solution.

Finalement l'observateur fournit à l'animal une certaine indication en mettant un doigt dans l'ouverture sous les yeux de l'animal (sans pointer l'autre bâton). L'effet est nul. Sultan, tout comme auparavant, pousse un bâton vers l'objectif, au moyen de l'autre, et comme cette pseudo-solution finit par ne plus le satisfaire, il abandonne tous ses efforts et ne ramasse même plus les bâtons quand ils lui sont remis à l'intérieur de la cage. L'expérience a duré au-delà d'une heure ; elle est suspendue pour le moment et ne semble fournir aucun espoir de progrès sous cette forme. Comme nous soupçonnons qu'elle reprendra après un moment de repos, nous laissons Sultan en possession des bâtons ; le gardien demeure sur place pour surveiller Sultan.

Rapport du gardien : Sultan s'accroupit d'abord avec indifférence sur la boîte laissée un peu en arrière près de la clôture ; puis il se lève, ramasse les deux bâtons, se rassied sur la boîte, et insouciant il joue avec eux. Durant ce manège, il arrive un moment où il tient les deux bâtons en ligne droite ; il pousse le plus petit dans l'ouverture du plus grand, bondit vers la clôture à laquelle il avait tourné le dos jusque-là et commence à tirer le fruit vers lui avec le double bâton (1948, p. 125).

Cette description détaillée fait bien voir les différentes phases, par lesquelles l'animal passe avant d'arriver à la solution, et nous servira à établir les caractéristiques propres à une compréhension subite d'un problème.

Toutes les actions des animaux en train de résoudre un problème apparaissent comme des touts unifiés et résultent d'un examen attentif de la situation. Cette conclusion est carrément contraire à une explication basée sur la chance, qui soutient que l'exécution prompte et correcte d'une activité relativement complexe est toujours le résultat de la répétition fréquente des éléments mis ensemble à un moment donné par pur accident (Hartmann, 1935, p. 162).

On peut relever ici une des oppositions des gestaltistes à l'apprentissage par association.

D'autres problèmes adaptés à des chimpanzés par Köhler et par d'autres chercheurs après lui ont permis d'observer chez des singes supérieurs une période de tâtonnement variable, une phase très courte de réflexion, puis une vision quasi instantanée de la solution. D'après les tenants de la gestalt, nous sommes en présence d'un mode nouveau et évident d'apprentissage, phénomène qui se retrouve chez l'homme aussi bien que chez certains animaux supérieurs. On lui a donné le nom d'« *Einsicht*» qu'on traduit en langue anglaise par *insight*. On a pris l'habitude d'utiliser le terme *insight* en français, parce que le mot intuition, selon son acception ordinaire, prête à confusion.

On explique l'*insight* en faisant l'hypothèse d'une réorganisation de la situation, d'un changement dans l'ordre de ses parties. Köhler a voulu chercher une interprétation plausible à l'apprentissage par *insight* en y appliquant une hypothèse déjà utilisée au sujet de la perception. On se rappelle qu'une réorganisation prend forme au cerveau, grâce à un changement par lequel les états physiologiques du système nerveux adoptent une forme «isomorphique», ou équivalente à la situation externe. Il ne s'agit pas d'une copie point par point de la réalité, mais d'une certaine correspondance dynamique entre le champ visuel et les modèles d'excitation du cerveau. Cette hypothèse a donné lieu à des expériences menées par Köhler: elles consistaient à amplifier et à enregistrer des variations de potentiel du cortex cérébral, lorsque le champ visuel est modifié d'une manière ou d'une autre. Les résultats demeurent peu probants.

Cependant, si on revient au phénomène lui-même, il y a lieu de se demander quelles sont les caractéristiques qu'on peut déceler dans l'apprentissage par *insight*? La recherche qui s'est appliquée à cette question énumère quatre caractéristiques principales: a) le degré d'intelligence de l'organisme (Richardson, 1932, Köhler, 1925), b) le nombre et la qualité des expériences passées (Birch, 1945, Maier, 1930), c) l'arrangement des éléments dans le champ visuel (Jackson, 1942), d) la présence d'une période plus ou moins longue de tâtonnement, avant d'arriver à l'*insight* (Dodge, 1931). Certains de ces critères peuvent s'appliquer à d'autres modes d'apprentissage, à l'essai et erreur par exemple, et ne peuvent être considérés comme distinctifs. En 1927, un chef de file en psychologie animale, Robert Yerkes (1876-1956), s'attaque à ce problème par une analyse méticuleuse d'enregistrements filmés de la manière dont des jeunes gorilles résolvent certains problèmes. Il aboutit à une longue liste de critères habituellement ramenés à quelques-uns par les auteurs. Les trois principaux, plus facilement observables selon Köhler, demeurent les suivants: a) un moment de repos pendant lequel le sujet exécute une activité d'exploration visuelle qui précède la solution, b) la répétition presque immédiate de la solution, si le problème est présenté de nouveau après un premier *insight*, en raison de la disparition soudaine du temps exigé pour résoudre le problème, c) une généralisation de la solution trouvée par *insight* à d'autres problèmes analogues. Ces caractéristiques, même si elles n'apparaissent pas toujours évidentes, servent raisonnablement bien à distinguer l'*insight*, surtout lorsque le sujet est placé dans une situation ou devant un problème comportant un caractère global.

La pensée créatrice

Peu à peu le mouvement de la gestalt fait son chemin. Au sujet de la perception, il a mis au jour une interprétation nouvelle qu'on peut difficilement récuser. Les mêmes concepts transposés au domaine de l'apprentissage nous ont révélé l'*insight*. Il reste à aborder les phénomènes mentaux supérieurs qui, selon Köhler, sont demeurés méconnus jusqu'ici. Wertheimer s'intéresse à cette question dans le but de fournir au milieu scolaire de meilleures méthodes d'enseignement. À la fin des années 1930, il travaille sur le sujet et termine en 1943, quelques semaines avant de mourir, un manuscrit que des amis font paraître sous le titre de *Productive thinking* (la pensée créatrice). Wertheimer, intéressé aux méthodes utilisées à l'école, est d'avis qu'on propose aux jeunes des apprentissages ennuyeux et routiniers au détriment de la pensée créatrice, de la compréhension par *insight*. Wertheimer commence par se demander quels sont les processus de la pensée créatrice. Au moment où il aborde le problème, il semble n'exister que deux grandes voies : la logique traditionnelle retrouvée à l'intérieur du syllogisme déductif et l'associationnisme qui a produit le procédé d'induction propre aux sciences expérimentales. Ces deux démarches de l'esprit ne semblent pas rendre compte de ce qui arrive dans la réalité, quand un individu confronté à un problème en trouve la solution. L'ouvrage analyse un certain nombre de situations problématiques qui vont de problèmes géométriques assez simples à la théorie de la relativité, en passant par la découverte de la loi de l'inertie. Le texte s'attaque avec vigueur aux processus d'association chers à Thorndike et aux méthodes behavioristes. Il s'efforce de démontrer qu'à l'école à côté de l'enseignement par répétition, de l'application de formules à partir d'un exemple type, du transfert d'une solution (*blind solution*) à des problèmes semblables, il existe la sensibilisation à une situation, une conscience de l'ensemble des faits qui permet une compréhension globale. Il en résulte une attitude dynamique du sujet qui comprend une situation sous tous ses aspects et développe des « *insights* » dans les domaines connexes. Des exemples tirés de l'enseignement de l'aire d'un parallélogramme à des enfants du tout début du secondaire sont significatifs à ce sujet, car dans les problèmes de géométrie, « les tâches prennent place dans une région vitale, tout à fait claire, calme, pure et paisible. Ce sont des tâches dans lesquelles il est possible de procéder d'une manière transparente comme du cristal» (Wertheimer, 1959, p. 77).

Les implications pédagogiques d'un tel ouvrage attaquent certes de front les processus d'apprentissage par essai et erreur proposés par Thorndike et opposent l'apprentissage de type cognitif aux conclusions du fameux ouvrage, *Psychology of learning*, de Guthrie qui établissait les vues de l'associationnisme dans ses aboutissements extrêmes. Dans le contexte de la psychologie américaine, il ne s'agit de rien d'autre que d'une opposition entre le *cognitive learning* et le *connectionism learning*. L'*insight* étant beaucoup plus près du processus de compréhension globale que peut l'être l'association, qui suppose un apprentissage graduel dans le temps, on peut aisément imaginer qu'à partir du travail de Wertheimer, on met de plus en plus l'accent à l'école sur la compréhension. Les éducateurs reçoivent avec ferveur les méthodes basées sur la découverte, même si, quant à sa théorie fondamentale, le behaviorisme prend de l'expansion. Mettre l'accent sur la compréhension, c'est-à-dire sur une interprétation «organique plutôt que mécanique» (Duncker, 1935, p. 45) de l'apprentissage demeure certes l'une des meilleures contributions de la psychologie de la forme, bien que persistent des ombres au tableau sur la manière concrète dont se produit l'*insight* tant au point de vue psychologique que neurophysiologique.

COMMENTAIRE

Au point où nous en sommes, nous ne pouvons considérer la psychologie de la forme comme un phénomène isolé et porter un jugement à la lumière des idées émises par les principaux représentants de cette école. Il s'agit à son origine d'un mouvement philosophique, qui a grandi en psychologie par opposition à plusieurs autres.

En premier lieu, face au maître de Leipzig qui continue en 1912 d'analyser les sensations considérées comme des éléments de conscience, l'illustre trio de Francfort fait la preuve qu'il faut abandonner ce démembrement, cet élémentarisme, puisque des expériences fort convaincantes manifestent le caractère global de la perception. La diffusion rapide des idées de la psychologie de la forme déclenche en Allemagne la révolution idéologique qu'a décrite Hochberg (1957).

En second lieu, face au behaviorisme, le succès est moins spectaculaire. Le ferment déposé en terre américaine, lors de l'arrivée des maîtres de la gestalt, ne semble pas faire bouger beaucoup les idées. Wertheimer, Koffka et Köhler sont reçus avec sympathie dans les universités, écoutés avec attention, mais à peine compris : le behaviorisme est en pleine montée ; l'opposition à l'analyse des sensations et à l'élémentarisme de Wundt n'est plus une question qui intéresse les Américains ; même le structuralisme de Titchener est dépassé.

Bien que l'enseignement de la psychologie de la forme ne semble pas s'ajuster à la mentalité de l'époque, il demeure qu'un bon nombre d'intellectuels aux États-Unis sont attentifs à des questions essentielles non abordées par les maîtres du behaviorisme. Trois centres d'étude et d'enseignement sont fondés, l'un au Collège Smith par Koffka, le deuxième à la New School for Social Research de New York par Wertheimer, le troisième au Collège Swarthmore par Köhler. De son côté, Kurt Lewin rejoint ses collègues et inaugure en 1944 un centre de recherche en dynamique de groupe au Massachusetts Institute of Technology. La présence des psychologues de la gestalt aux États-Unis permet toutefois à cette école de pensée de recruter des adeptes. Des chercheurs comme Hans Wallach, D.N. O'Connell et Ulric Neisser (1953) posent le problème de la perception spatiale et font la démonstration du rôle important joué par la mémoire dans une telle situation. Mary Henle (1957, 1962), Fritz Heider (1958), Rudolf Arnheim (1954) et W.C.H. Prentice (1959) reprennent les enseignements des fondateurs du gestaltisme tout en explorant de nouvelles avenues.

La psychologie de la forme, même si elle a l'avantage de s'appuyer sur une grande tradition intellectuelle, n'a jamais pu atteindre en Amérique les sommets auxquels est parvenu le behaviorisme. Les deux mouvements progressent en parallèle sans beaucoup s'influencer l'un l'autre. Ils sont d'ailleurs assez différents sur le plan des perspectives idéologiques : la psychologie de la forme reste cognitive face à une psychologie associationniste ; elle donne de la réalité une explication holistique opposée à une explication atomistique ; elle tend au nativisme plutôt qu'à l'« environnementalisme » ; elle conserve une approche phénoménologique contre une approche froidement positive ; elle revient enfin à un mode de connaissance où le sujet et l'objet sont réunis de préférence à une analyse objective de la réalité. Bref, au fond deux philosophies s'affrontent. À l'occasion d'un congrès de l'American Psychological Association, où les behavioristes et les gestaltistes exposent leur point de vue, William D. Hitt a relevé vingt propositions dont dix formulées par des auteurs behavioristes sont la négation pure et simple de dix autres propositions exprimées par les partisans de la psychologie de la forme. Il en fit un article intitulé « Two models of man » paru dans *American Psychologist* (Hitt, 1969, p. 652).

Bien que, de 1930 à 1960, la gestalt ait vraiment peu ébranlé le credo des psychologues américains, il reste qu'au moment où le behaviorisme montre des signes de vieillissement, plus précisément lorsque le concept d'« information » fait son entrée, les problèmes se posent en termes nouveaux. Les théoriciens de la psychologie de la forme attirent des chercheurs isolés qui désirent poursuivre des études sur l'attention, la mémoire et l'image mentale. Dans cet esprit, on voit Neisser entretenir beaucoup de sympathie pour la gestalt et en particulier pour le travail de Koffka ; Bower (1978), Mandler (1967, 1968), Tulving (1968) reviennent à l'approche de Katona, fidèle disciple de Wertheimer ; enfin, Newell et Simon, dont nous aurons l'occasion de parler au chapitre de l'intelligence artificielle, sont attirés par les recherches de Duncker (1945) et Wertheimer (1959) sur la résolution de problèmes. Ces sympathies, entre plusieurs autres non rapportées ici, manifestent que la gestalt est en terre américaine comme une semence qui, le climat étant devenu plus favorable, donnera naissance à une plante qui fera ombrage au behaviorisme.

II. Une psychologie
de l'intelligence

CHAPITRE 12 **Préliminaires**

En dépit de son insistance sur les processus internes de l'organisme pour expliquer la perception et l'apprentissage, la psychologie de la forme n'a pas réussi à résoudre le dilemme entre l'hérédité et le milieu. Tout au plus le nativisme acquiert-il un certain nombre d'arguments en sa faveur sans ébranler pour autant l'orthodoxie behavioriste qui a dominé la psychologie de 1920 à 1960. Une théorie différente, riche d'explications nouvelles quant aux rapports à établir entre l'inné et l'acquis, s'élabore grâce à Jean Piaget, une figure dominante de la psychologie contemporaine.

APPRENTISSAGE ET DÉVELOPPEMENT

On s'étonnera sans doute de rencontrer un psychologue du développement au milieu d'un exposé historique sur les théories de l'apprentissage. En effet la recherche piagétienne ne vise pas en premier lieu la modification du comportement. C'est pourquoi la majorité des auteurs qui publient en langue anglaise ont l'habitude de laisser Piaget simplement de côté dans des ouvrages comme *Theories of learning*. Certaines raisons, cependant, et des circonstances particulières militent pour une dérogation à la coutume nord-américaine. Même si le concept d'apprentissage constitue chez nous un domaine en lui-même distinct, un ensemble conceptuel exclusif en regard des autres branches de la psychologie que sont le développement et l'affectivité, il n'en demeure pas moins que Jean Piaget, par l'étendue de sa description des comportements de l'enfant et l'extension de son interprétation des phénomènes observés, couvre un champ théorique qui s'étend bien au-delà de ce qu'on considère habituellement comme la sphère légitime du développement. Ses explications théoriques abordent les méca-nismes internes de la connaissance et pénètrent dans ce qui paraissait en 1960 le champ clos de la psychologie américaine. À cette époque, on accueillit assez mal ses découvertes initiales ; « on remit en cause ses résultats, on ridiculisa et on rejeta ses interprétations... Piaget passait aux États-Unis pour un vieil original qui parlait aux enfants de la nature et du monde physique, sur les berges des lacs suisses » (Elkind, 1977, p. 25).

C'était un jugement prématuré. Piaget ne faisait pas que parler aux enfants ; il les observait avec une attention et une minutie inégalées jusque-là. Il se dégage de ses observations et de ses interprétations une conception de l'apprentissage large et éclairante, comme le montrent ses ouvrages ainsi que le débat[1] tenu en 1975 à l'Abbaye de Royau-mont, au nord de Paris, entre Jean Piaget et Noam Chomsky auquel participèrent une trentaine de savants venus de différents pays.

Une deuxième raison de ne pas ignorer Jean Piaget réside sans doute dans le fait que sa théorie intéresse les psychopédagogues et les pédagogues à tous les niveaux du système scolaire, en particulier au Québec où ces praticiens de l'enseignement accordent une place d'honneur à la théorie du développement du psychologue genevois.

Enfin, en regard du problème soulevé dans notre introduction sur l'origine de la connaissance, Piaget tente à sa manière de faire res-sortir le caractère trop exclusivement mécaniste de certaines concep-tions de la tradition associationniste aussi bien que l'aspect trop exclusivement nativiste de la psychologie de la forme, en s'interrogeant d'une façon nouvelle sur les rapports qui existent entre les structures biologiques et les structures cognitives. Il s'ensuit que la théorie de Jean Piaget déborde le domaine du développement et livre des aperçus théo-riques non seulement sur les mécanismes de l'acquisition de la connais-sance, mais aussi sur les processus internes de la modification du comportement.

---

1. Les discussions qui se sont tenues du 10 au 13 octobre 1975 entre Jean Piaget et Noam Chomsky marquent une date sans précédent dans le développement des sciences de l'homme. Massimo Piattelli-Palmarini, directeur du Centre Royaumont, en a recueilli les propos dans un livre intitulé *Théories du langage Théories de l'apprentissage* paru aux Éditions du Seuil.

En outre, même si Piaget peut à bon droit trouver place parmi les théoriciens de l'apprentissage, il semble opportun de prévenir ici le lecteur : on ne peut prétendre en quelques pages contenir toutes les avenues ouvertes par la théorie de l'épistémologie génétique que son auteur a élaborée en une trentaine de volumes au cours de quarante ans de sa vie. Le présent exposé se bornera à tracer les lignes maîtresses de cette structure théorique et, en même temps, à en expliquer quelques notions essentielles de manière à servir de guide à ceux qui abordent l'œuvre de Piaget.

Selon le mode adopté jusqu'ici, nous faisons d'abord connaissance avec ce savant, puis nous présentons l'épistémologie génétique sous trois aspects distincts : un chapitre est consacré à l'approche particulière de Piaget et à l'explication de quelques concepts de base ; puis nous passons à la description des phases du développement de l'intelligence ; enfin un dernier chapitre s'applique à dégager la conception d'apprentissage propre à cette théorie.

JEAN PIAGET (1896-1980)

Jean Piaget est né le 9 août 1896 à Neuchâtel en Suisse. Enfant, il manifeste un goût marqué pour l'observation de la nature ; dès « l'âge de dix ans, il découvre un spécimen rare de moineau partiellement albinos et écrit une note qu'il envoie à un journal scientifique. Le journal la publie et c'est le premier d'une longue série d'articles et de plus d'une trentaine de livres » (Elkind, 1977, p. 18). Puis, durant les loisirs que lui laissent ses cours au lycée, il s'adonne avec passion à l'étude des mollusques. Cet intérêt ayant été remarqué, il se voit offrir à l'âge de seize ans « le poste de conservateur de la collection de mollusques du musée de Genève, offre qu'il dut refuser, n'ayant pas encore achevé ses études secondaires » (Elkind, 1977, p. 19). Les sciences de la vie ne le détournent pas pour autant de problèmes plus profonds posés à son esprit dans le domaine de la foi et de la philosophie au sein même de son foyer.

> Quand j'eus 15 ans, dit-il, ma mère[2], protestante dévote, insista pour que je m'inscrive à ce qu'on nomme à Neuchâtel 'l'instruction religieuse'. Il s'agissait d'un cours de six semaines sur les fondements de la

---

2. Jean Piaget a dit de sa mère qu'elle était « très intelligente, énergique et d'une grande bonté » ; il ajoute cependant : « notre vie familiale fut quelque peu troublée par son penchant à la névrose » (Piaget, 1968, p. 237).

doctrine chrétienne. Mon père, d'autre part, n'allait pas à l'église (Piaget, 1968, p. 239).

Or, comme beaucoup d'étudiants de cet âge, Piaget est aux prises avec la poursuite d'une synthèse intellectuelle capable d'unifier l'ensemble des connaissances humaines. Sa recherche demeure écartelée entre les données de la biologie et celles de la Bible, entre les méthodes empiriques de la science expérimentale et le raisonnement déductif de la théologie et de la philosophie. Dans sa quête de la vérité, il découvre par hasard dans la bibliothèque familiale l'ouvrage d'Auguste Sabatier, propagateur d'un protestantisme libéral, dont les idées avoisinent celles de Loisy[3]. Ce livre intitulé *Esquisse d'une philosophie de la religion d'après la psychologie et l'histoire* (1897), qui réduit les dogmes à des symboles, a le don malgré tout d'apaiser les inquiétudes du jeune homme.

Le calme retrouvé est d'assez courte durée, car Jean Piaget ne tarde pas, selon sa propre expression, à être saisi d'une « seconde crise ». Invité au lac d'Annecy en Haute-Savoie, le jeune chercheur qu'il est déjà passe des vacances auprès de son parrain, Samuel Cornut, un Grison de langue romanche épris de lettres et de philosophie. Ce dernier juge l'orientation intellectuelle de son filleul trop limitée, trop exclusivement enfermée dans une branche de la biologie. Au cours de promenades en forêt et d'excursions de pêche, il initie le jeune homme à un système philosophique qui tente d'unifier le mouvement libre et créateur de la nature avec la vie de l'esprit. Cette métaphysique inspirée de Bergson, recueillie en même temps que des observations sur les mollusques de la région d'Annecy, a le don d'ouvrir à Jean Piaget un horizon nouveau. De retour à Neuchâtel, il reçoit de son parrain, avec la dédicace « En souvenir de nos conversations », l'ouvrage de Bergson, *L'évolution créatrice* (1907), source des propos de Samuel Cornut. Piaget déclarera plus tard : « C'était la première fois que j'entendais parler de philosophie par quelqu'un qui n'était pas théologien. Je dois admettre que le choc fut terrible » (Piaget, 1968, p. 240). Après cette rencontre avec Bergson, ses lectures se dirigent vers Kant, Spencer et Comte en philosophie, James, Ribot et Janet en psychologie.

« À vingt et un ans, il obtient le grade de licencié ès sciences naturelles et, l'année suivante, celui de docteur ès sciences avec une thèse

---

3. Exégète aux positions singulièrement critiques, Alfred Loisy (1857-1940) est un ecclésiastique dont le nom rappelle la crise du modernisme à l'intérieur de l'Église de France.

consacrée à la répartition des mollusques dans les Alpes valaisannes »
(Schwebel et Raph, 1976, p. 277). En dépit de ce succès, la biologie ne
l'occupe que partiellement. Après l'obtention de son doctorat, Jean
Piaget passe six mois à travailler dans une clinique psychiatrique de
Zurich. En 1920, on le retrouve à Paris au laboratoire de Binet[4] où
germe en lui l'idée d'une orientation nouvelle. Il raconte qu'il a souvent pensé « à l'époque consacrer quelques années à la psychologie de
l'intelligence et revenir ultérieurement à des problèmes de biologie et
de théorie de la connaissance » (Gréco, 1972, p. 22). De plus en plus
une question le hante, bien qu'elle ait été posée à toutes les époques,
celle de savoir ce qu'est l'intelligence. Il lui semble qu'il faut l'aborder
par une voie différente. À ce sujet, Albert Einstein a dit de Piaget : « Il
eut une idée de génie d'une extrême simplicité », appliquer à la connaissance de l'intelligence la méthode de l'observation utilisée en sciences
de la nature. L'entraînement acquis à l'étude des mollusques

> [...] me fut, dit Piaget, extrêmement utile pour mes investigations psy-
> chologiques ultérieures et m'a préparé à un mode de penser à la fois en
> termes d'adaptation à l'environnement et en termes de développement
> ultérieurement réglé du côté du sujet (Piaget, 1969, p. 253).

En 1921, Piaget toujours à Paris reçoit de Genève une lettre
signée du grand psychopédagogue, Édouard Claparède, qui l'invite à
venir poursuivre ses recherches et à enseigner à l'Institut Jean-Jacques
Rousseau. Enthousiasmé par cette offre, il s'embarque pour Genève
dans un train qui le ramène vers sa patrie. L'orientation est donnée.
Désormais Jean Piaget poursuivra avec une rigueur et une originalité
étonnantes ses recherches en psychologie de l'enfant sans aucun
diplôme en ce domaine.

---

4. En 1920, au moment où Piaget entre au laboratoire de Binet (1857-1911), c'est le
collaborateur de ce dernier, Théodore Simon (1873-1961), qui en a repris la direction. Comme à cette époque Simon habite Rouen et ne peut travailler au laboratoire
que d'une manière irrégulière, Piaget s'y trouve assez libre de mener à son gré ses
propres expériences.

CHAPITRE 13 Perspective théorique

À titre d'entrée en matière, afin de mieux comprendre les mécanismes du développement de l'enfant tels qu'exposés étape par étape par Piaget, il est opportun de montrer l'orientation première de ce psychologue d'expression française et d'explorer quelques-uns des concepts qu'il a élaborés pour édifier sa théorie.

Il s'est posé, a-t-on dit, la question essentielle : « Qu'est-ce que l'intelligence ? ». Le problème ainsi formulé pouvait, une fois de plus, soit aboutir à une conclusion d'ordre métaphysique comme en témoigne l'histoire de la philosophie, soit être simplement écarté au nom de la rigueur scientifique selon la méthode behavioriste. Pour sa part, Jean Piaget n'hésite pas à aborder l'intelligence comme un phénomène de la nature et à y appliquer les méthodes des sciences expérimentales. Tournée sous toutes ses faces, la question devient : « Comment se construisent les connaissances ? » Puis posée à la manière des anciens : « D'où nous viennent les connaissances ? » En définitive, Piaget cherche selon quelles lois la connaissance se développe et se transforme. L'orientation qu'il donne est donc celle du développement et de la signification de la connaissance. Or, quand il se réfère à cette démarche, il prend régulièrement l'expression d'« épistémologie génétique » : d'une part, sa recherche est épistémologique, parce qu'elle procède à une analyse critique des processus fondamentaux de l'acquisition de la connaissance ; d'autre part, elle est génétique par sa méthode autant que par sa problématique, car elle cherche à démontrer la formation progressive de l'intelligence par la description des modes d'apparition des structures cognitives. C'est pourquoi il ne s'agit pas de la connaissance envisagée sur un plan statique, mais bien de chercher comment se construisent les diverses formes internes d'activités spécifiques de l'intelligence, c'est-à-dire « les moyens dont l'esprit se sert pour aller du plus bas niveau de la connaissance à son étape jugée la plus achevée » (Piaget, 1977, p. 37).

Par ailleurs, les grandes réalités du monde objectif que, depuis Descartes, nous avons été habitués à placer dans l'environnement, à l'extérieur de nous, font en un certain sens partie intégrante, selon Piaget, des structures cognitives à mesure que ces dernières se développent. La connaissance est une opération qui construit son objet. C'est pourquoi Piaget refuse toutes les formes d'empirisme qui consistent à regarder la connaissance comme le reflet ou le miroir du monde extérieur, comme il refuse aussi toutes les formes d'idéalisme et de nativisme selon lesquelles la connaissance ne serait qu'une projection sur le monde réel de structures mentales issues de l'hérédité. Au contraire, l'intelligence humaine devient avec lui un système d'opérations vivantes qui s'adapte, l'aboutissement d'un procédé biologique ; elle a dû, pour arriver à son état de maturité présente chez l'adulte, passer à travers les transformations de l'évolution des espèces, la succession des civilisations de l'histoire humaine, les phases de vingt années de développement du nourrisson jusqu'à la personne mûre. À tous les niveaux, l'adaptation est manifeste.

> Toute conduite, qu'il s'agisse d'un acte déployé à l'extérieur, ou intériorisé en pensée, se présente comme une adaptation, ou, pour mieux dire, comme une réadaptation. L'individu n'agit que s'il éprouve un besoin, c'est-à-dire si l'équilibre est momentanément rompu entre le milieu et l'organisme, et l'action tend à rétablir l'équilibre, c'est-à-dire précisément à réadapter l'organisme[1]. Une conduite est donc un cas particulier d'échange entre le monde extérieur et le sujet (Piaget, 1947, p. 8).

La méthode fondamentale d'approche utilisée par Piaget provient de son expérience de la nature. La biologie lui a appris qu'il faut regarder les mollusques et tous les organismes vivants, quelle que soit leur espèce, comme en interaction continuelle avec l'environnement. Appliquée au développement de l'intelligence, cette méthode lui permet de penser que les connaissances ne s'acquièrent pas par une addition d'éléments provenant de l'extérieur, mais qu'au contraire elles s'organisent, se structurent, se construisent par une interaction du sujet connaissant

---

1. Édouard Claparède (1917) a montré qu'un besoin est toujours la manifestation d'un déséquilibre.

et de l'objet à connaître, bref par un échange constant entre le sujet et l'environnement. «Je ne connais l'objet, dit Piaget, qu'en agissant sur lui et je ne peux rien affirmer de lui avant cette action...» (Gréco, 1972, p. 24). S'exprimer en ces termes revient à mettre en valeur le caractère vivant et agissant de l'intelligence; celle-ci n'est «qu'un terme générique désignant les formes supérieures d'organisation ou d'équilibration des structures cognitives» (Piaget, 1947, p. 12).

Ces remarques générales étant faites, il nous semble utile, avant d'aborder chez Piaget les périodes de l'évolution de l'enfant vers la maturité et pour bien lire son œuvre, d'examiner quelques-uns des concepts de base de cette théorie. Comme beaucoup de psychologues intéressés aux mécanismes de la connaissance, Piaget distingue l'aspect structural et l'aspect fonctionnel des mécanismes cognitifs, mais, pour sa part, il considère qu'au cours du développement les structures cognitives évoluent, tandis que les fonctions cognitives (l'organisation et l'adaptation), remplies par la structure, sont invariantes:

> [...] entre l'enfant et l'adulte, on assiste à une construction continue de structures variées quoique les grandes fonctions de la pensée demeurent constantes. Or ces fonctionnements invariants rentrent dans le cadre des deux fonctions biologiques les plus générales: l'organisation et l'adaptation (Piaget, 1966, p. 11).

D'une manière constante, Piaget présente ces deux notions comme liées d'une manière indissociable (Figure 12): «Ce sont les deux processus complémentaires d'un mécanisme unique» (Piaget, 1966, p. 13).

L'organisation, bien qu'étant un invariant fonctionnel, appartient à la structure, alors que l'adaptation appartient à la fonction. Voilà un paradoxe propre à cette distinction piagétienne: même si les structures varient, l'organisation demeure la même tout au long du développement. Quant à l'adaptation, selon les biologistes, elle assure l'équilibre entre l'organisme et le milieu, mais ici Piaget discerne des degrés: il y a, selon lui, une adaptation-état (ce serait celle définie par la biologie) et une adaptation-processus. Cette dernière se produit, quand «l'organisme se transforme en fonction du milieu, et que cette variation a pour effet un accroissement des échanges entre le milieu et lui favorables à sa conservation» (Piaget, 1966, p. 11).

Pour saisir les rapports de l'intelligence avec «la vie en général il s'agit donc de préciser quelles relations existent entre l'organisme et le milieu ambiant» (Piaget, 1966, p. 10). Ces relations se traduisent par une interaction continuelle entre le sujet et l'objet qui mène à une

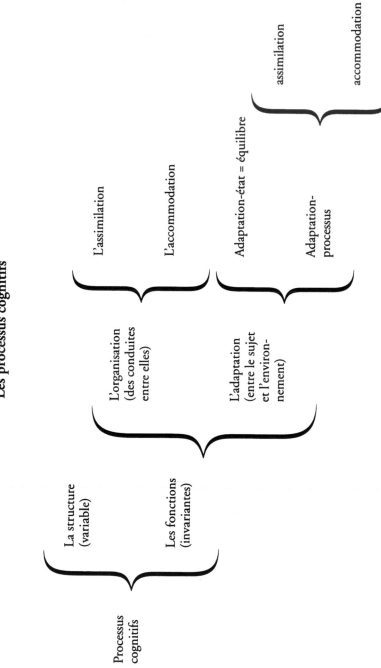

FIGURE 12
Les processus cognitifs

équilibration progressive et, bien sûr, à la connaissance. La connaissance ne peut se produire sans qu'en même temps existent du côté des structures une organisation toujours plus complexe des conduites et, d'un autre côté, une adaptation du sujet à son milieu. Ce double mécanisme opère aussi bien au niveau pratique de l'intelligence sensorimotrice qu'au niveau des opérations intellectuelles proprement dites. En d'autres termes, une conduite nouvelle manifestera une organisation plus poussée au plan des structures cognitives, et d'autre part, un meilleur équilibre quant aux échanges avec le milieu.

On constate déjà ici qu'une conduite ou, si on préfère, une réaction de l'organisme à un objet de l'environnement, ne peut être perçue comme une réponse mécanique à une stimulation externe, à la manière des théoriciens de l'associationnisme, mais comme une réaction qui engage les structures internes d'un être vivant. En ce sens, le stimulus ne peut être considéré comme une entité complètement située à l'extérieur de l'organisme; il est intimement lié à la structure interne de l'organisme au point d'être « assimilé » par elle.

> Tout comme les termes organisation et adaptation, ceux de
>
> [...] assimilation» et «accommodation» constituent les termes techniques de deux notions essentielles à la compréhension des opérations de l'intelligence en développement. Au sens large, on peut appeler assimilation «l'action de l'organisme sur les objets qui l'entourent, en tant que cette action dépend des conduites antérieures portant sur les mêmes objets ou d'autres analogues. En effet, tout rapport entre un être vivant et son milieu présente ce caractère spécifique que le premier, au lieu d'être soumis passivement au second, le modifie en lui imposant une certaine structure propre (Piaget, 1947, p. 13).

Pour exprimer ce mode de rapport entre le sujet et l'objet, Piaget compare l'action psychique de l'être qui connaît à l'action physiologique de l'organisme qui impose des transformations à des substances externes. Même si la digestion ne constitue qu'un type primaire d'assimilation assez différent du type de modification que l'intelligence fait subir à l'objet connu, il n'en demeure pas moins que ce dernier, à l'opposé du stimulus, est en quelque sorte incorporé à la structure agissante de l'organisme et en devient une partie fonctionnelle. Déjà le terme «connaître» doit être compris dans le sens général d'acquisition de structures nouvelles d'opération et ne se confine pas à ne recouvrir que le concept signifiant «acquérir des connaissances sur le plan intellectuel». C'est pourquoi il n'existe pas d'ambiguïté à parler d'intelligence sensori-motrice. À ce niveau, connaître, c'est construire une forme d'activités nouvelles, assimiler une structure d'action, bref un « schème » selon l'expression même de Piaget.

Si, par l'assimilation, tout organisme vivant agit sur le milieu et lui impose une structure particulière, Piaget constate en retour une action inverse du milieu sur les structures organiques, action qu'il nomme l'accommodation. Étant entouré de corps qui agissent continuellement sur lui, l'être vivant subit cette action du milieu, mais jamais d'une manière toute passive. « Cela signifie que le milieu ne provoque pas simplement l'enregistrement d'empreintes ou la formation de copies, mais qu'il déclenche des ajustements actifs » (Piaget, 1967, p. 25). En effet, un schème d'assimilation doit nécessairement s'adapter ou s'accommoder aux objets qu'il assimile. C'est par l'accommodation que le schème se différencie au contact des objets de l'environnement. Aussi « par le fait même que l'assimilation et l'accommodation vont toujours de pair, le monde extérieur, ni le moi ne sont jamais connus indépendamment l'un de l'autre » (Piaget, 1966, p. 124). Voilà pourquoi il ne saurait y avoir d'assimilation sans accommodation. Grâce à l'action conjointe de ces deux phénomènes, l'organisme à tous les niveaux s'adapte à son milieu et réalise ainsi progressivement son équilibre. Le processus d'équilibration, jusqu'à ce qu'il atteigne l'aboutissement final d'un état stable vers l'âge de quinze ans, demeure toujours éphémère entre l'univers d'une part et les structures organiques ou cognitives d'autre part, puisque, sur le plan de la connaissance, une simple question peut rompre l'équilibre et une réponse trouvée le rétablir.

> L'adaptation organique n'assure, en effet, qu'un équilibre immédiat, et par conséquent limité, entre l'être vivant et le milieu actuel. Les fonctions cognitives élémentaires, telles que la perception, l'habitude et la mémoire la prolongent dans le sens de l'étendue présente (contact perceptif avec les objets distants) ... Seule l'intelligence, capable de tous les détours par l'action et la pensée, tend à l'équilibre total (Piaget, 1947, p. 14)

en débarrassant les structures cognitives des entraves des premiers stades qui empêchaient l'intelligence de prendre son essor.

Piaget assigne à cette notion d'équilibration, en opposition à celle d'équilibre qui suppose une certaine stabilité, le sens d'un processus dynamique de régulation interne, comme si l'organisme vivant était toujours à la poursuite d'une adaptation plus parfaite, c'est-à-dire d'un meilleur équilibre.

Si Piaget introduit un facteur d'équilibration 'majorante' pour rendre compte du développement, c'est qu'il n'attribue le progrès des connaissances ni à une programmation héréditaire (rôle du sujet seul) ni à un entassement d'expériences (rôle du milieu seul) mais à l'interaction continuelle du sujet structuré, c'est-à-dire en possession de conduites organisées, avec un milieu également structuré. Cela signifie que le sujet n'est pas d'emblée préadapté à tout l'univers (Legendre-Bergeron, 1980, p. 75).

Facteur principal de développement, l'équilibration passe donc par différents paliers de régulation dont les plus importants sont le sensori-moteur, le perceptif, le représentatif et l'opératoire.

Tout en progressant vers des niveaux d'équilibre de plus en plus stables, le sujet construit au contact de la réalité différentes structures d'action appelées « schèmes ». Une définition satisfaisante consisterait à considérer un schème comme une forme de comportement qui se structure à l'intérieur de l'organisme. Le glossaire de Furth le définit « une forme interne générale d'une activité spécifique de connaissance » (Furth, 1969, p. 264). Quant à Piaget, il en fait ressortir l'aspect dynamique : « Nous appellerons schèmes d'actions, dit-il, ce qui, dans une action, est ainsi transposable, généralisable ou différenciable d'une situation à la suivante, autrement dit, ce qu'il y a de commun aux diverses répétitions ou applications de la même action » (Piaget, 1967, p. 23). Durant la période sensori-motrice, les termes « connaître » et « connaissance » n'impliquent aucune acquisition consciente et réfléchie. À ce niveau, néanmoins, Piaget discerne déjà dans les schèmes d'action de l'enfant des structures partiellement isomorphes, apparentées aux formes logiques des stades supérieurs. Il les décrit comme les ébauches sur le plan pratique des modes d'acquisition des processus d'équilibration.

Une fois que l'enfant est passé du plan de l'action à celui de la représentation pour accéder, vers l'âge de 6 ou 7 ans, à un palier où il construit de nouveaux instruments analogues aux schèmes d'action, il atteint alors les opérations ; ce sont des actions intériorisées et généralisables qui possèdent deux caractéristiques : en premier lieu, elles impliquent une structure dont l'activité n'a pas besoin d'être extériorisée comme à la période sensori-motrice ; en second lieu, ce sont des actions réversibles « pouvant se dérouler dans les deux sens et par conséquent comportant la possibilité d'une action inverse qui annule le résultat de la première » (Piaget, 1972, p. 79), comme dans le cas de la soustraction en regard de l'addition.

Enfin, Piaget définit trois périodes de développement qu'il subdivise en stades durant lesquels l'enfant parachève des séquences d'activités spécifiques, des structures originales dont la construction différencie un stade du précédent. Ces stades de développement ne sont pas arbitraires ; leur découpage se définit selon des conditions que Piaget détermine ainsi :

> 1° que la succession des conduites soit constante indépendamment des accélérations ou des retards qui peuvent modifier les âges chronologiques moyens en fonction de l'expérience acquise et du milieu social ; 2° que chaque stade soit défini non par une propriété simplement dominante mais par une structure d'ensemble caractérisant toutes les conduites nouvelles propres à ce stade ; 3° que ces structures présentent un processus d'intégration tel que chacune soit préparée par la précédente et s'intègre dans la suivante (Piaget, 1967, p. 37).

Ainsi, la période sensori-motrice comprend six stades et s'étend de la naissance à l'apparition du langage, soit de 0 à 18-24 mois. La deuxième période, dite de préparation et d'organisation des opérations concrètes, couvre l'enfance entière, de 18-24 mois à 12 ans. Selon la coutume adoptée par Piaget, nous la divisons en deux : la sous-période préopératoire et la sous-période des opérations concrètes. À partir de 12 ans, fait suite durant l'adolescence la période des opérations formelles. Nous reprenons ci-dessous, d'une manière schématique, les principales étapes du développement de l'enfant avec l'âge approximatif de leur apparition telles que Piaget a l'habitude de les présenter.

Le développement de l'enfant

1°) La période sensori-motrice (de 0 à 18-24 mois).
   A) L'exercice des réflexes (de 0 à 6-8 semaines).
   B) L'apparition des premières habitudes (de 6-8 semaines à 4 mois).
   C) La préhension intentionnelle (de 4 à 8-9 mois).
   D) La coordination des moyens et des buts (de 8-9 mois à 11-12 mois environ).
   E) La découverte de moyens nouveaux (de 11-12 mois à 18 mois environ).
   F) L'invention de moyens nouveaux (de 18 à 24 mois environ).

2°) La sous-période préopératoire (de 2 à 7 ans).
   A) Le stade symbolique (de 2 à 4 ans).
   B) Le stade intuitif (de 4 à 7-8 ans).

3°) La sous-période des opérations concrètes (de 7-8 ans à 11-12 ans).

4°) La période des opérations formelles (de 11-12 ans à 15 ans).

CHAPITRE 14 Le développement de l'enfant

À l'intérieur du sein maternel, tous les êtres humains se sont trouvés assez également bien chauffés, nourris et logés, mais lorsque le petit de l'homme est projeté dans notre monde, il est la créature la plus démunie de toutes les espèces animales : quelques réflexes, en particulier celui de la succion, quelques cris, des gestes saccadés et des attitudes sont tout le bagage du nouveau venu pour son voyage sur la planète. Avec cet équipement forcément rudimentaire, le nourrisson s'apprête à faire partie des êtres les plus doués de la création, à devenir un animal raisonnable.

Dès les premiers jours, il n'existe aucune indication qui permette de croire que l'enfant peut faire une distinction quelconque entre lui et son environnement immédiat. Au contraire, l'hypothèse la plus plausible consiste à croire, selon Piaget, que l'enfant se sent au centre d'un univers flou, habité par aucune représentation précise, pas même celle de sa mère ou d'un objet quel qu'il soit. Ce serait une grave erreur de s'imaginer que la perception du nourrisson se compare à celle de l'adulte au triple point de vue physiologique, affectif et mental. Pour lui, l'univers se réduit à une réalité à sucer. À partir de ce schème, on en verra d'autres se superposer et se construire graduellement.

L'intelligence n'apparaît nullement, à un moment donné du développement mental, comme un mécanisme tout monté, et radicalement distinct de ceux qui l'ont précédé. Elle présente, au contraire, une continuité remarquable avec les processus acquis ou même innés ressortissant à l'association habituelle et au réflexe, processus sur lesquels elle repose tout en les utilisant. Il convient donc, avant d'analyser l'intelligence comme telle, de rechercher comment la naissance des habitudes et même l'exercice du réflexe en préparent la venue (Piaget, 1966, p. 25).

Mais avant d'aborder la description de ces périodes de développement, il est opportun de rappeler que l'apparition de chacun de ces stades peut varier considérablement selon les sujets, les milieux et les époques. L'ordre dans lequel les stades se succèdent est constant, mais non le moment de leur apparition. Voilà pourquoi les notations indiquant l'âge, après les titres des phases de développement, peuvent être différentes d'un enfant à un autre et, à plus forte raison, d'un pays à un autre.

LA PÉRIODE SENSORI-MOTRICE

Exercice des réflexes (de 0 à 1½ mois)

On a dit parfois que l'enfant à la naissance n'est qu'un tube digestif ou un paquet de réflexes. C'est là un énoncé assez loin de la pensée de Piaget que de croire que l'exercice d'un réflexe[1], comme celui de la succion, se réduit à une mécanique semblable « à la mise en marche périodique d'un moteur qu'on utiliserait toutes les quelques heures pour le laisser au repos entre temps » (Piaget, 1966, p. 27). Au contraire, on assiste déjà à une systématisation des réflexes les uns par rapport aux autres (gestes des bras, de la tête, posture, etc.), qui manifeste un niveau de fonctionnement et un déroulement dans le temps « tels que chaque épisode dépende des précédents et conditionne les suivants en une évolution réellement organique » (Piaget, 1966, p. 27). Il ne s'agit donc pas, comme on a pu le croire en certains milieux, de réponses isolées du système digestif, mais de l'activité globale d'un organisme vivant. Le niveau est bien celui d'une fonction biologique, mais, dès les premiers moments, on peut constater chez le nourrisson une capacité d'adaptation. Piaget préfère parler d'assimilation reproductrice qui manifeste graduellement une plus grande habileté, une meilleure consolidation de la conduite totale de succion. En même temps, l'enfant s'accommode à la situation si bien qu'un « nouveau-né nourri à la cuiller aura peine à prendre le sein » (Piaget, 1947, p. 121).

Il faut le constater : si bien monté soit-il par l'hérédité, le réflexe a besoin d'être mis en mouvement, de s'exercer pour que l'enfant assimile

---

1. Les schèmes réflexes sont des activités bien structurées à caractère totalitaire ; ils sont dus à un montage héréditaire déjà en état de fonctionner à la naissance. Ils se distinguent en ceci des schèmes secondaires qui se développent par la suite.

une situation, s'accommode graduellement à la réalité extérieure pour atteindre déjà un certain équilibre dans ses premières conduites. Il est parvenu au schème, dit Piaget, c'est-à-dire à « la structure d'une action qui, lorsqu'elle est fixée, devient répétable et donc applicable, par assimilation, à des situations différentes de celles qui ont conduit initialement à la construction de ce schème » (Hartwell, 1966, p. 128). Très tôt, on peut voir le nourrisson, grâce au hasard de contacts avec sa bouche, tenter de sucer un doigt, le bout d'un crayon, une tétine et même faire des mouvements à vide des lèvres dans une tentative pour sucer quelque chose.

Piaget a suivi presque d'heure en heure le début du développement de ses trois enfants. Les observations qu'il en a recueillies ont été notées avec précision dans quelques-uns de ses ouvrages et spécialement dans *La naissance de l'intelligence* (1966). Il faut nécessairement y retourner pour un inventaire plus détaillé du comportement de l'enfant au cours de la période sensori-motrice.

L'apparition des premières habitudes (de 1½ à 4 mois)

Lorsque l'enfant atteint l'âge de huit semaines, on assiste à une certaine consolidation et à une « extension spontanée du champ d'application des réflexes » (Piaget, 1947, p. 121). Ainsi, pour reprendre l'exemple du réflexe de succion, alors qu'aux premiers jours l'enfant n'exécutait que des gestes courts et saccadés, voilà que, grâce à une coordination active des mouvements de l'avant-bras et de la main avec ceux de la bouche, l'enfant parvient à sucer son pouce. Il ne s'agit pas d'un montage inné, mais « on peut parler d'accommodation acquise : ni les réflexes de la bouche, ni ceux de la main ne prévoient héréditairement une telle coordination (il n'y a pas d'instinct de sucer son pouce !) et l'expérience seule en explique la formation » (Piaget, 1966, p. 49). Les behavioristes nommeraient ces acquisitions des associations ou des réflexes conditionnés. Piaget préfère les désigner des adaptations acquises ou premières habitudes, comme il le fera pour les jeux de voix, l'action répétée de tourner la tête et la reprise apparemment gratuite d'actes sans but.

Durant ce stade d'ailleurs, le regard de l'enfant se développe par l'exercice ; il aura tendance à suivre autour de lui tout ce qui bouge ; une fois commencées, ces actions trouvées par hasard ont tendance à se reproduire presque sans arrêt. À la suite de l'Américain J.M. Baldwin (1861-1934), Piaget les nomme des réactions circulaires primaires ; elles se définissent une reproduction active d'un résultat obtenu une première fois par hasard. Ce sont en l'occurrence des schèmes nouveaux de comportement qui, pour se développer, ont besoin des schèmes antérieurs, comme le souligne Piaget :

> Les formes élémentaires de l'habitude procèdent d'une assimilation d'éléments nouveaux aux schèmes antérieurs, qui sont en l'espèce des schèmes réflexes. Mais il importe de saisir que l'extension du schème réflexe par l'incorporation de l'élément nouveau entraîne par cela même la formation d'un schème d'ordre supérieur (l'habitude comme telle), lequel s'intègre donc le schème inférieur (le réflexe) (Piaget, 1947, p. 121).

Préhension intentionnelle (de 4 à 8-9 mois)

Pendant le stade précédent à la suite de la bouche, de l'œil et de l'oreille, la main est entrée en action ; elle a pris l'habitude de se refermer sur les objets qui l'atteignaient. À partir du quatrième mois, le bébé, face à une situation, pose un geste que Piaget dit intentionnel ; il reproduit d'une manière active un résultat qu'il aura trouvé une première fois par hasard. Le schème de la préhension s'étend rapidement à de nouvelles conduites comme celles de déplacer les objets, les tirer à soi, les balancer, les lancer, les frotter, les jeter sur le sol. Constatant les effets produits, le bruit entendu, l'attention des parents attirée, l'enfant y trouve son plaisir (Skinner parlerait de renforcement) et aura tendance à répéter les mêmes gestes pour faire durer les résultats intéressants ainsi obtenus par hasard. D'un univers à sucer, la réalité devient pour lui avec ce stade un univers à saisir par l'application du schème « prendre » à tous les objets qui l'entourent. Piaget qualifie cette conduite de réaction circulaire secondaire, une reproduction active d'un résultat obtenu par hasard, portant non plus sur le propre corps de l'enfant, mais sur des objets extérieurs à lui-même. « Avec la réaction circulaire secondaire, nous sommes en pleine acquisition : des schèmes nouveaux se construisent par assimilation reproductrice et accommodation combinées » (Piaget, 1966, p. 289).

Piaget raconte l'expérience qu'il fit avec l'un de ses enfants. À la toiture du berceau, il avait attaché de menus objets et une corde dont l'extrémité traînait à la hauteur de la main. L'enfant ayant saisi cette corde par hasard met en branle l'ensemble des babioles suspendues au-dessus de sa tête. Surpris de l'effet, il tire sur la ficelle à plusieurs reprises, sans comprendre pour autant ce qu'est l'objet, l'espace et la cause. Si quelqu'un produit dans la pièce une situation nouvelle pour l'enfant, comme le son d'un timbre, le déplacement d'un objet sous son regard, il tirera de nouveau sur le cordon laissé à sa portée comme pour reproduire l'action à distance. Cette expérience montre comment les conduites antérieures, les schèmes d'opération récemment acquis, ont tendance à s'étendre et à participer à l'élaboration graduelle d'un schème subséquent.

Ces réactions circulaires secondaires demeurent assez proches des simples habitudes.

> Conduites d'un seul tenant, qui se répètent en bloc, sans but posé d'avance et avec utilisation des hasards surgis en cours de route, elle n'ont, en effet, rien d'un acte complet d'intelligence, et il faut se garder de projeter dans l'esprit du sujet les distinctions que nous ferions à sa place entre un moyen initial (tirer le cordon) et un but final (secouer la toiture) (Piaget, 1947, p. 123).

Coordination des moyens et des buts (de 8-9 mois à 11-12 mois)

Lors de ce quatrième stade sensori-moteur apparaissent des comportements qui annoncent des transformations majeures sur le plan des structures cognitives. Jusqu'ici les conduites du bébé montraient que, pour lui, seules existent les choses qu'il voit ; l'objet n'a pas pour ainsi dire d'existence propre et se perd dans une totalité indifférenciée. Cacher à son regard derrière un écran un objet familier n'engendre aucune activité particulière. À partir du huitième ou du neuvième mois, si on dissimule une poupée, un ourson en peluche ou un objet quelconque derrière un coussin ou un voile, l'enfant applique à cet écran improvisé les schèmes des stades précédents (saisir, agiter, écarter, etc.) pour faire réapparaître l'objet.

Cette conduite témoigne d'une double acquisition. En premier lieu, il ne s'agit donc plus de répétitions de réactions secondaires ; ces schèmes jusqu'ici isolés se coordonnent les uns aux autres en une structure nouvelle, en un schème qui se donne une intention, celle d'obtenir un résultat désiré, celle d'atteindre un objet non directement accessible. Le but étant désormais posé avant les moyens, on constate un allongement des distances vers l'objet ; le phénomène révèle une mise en relation des choses entre elles ; en même temps une anticipation et une différenciation commencent à apparaître, premiers indices de l'intelligence sensori-motrice, celle-ci étant chez Piaget « la solution d'un problème nouveau pour le sujet » (Piaget, 1972, p. 17).

En second lieu, l'objet acquiert sa permanence : en effet

> [...] c'est dans la mesure où l'enfant apprend à coordonner deux schèmes distincts, c'est-à-dire deux actions jusque-là indépendantes l'une de

l'autre qu'il devient capable de rechercher les objets disparus et de leur prêter un début de consistance indépendante du moi (Piaget, 1966, p. 187).

Puis, ce progrès vers la construction de l'objet se consolide et se généralise. Les schèmes acquis par réactions circulaires secondaires au cours du stade précédent servent au hasard des rencontres cette intelligence tout active qui cherche à s'approprier le réel par assimilation et à le comprendre par l'usage. À mesure qu'il manie l'objet, l'enfant s'accommode à sa stabilité et lui confère une existence permanente. Sans qu'on puisse parler de l'idée de l'objet, il accède quand même au plan de l'action à une distinction pratique entre le moi et l'autre, le soi et le monde environnant, entre le sujet connaissant et l'objet à connaître.

Découverte de moyens nouveaux (de 11-12 mois à 18 mois)

Au cours du stade précédent, l'exécution d'un geste en vue de produire un effet n'impliquait pas nécessairement une distinction nette entre les moyens et la fin comme chez l'adulte. Il s'agissait plutôt d'actions d'un seul tenant qui se réduisent à des « applications des moyens connus aux circonstances nouvelles » (Piaget, 1966, p. 231). Au cinquième stade dont les conduites surgissent entre huit et douze mois, on assiste à une recherche exploratrice de moyens nouveaux. Cette nouveauté se caractérise par le fait que l'enfant fait subir aux divers objets qui lui tombent sous la main des trajectoires variées. Il les lance dans des directions différentes ou à partir de points de départ distincts. Piaget nomme réactions circulaires tertiaires, ces conduites moins rigides, moins stéréotypées qu'antérieurement et plus variées dans l'espace.

L'enfant passe de longs moments à explorer les objets qu'il rencontre comme s'il cherchait à produire quelque chose de neuf. La réalité devient intéressante pour elle-même et la perspective égocentriste perd de sa rigidité. Quand le bambin est laissé libre dans l'espace du foyer, il parcourt rapidement l'endroit, va d'une armoire à l'autre, en vide le contenu. Ayant fait l'expérience que certains objets, comme une corde, une nappe ou un tapis, peuvent, en les tirant à soi, produire des culbutes intéressantes, il utilise ce moyen nouveau ; que de parents ont vu ainsi valser une lampe ou s'abîmer un cendrier sur le parquet ! D'un point de vue développemental,

> [...] il vient un moment, dit Piaget, où la nouveauté intéresse pour elle-même, ce qui suppose assurément un équipement suffisant de schèmes pour que soient possibles les comparaisons et que le fait nouveau soit assez semblable au connu pour intéresser et assez différent pour échap-

per à la saturation. Les réactions circulaires consisteront alors en une reproduction du fait nouveau, mais avec variations et expérimentation active, destinées à en dégager précisément les possibilités nouvelles (Piaget, 1947, p. 126).

Bref, les schèmes acquis jusqu'ici sont accommodés aux nouveautés rencontrées ici et là. Il est difficile de ne pas assimiler ce comportement aux tâtonnements décrits par Thorndike, sans oublier cependant que, selon Piaget, l'intention est ici présente.

Invention de moyens nouveaux (de 18 à 24 mois)

Durant ce sixième et dernier stade de la période sensori-motrice qui débute entre quinze et dix-huit mois et peut se prolonger jusqu'à la fin de la deuxième année, non seulement l'enfant découvre par une exploration active de l'espace comme au niveau précédent, mais il devient capable d'inventer des schèmes d'action par coordination interne.

Après avoir pendant un certain temps imité une activité qu'on exécute près de lui, il arrive un moment où l'enfant peut répéter cette même activité sans la présence d'un modèle. Cette extension d'une conduite dans le temps, que Piaget nomme l'imitation différée, manifeste un début d'intériorisation qui prend place à la fin de la période sensori-motrice et qui s'annonce déjà capitale pour les schèmes à venir. En effet, par une évolution rapide, l'imitation différée mène l'enfant à une forme primaire de jeu symbolique qui consiste à reproduire au moyen de son corps une activité sortie de son contexte.

Une conduite nouvelle se superpose aux précédentes et souvent se présente presque en même temps, c'est l'invention. Piaget donne l'exemple d'une expérience tentée auprès de ses enfants. Le bambin de cet âge a encore tendance à saisir et à tirer à lui tout ce qu'on lui présente, probablement en raison d'une forme dérivée d'égocentrisme. On lui offre à travers les barreaux de son parc un bâton de 30 cm. Présenté sur le plan horizontal à travers les barreaux à la verticale, le bâton s'immobilise. Tous les efforts de l'enfant sont vains à moins de tourner le bâton dans le sens des barreaux. Au stade précédent, il arrive que par tâtonnement l'enfant place le bâton verticalement, comme l'avait fait Jacqueline, fille de Piaget. Cependant, au présent stade, si l'enfant ne trouve pas de solution au problème par tâtonnements après plusieurs essais, il se produit souvent, à la suite d'une période inactive, ce qui semble être une découverte subite ou une vision interne de la situation : d'un seul mouvement le bâton est tourné et passé à travers les barreaux. Lorsqu'il existe une intériorisation de la situation de ce genre, si intéressant que soit le processus mental, celui-ci ne dépasserait pas le niveau de représentation du chimpanzé (voir l'expérience de Köhler), c'est-à-dire une réorganisation du champ selon les théoriciens de la forme, une coordination intérieure selon Piaget. Les distances demeurent encore assez courtes entre le sujet et l'objet. Seule la pensée, s'appuyant sur l'évocation symbolique au moyen du langage, saura libérer l'enfant de son égocentrisme perceptif et moteur.

À travers les six paliers que nous avons vus se constituer successivement, l'intelligence termine la première période de son développement; laissons Piaget nous en décrire la forme:

> [...] un acte d'intelligence sensori-motrice ne tend qu'à la satisfaction pratique, c'est-à-dire au succès de l'action, et non pas à la connaissance comme telle. Il ne cherche ni l'explication, ni la classification, ni la constatation pour elles-mêmes, et ne relie causalement, ne classe ou ne constate qu'en vue d'un but subjectif étranger à la recherche du vrai. L'intelligence sensori-motrice est donc une intelligence vécue, et nullement réflexive (Piaget, 1947, p. 144).

Il convient maintenant de rappeler ici que nous avons, avec Piaget, divisé la longue période de préparation et d'organisation des opérations concrètes en deux sous-périodes.

LA SOUS-PÉRIODE PRÉOPÉRATOIRE

Après la période sensori-motrice, le palier préopératoire auquel accède l'enfant entre 18 et 24 mois se prolonge jusque vers l'âge de sept ans. Il se caractérise par des acquisitions qui fourniront les éléments nécessaires à la pensée. Il s'agit donc d'une route à parcourir assez longue pour l'enfant, sous-période que Piaget divise en deux: le stade *symbolique* (de 2 à 4 ans) durant lequel, selon des schèmes plus complexes qu'auparavant, apparaissent l'imitation différée, le jeu symbolique et les premiers signes verbaux qui mènent au langage; le stade *intuitif* (de 4 à 7 ans) pendant lequel finissent de s'installer les articulations nécessaires à la pensée elle-même.

Le stade symbolique (de 2 à 4 ans)

Avec la dernière étape du développement sensori-moteur, l'enfant est parvenu à un certain type d'intériorisation de la réalité. Les conduites manifestées au seuil du présent stade se poursuivent et s'élaborent désormais avec continuité ; elles font accéder l'enfant aux instruments de la pensée par l'intermédiaire de la représentation mentale. Ainsi l'imitation différée se fait plus variée dans ses choix, prend de la distance dans le temps et l'espace, révèle une image interne plus précise de l'activité à reproduire.

> L'enfant se sert de son corps pour représenter les objets ou bien il exprime en actes l'image mentale qu'il s'en fait. Si on lui montre une cuiller, il fait semblant de manger. S'il trouve une casserole dans sa caisse à jouets, aussitôt il fait semblant de cuisiner. Ces actes et leur signification ne valent que pour lui, se fondent sur ses observations, mais suggèrent aussi qu'il a une image mentale de ce qu'il fait (Ralph, 1976, p. 24).

Ce schème d'action qui était apparu de manière sporadique à la fin de la période sensori-motrice s'insère maintenant avec régularité dans le comportement comme une acquisition qui annonce le jeu symbolique et avec lui le vrai symbole.

Ici cependant, comme le propose Piaget, il convient de distinguer l'indice, le symbole et le signe, car avant d'acquérir le vocabulaire, l'enfant passe par une succession rigoureuse de schèmes qui manifestent une intégration progressive de la réalité. Il réagit à l'indice au quatrième stade de la période sensori-motrice, celui de la coordination des moyens et des buts. À ce moment, on s'en souvient, si on couvre d'un écran ou d'un linge quelconque un objet familier, comme une poupée ou un ourson, l'enfant « se conduit comme si l'objet se résorbait dans le linge et cessait d'exister au moment précis où il sort du champ perceptif » (Piaget, 1947, p. 132). Mais que l'expérimentateur laisse dépasser une partie du jouet, l'enfant sourit. Ayant aperçu un indice, la réapparition de l'objet total lui semble imminente. Cette conduite se révèle l'une des acquisitions nécessaires à l'atteinte des schèmes suivants : la permanence de l'objet, la construction des relations spatiales, l'imitation différée, le symbole et les unités du langage.

La linguistique moderne s'est attardée à préciser ce qui distingue l'indice du symbole et du terme linguistique. Ces trois éléments de la communication appartiennent à la sémiologie, c'est-à-dire à la science des signes. Or le signe est une réalité double constituée par le rapprochement de deux entités que, depuis Ferdinand de Saussure, on nomme le signifié et le signifiant, le signifié étant l'image mentale de la chose présente dans la réalité et le signifiant étant tout ce qui, de près ou de loin, sert à la désigner ou à la représenter : ainsi la patte est l'indice de la présence de l'ourson ; la balance est le symbole de la justice; l'image acoustique (le mot) « cheval » sert à désigner le concept correspondant aux chevaux qui existent dans la réalité. Ces exemples permettent de définir le signe, « le total résultant de l'association d'un signifiant à un signifié » (De Saussure, 1949, p. 100). Le lien qui unit ces deux entités, dans le cas de l'indice et du symbole, n'est jamais arbitraire. Il y existe toujours un rudiment de relation naturelle entre le signifiant et le signifié. Ainsi la feuille d'érable symbolise le Canada pour une raison assez évidente.

Quant au symbole entendu au sens propre, il se définit « ce qui représente autre chose en vertu d'une correspondance analogique » (Lalande, 1960, p. 1080). Dans le jeu de la signification et de la communication inventé par l'homme, le symbole se situe entre l'indice et le terme acoustique. Le lien entre le signifiant et le signifié étant plus difficile à saisir en raison d'un rapport de signification plus distancé que dans le cas de l'indice, l'enfant n'y parvient que par le biais du jeu symbolique qu'on ne doit pas confondre avec le jeu primitif des stades antérieurs, simple forme de jeu d'exercice. « Le vrai symbole ne débute que lorsqu'un objet ou un geste représente, pour le sujet lui-même, autre chose que les données perceptibles » (Piaget, 1947, p. 149). Ainsi, quand un enfant joue à la dînette, le petit caillou rond tacheté et bien poli, recueilli à la rivière, peut fort bien représenter un bonbon. Avec astuce et une grande liberté, il vient de faire d'un objet quelconque en raison de sa forme et sa couleur un signifiant plein d'intérêt pour le jeu en cours.

Lorsque l'intelligence à ses débuts peut se représenter un objet par l'intermédiaire d'un autre, elle atteint le schème d'une symbolisation active où l'image mentale prend de l'ampleur grâce à une intériorisation plus complexe et plus subtile que celle qui a été manifestée dans l'imitation différée. Elle est alors prête à acquérir par imitation le terme linguistique. Jusqu'ici l'enfant avait fait l'acquisition des images mentales des objets présents dans son environnement; le processus consiste maintenant à leur accoler des images acoustiques, c'est-à-dire à associer le bon signifiant à un signifié déterminé. À ce moment on assiste en quelques semaines à l'explosion du vocabulaire.

À la suite de ces remarques, il nous est loisible de constater avec Piaget que l'enfant passe d'une façon continue par une fonction sémiotique qui part de l'indice, se développe lors de l'imitation différée et du jeu symbolique pour aboutir au terme linguistique accepté par la collectivité. Durant toute cette évolution, on a vu le signifiant s'éloigner graduellement du signifié par une distance toujours plus grande de façon à couper tout lien de ressemblance et devenir tout à fait arbitraire. L'acquisition du signe linguistique, grâce à la succession de ces schématisations représentatives, libère l'enfant de l'opacité des débuts de manière à ce qu'il puisse évoquer avec aise des objets absents et des situations non actuelles.

Il faut néanmoins se garder de toute illusion ; l'enfant baigne encore dans une atmosphère égocentriste qui demeure éloignée de la logique de l'opératoire. Qu'il joue à la dînette ou à la poupée, il se reconstruit un monde selon ses propres schèmes en l'adaptant à son univers, en soumettant le réel à son moi, par une assimilation déformante. Sa pensée demeure indifférenciée, attachée au singulier, à l'individuel concret. L'objet, encore perçu à l'unité, ne s'incruste pas dans une classe de manière à former un concept universel, une structure logique. Il est d'observation courante que l'enfant, après avoir acquis, par exemple, le terme générique « chien », mais appliqué par lui d'une façon étroite au seul exemplaire qu'il connaît, le petit chien à poil brun avec lequel il s'amuse, fera face à une situation étrange s'il rencontre par hasard un autre animal de la même espèce. Son problème s'aggrave lorsqu'il constate que les adultes nomment encore « chien » cet exemplaire second, dont les caractéristiques demeurent assez semblables à celles de son propre petit chien. Incapable de différencier une classe d'une sous-classe, l'enfant au stade symbolique reste un certain temps fixé à un état intermédiaire pendant lequel il élabore un pseudo-concept. Cette forme de représentation du réel est constituée des « notions attachées par l'enfant aux premiers signes verbaux dont il acquiert l'usage. Le caractère propre de ces schèmes est de demeurer à mi-chemin entre la généralité du concept et l'individualité des éléments qui le composent, sans atteindre ni l'un ni l'autre » (Piaget, 1947, p. 152).

Le stade intuitif (de 4 à 7 ans)

Vers l'âge de quatre ans, début du stade intuitif, l'enfant traverse une phase laborieuse de croissance sur le plan cognitif, avant que ne se construisent les classes proprement dites et avec elles les opérations d'addition et de multiplication. À ce moment, il croit par exemple que c'est le volume d'un objet ou d'un liquide qui en détermine le poids ; au cours de son action sur le réel, il finira par constater que « plus lourd » ne correspond pas nécessairement à « plus gros », mais avant d'en arriver là, il demeure attaché à l'aspect figuratif. « Il supplée à la logique par le mécanisme de l'intuition, simple intériorisation des perceptions et des mouvements sous la forme d'images représentatives et d'expériences mentales qui prolongent les schèmes sensori-moteur sans coordination proprement rationnelle » (Piaget, 1964, p. 40).

L'expérience classique des transvasements, réalisée à l'Institut de Genève et reprise en plusieurs milieux, manifeste de façon éclatante le caractère prélogique de cette pensée pour laquelle « la quantité d'un liquide transvasée augmente ou diminue en fonction de la forme ou du nombre de récipients » (Piaget, 1941, p. 9). On utilise deux verres de même forme, A_1 et A_2, et de grandeur identique dans lesquels on verse à un niveau égal un liquide coloré. L'équivalence des deux liquides ayant été constatée par l'enfant, l'expérimentateur ajoute un verre « C » moins large que les deux premiers, mais plus haut ; puis il verse le contenu de « A_2 » en « C ». Étant donné que la forme du verre « C » fait monter le liquide à un niveau plus haut en regard de celui de A_1, si on approche « C » de « A_1 », l'enfant affirme que le verre « C » contient plus de liquide (alors qu'il avait dit au départ « c'est pareil » lorsqu'on avait comparé « A_2 » à « A_1 »). La quantité n'est pas demeurée la même après un transvasement. Du point de vue de l'enfant, il est vrai, la perception immédiate est trompeuse ; il ne perçoit pas que l'élévation du niveau dans le verre « C » est compensée par une diminution de la largeur. Piaget nomme centration le fait de demeurer fixé sur un seul aspect de la réalité.

Outre la centration, cette expérience sur la quantité continue, aussi bien que celle qu'on peut faire sur la quantité discontinue en se servant de jetons, manifeste une deuxième caractéristique de la pensée intuitive, celle de l'absence de conservation. Celle-ci se définit « la conviction selon laquelle certains attributs de l'objet (nombre, poids, masse) demeurent invariables même si l'apparence de l'objet change. Cette conviction s'accorde avec l'expérience courante que connaît l'individu dans son environnement physique » (Piaget, 1977, p. 75). Que la matière se conserve, qu'elle demeure identique à elle-même en dépit de la forme ou de la dimension des récipients constitue une condition nécessaire à toute activité rationnelle et en particulier à l'intelligence des nombres. « La découverte de la conservation est vraiment une révolution scientifique dans la vie de l'enfant » (Ralph, 1976, p. 19).

Piaget tire de ses expériences une troisième caractéristique qu'il nomme l'absence d'invariant. Notion assez voisine des deux premières, l'invariant présent partout dans le monde physique n'est pas saisi d'emblée par l'enfant durant ce stade. Il l'acquiert par régulations successives vers l'âge de sept ans. Certains types d'expériences menées à Genève, en particulier celles qui sont propres à montrer la genèse de la notion d'espace (1948), mettent en relief cette limitation de la pensée intuitive.

Enfin, dans la mesure où l'intelligence ne peut manier avec exactitude les rapports des quantités continues et discontinues, dans la mesure où elle n'atteint pas les notions de conservation et d'invariance, elle ne parvient pas non plus à sérier et à classer avant l'apparition de la sous-période opératoire concrète. Aussi la pensée intuitive est irréversible (quatrième caractéristique), c'est-à-dire incapable d'une opération en sens inverse, tout comme si ce schème d'action requérait, pour achever sa construction, la composition additive des nombres comme système total et cohérent d'un mécanisme de groupement. Les expériences qu'on peut poursuivre auprès des enfants de cet âge permettent non seulement d'analyser les différents aspects de cette intelligence, mais de constater comment elle diffère des formes d'organisation nouvelles et d'équilibre plus stable qui caractérisent les opérations concrètes.

LA SOUS-PÉRIODE OPÉRATOIRE CONCRÈTE

L'apparition du langage ne suffit pas pour que se superpose d'emblée une pensée logique au cours de la sous-période préopératoire, comme le montrent les réponses qu'on peut recueillir auprès des enfants durant le stade intuitif. Le développement s'élabore par une construction progressive dont le résultat, ou l'équilibre selon l'expression de Piaget, est atteint vers l'âge de 7 ans, moment d'un tournant décisif. Les opérations, terme à saisir au sens d'un raisonnement articulé, « naissent d'une sorte de dégel des structures intuitives » (Piaget, 1947, p. 166). « Psychologiquement l'opération est une action intériorisée et devenue réversible par sa coordination avec d'autres actions intériorisées en une structure d'ensemble comportant certaines lois de totalité » (Piaget, 1947, p. 35). Les intuitions du stade précédent se transforment en systèmes d'ensembles composables, réversibles et applicables à des réalités diverses, pour finalement atteindre les liaisons logico-mathématiques, comme l'addition, la multiplication et leur inverse. Il ne s'agit pas ici d'une coupure arbitraire, mais de l'éclosion de schèmes qui dégage un ensemble logique et une structuration de conduites propres au moment de l'élaboration de la pensée concrète.

Si, à cet égard, on reprend les expériences réalisées à Genève, comme celle du transvasement, on se rend compte qu'au moment où l'enfant atteint la sous-période opératoire concrète, il a changé d'attitude ; « à l'imagination tâtonnante succède parfois brusquement un sentiment de cohérence et de nécessité » (Piaget, 1947, p. 167). L'esprit de l'enfant ne reste plus rivé à un seul aspect de la réalité. Il devient certain de l'égalité de volume entre le verre « A » et le verre « C », même si le niveau du liquide est plus élevé dans le verre « C ». Pour lui, maintenant, il y a conservation de la matière ; il semble même surpris qu'on puisse poser une telle question. Il a saisi l'ensemble du système et relie les deux aspects, hauteur et largeur du verre. Que signifie ce changement d'attitude? Selon Piaget, une équilibration vient de se produire, soudaine et rapide entre les éléments multiples d'un même système. Dans le cas présent, la succession de situations statiques du stade précédent se réunissent dans un ensemble total où se résout la conservation d'un seul et même volume, quels que soient les transvasements successifs. Rendu au stade de l'opératoire, l'enfant répond que « rien n'a changé puisqu'on n'a rien ajouté, ni retranché ». Avant la présente sous-période, la conservation de la quantité n'était pas un principe premier. Il s'est produit une structure subite, peut-être même un « *insight*» selon les théoriciens de la Gestalt. Comme eux, Piaget accepte la notion de restructuration, avec cette différence cependant qu'elle ne procède pas d'une réorganisation interne comme si elle était formée par l'organisme seul, mais comme le résultat d'une construction progressive qui prend sa source dans les stades précédents, grâce à un échange entre le sujet et l'objet, échange qui finit par arriver à un équilibre.

Piaget a décrit d'autres expériences dans des ouvrages (1946, 1948) qui exposent d'une manière détaillée le développement des schèmes spatio-temporels. À ce sujet, le dessin témoigne à sa façon de la transformation qui s'opère au moment de l'atteinte des opérations concrètes. En effet, si on demande à un enfant de 5-6 ans de dessiner une montagne avec des arbres ou une maison avec une cheminée, on obtient infailliblement une esquisse du genre de celle de la Figure 13 (Piaget, 1948, p. 453) pendant le stade intuitif.

FIGURE 13
Dessins

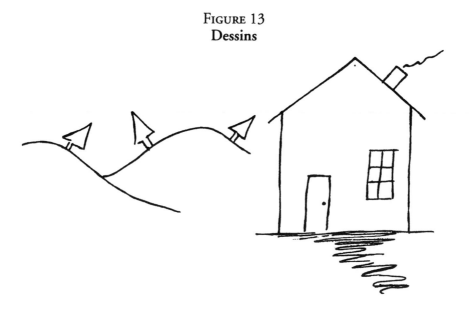

Encore attaché à un état momentané de l'objet comme dans l'expérience du transvasement ou sur un point de vue perceptif comme dans le cas présent, l'enfant de cet âge oriente sa cheminée perpendiculaire à la ligne du toit et son arbre perpendiculaire à la ligne du sol. Ce sont là de bons indices d'une structure intuitive. Dès l'apparition des opérations concrètes, la cheminée et l'arbre se redressent à la verticale. L'équilibre est atteint. La pensée « ne procède plus d'un point de vue particulier du sujet, mais coordonne tous les points de vue distincts en un système de réciprocités objectives » (Piaget, 1947, p. 170).

Cette décentration manifestée vers l'âge de sept ans conduit l'enfant à une double structure que Piaget nomme les opérations logico-mathématiques et spatio-temporelles. À ce niveau, on observe qu'un sujet peut classer les objets, établir des relations entre eux, les sérier (par exemple selon la grandeur), les dénombrer, les situer dans l'espace, mais il serait bien incapable de raisonner sur des propositions seules sans être soutenu par la vision ou la manipulation des objets. Le test de Burt est significatif à ce sujet : bien que capable de sériation, si on demande à un enfant de 9 ans le problème suivant : « Édith est plus blonde que Suzanne ; Édith est plus brune que Lili ; laquelle est la plus foncée des trois ? », l'enfant au stade opératoire concret ne sait que répondre ; il ne réussira cette épreuve qu'au moment des opérations formelles. Tout comme il sait mettre en ordre de grandeur une série de réglettes, l'enfant de neuf ans n'aurait aucune difficulté à classer selon la couleur des cheveux trois poupées nommées Édith, Suzanne et Lili, qu'il pourrait manipuler à son gré.

Les opérations décrites ici impliquent des structures mentales propres, c'est-à-dire une manière plus complexe de relier les éléments. Au lieu de s'en tenir à des aspects isolés de la réalité, l'enfant domine ses perceptions immédiates et a acquis une manière différente d'organiser le réel qui non seulement le rend habile à résoudre les problèmes décrits, mais le fait accéder à la logique des groupements. Il peut désormais réunir les éléments d'une classe ou d'un ensemble (comme la suite des nombres entiers) ; cependant cette opération suppose l'action inverse, celle de séparer, dissocier, soustraire au lieu d'additionner, ce que Piaget nomme la réversibilité. On peut la définir un mécanisme propre à la période opératoire qui permet d'annuler une transformation, c'est-à-dire de nier, ou mieux de poser une action dans une direction inverse. De ce point de vue, le réflexe n'est pas réversible, puisque, toujours orienté dans un sens unique, il s'exécute constamment à partir du même point de départ. La réversibilité, possibilité permanente d'un recul en sens inverse, se présente sous deux formes distinctes : 1° la

simple négation (N) ; ainsi la proposition « Pierre est grand » est inver-
sée par la négation « Pierre n'est pas grand » ; 2° la réciprocité (R) ; ainsi
« Étienne est mon frère » possède comme proposition réciproque « je
suis le frère d'Étienne ». Au moment des opérations concrètes, c'est une
des caractéristiques propre à l'équilibre du groupement que ces deux
types de réversibilité demeurent indépendants l'un de l'autre. On les
verra se coordonner dans un ensemble plus ample à la période des opérations formelles vers un équilibre final, propriété constitutive de la vie
organique et mentale. « La pensée de l'enfant ne devient logique que
par l'organisation de systèmes d'opération obéissant à des lois d'ensemble
communes » (Piaget, 1964, p. 67).

LA PÉRIODE DES OPÉRATIONS FORMELLES

Au terme de la période opératoire concrète, vers l'âge de douze ans, le
développement mental de l'adolescent dépasse la structuration propre
aux opérations concrètes (sérier, classer, dénombrer, etc.) pour accéder
à un niveau d'élaboration de formes verbales qui expriment ces opérations. La pensée formelle laisse de côté les constatations portant sur le
réel pour s'en tenir au jeu du possible, quitte à vérifier la réalité par la
suite, ce qui nécessite des structures distinctes et plus larges dont le
palier d'équilibre se situe autour de quinze ans, car, comme on peut le
constater par le test de Burt, raisonner « sur de simples propositions
suppose d'autres opérations que de raisonner sur l'action ou la réalité »
(Piaget, 1947, p. 177).

Parmi les caractéristiques qui ressortent de ces formes d'opérations, nous constatons en premier lieu une capacité de s'en tenir au
verbal, sans recours aux objets manipulables, pour réussir une sériation
comme celle des poupées Édith, Suzanne et Lili. L'adolescent s'est
débarrassé de la nécessité de l'objet présent pour ne s'emparer que du
signe linguistique et en faire un élément de construction au niveau formel. On touche ici à l'une des raisons pour laquelle la « logique formelle et la déduction mathématique restent inaccessibles à l'enfant et
semblent constituer un domaine autonome » (Piaget, 1947, p. 178).

Une seconde caractéristique de la pensée formelle consiste à substituer des énoncés aux classes et aux relations de la période concrète,
ce que Piaget nomme la logique des propositions. Cette structure nouvelle d'opération se révèle efficace entre autres au moment de la découverte des lois de la physique. Au cours d'expérimentations dans ce
domaine, on perçoit chez le sujet une forme de raisonnement habile à

explorer l'ensemble des possibilités d'un système et une manière de relier les données qui utilisent des opérations logiques, comme la disjonction, l'implication et l'exclusion. Ces formes d'opérations se superposent sur le plan même de la description des phénomènes physiques aux simples emboîtements de classes et aux relations qu'exécutait l'enfant au moment des opérations concrètes. « Le propre de la logique des propositions… est avant tout une logique de toutes les combinaisons possibles de la pensée, que ces combinaisons surgissent à propos de problèmes expérimentaux ou à propos de questions purement verbales » (Piaget et Inhelder, 1955, p. 222).

Un troisième trait réside dans une montée de l'intelligence vers un système de pensée au second degré, non seulement en raison de la distance qu'elle prend à partir de l'objet, mais en raison d'une coordination des opérations. Elle peut en effet établir une relation ou une correspondance entre deux ou plusieurs relations déjà établies dont les proportions en mathématiques sont un exemple. Il existe des situations que Piaget (1951, 1955) a décrites, telles que l'équilibre du fléau d'une balance et l'étude des mouvements de rotation et de translation de la terre, auxquelles s'applique cette forme de raisonnement pour atteindre la compréhension des lois de la nature.

Détaché du contenu, le sujet accède à l'abstraction ; il peut raisonner sur le possible, l'inactuel et parfois même le chimérique, bâtir des hypothèses, en déduire des conclusions (forme de raisonnement hypothético-déductif), enfin échafauder des systèmes et des théories. La pensée formelle qui se nourrit d'idées générales et de constructions abstraites décroche, pour ainsi dire, de la concrétion du premier degré de l'opératoire pour atteindre un niveau de réflexion indépendant des objets, une activité de l'intelligence qui « opère » sur le signe seul, que celui-ci soit verbal ou mathématique ; il ne faudrait pas cependant conclure à une logique de niveau verbal ; il s'agit au contraire d'une structure d'ensemble propre au niveau formel, constituée de schèmes opératoires comme le double système de références, l'équilibre mécanique, les corrélations, la combinatoire et le groupe INRC. Une infinité de possibilités s'offrent donc par lesquelles l'adolescent est en mesure de vérifier toutes les situations virtuelles avant de les confronter avec le réel. Car « dans un état d'équilibre mental ce ne sont pas seulement les opérations réellement exécutées qui jouent un rôle dans le déroulement des actes de la pensée, mais aussi l'ensemble des opérations possibles » (Piaget et Inhelder, 1955, p. 234). La combinatoire et le groupe INRC constituent à cet égard des exemples pleins de signification.

Forme particulièrement importante de généralisation, la combinatoire est un genre de classification fondée sur l'ensemble des relations possibles d'un système ; elle constitue une structure complète bien supérieure aux simples emboîtements du stade opératoire concret. « Le possible cognitif, tel que par exemple la suite infinie des entiers, la puissance du continu ou simplement les seize opérations résultant des combinaisons de deux propositions « p » et « q » et de leurs négations » (Piaget, 1979, p. 52), est essentiellement extra-temporel. Une expérience commentée par Piaget et Inhelder (1955) sur ce type de raisonnement permet des réponses révélatrices des différents niveaux de développement. L'expérimentateur pose sur une table six paquets de jetons ; chaque paquet est d'une couleur différente : rouge (1), blanc (2), jaune (3), bleu (4), vert (5), violet (6). L'épreuve consiste à former des couples de couleur différente et à trouver un système rapide et sûr afin de n'en oublier aucun. Dès l'âge de 11-12 ans, le sujet trouve un système qui épuise toutes les combinaisons ; il est du genre 1-2, 1-3, 1-4, 1-5, 1-6, 2-3, 2-4, etc. Avant cet âge, l'enfant procède par simple tâtonnement sans atteindre la structure d'un ensemble exhaustif de liaisons, car

> [...] pour construire le système de toutes les combinaisons deux à deux possibles dans le cas de *n* termes, il s'agit de coordonner entre elles plusieurs séries ou correspondances différentes et d'anticiper le schéma de leurs rapports avant de les construire effectivement. C'est en quoi un tel système suppose l'intervention des opérations formelles (Piaget et Inhelder, 1951, p. 185).

Il existe une autre structure d'ensemble mise en évidence par Piaget vers 1948-49 : c'est le groupe INRC qui embrasse la totalité des mécanismes d'opération. Il englobe les groupements partiels (inversion et réciprocité) de la sous-période opératoire concrète et coordonne les quatre transformations d'une situation en un système cohérent. L'exemple choisi par Piaget (*et alii*, 1963, p. 147), la promenade d'un escargot sur une planchette, illustre ce dont il s'agit :

I : L'escargot avance sur la planchette.

N : L'escargot recule sur la planchette.

R : La planchette recule par rapport à un repère extérieur.

C : La planchette avance par rapport à un repère extérieur.

Le groupe de ces quatre transformations INRC peut se ramener selon l'ordre de présentation à une action directe « I », à son inverse ou sa négation « N », à la réciproque « R » et à l'inverse de la réciproque « C ». Ici, les deux formes de réversibilité sont réunies en un système unique. Jamais formulée d'une manière explicite par le sujet, cette structure d'opération n'en joue pas moins un rôle de fondement dans toutes les situations où se présente un double système de références. Or, selon Piaget un système est en équilibre uniquement lorsque toutes les modifications virtuelles compatibles avec les liaisons du système en jeu se compensent les unes les autres. Pour atteindre cette compensation au niveau des processus mentaux, un sujet doit être capable de percevoir toutes les transformations d'un ensemble ; c'est de cette manière qu'il parvient à clôturer sa recherche. Cela se produit lorsque les opérations se déroulent dans les deux sens. « La réversibilité opératoire et l'équilibre du système sont ainsi, en définitive, une seule et même chose » (Piaget et Inhelder, 1955, p. 235).

CHAPITRE 15 Une conception de l'apprentissage

Les modèles théoriques classiques de l'apprentissage semblent difficilement convenir à l'épistémologie génétique de Jean Piaget qui, en raison de sa formation en biologie, s'est habitué à intégrer les comportements spécifiques d'un organisme dans le cadre plus vaste de l'adaptation à un milieu déterminé. La tradition associationniste empiriste pour sa part en est venue progressivement à séparer les activités internes et externes et à faire de l'apprentissage la simple élaboration passive de connexions S-R, s'appuyant sur l'énoncé de Watson « Mind is behavior and nothing else »[1]. Dès lors, l'aspect externe du comportement devient seul objet de science, parce que seul il est observable. En cela, la psychologie expérimentale contemporaine réagissait à bon droit sans doute à une tradition trop exclusivement subjective et mentaliste développée en particulier par la philosophie allemande de Wolff et Leibniz. Cette réaction déclenchée au nom de la rigueur scientifique eut comme conséquence l'étude des formes élémentaires d'apprentissage, comme le réflexe conditionné, l'accoutumance, les conditionnements classique et instrumental. Il en résulta l'emploi de modèles mathématiques, le développement de la technologie en laboratoire et une prolifération de théories à l'intérieur de la tradition associationniste qui accentua la confiance en une interprétation à tendance réductionniste.

---

1. « L'intelligence n'est rien d'autre que du comportement » (Watson).

Nous avons montré dans la première partie de cet ouvrage les bons effets du behaviorisme dans son ensemble, mais il faut faire état ici du fossé de plus en plus profond qui a séparé la philosophie de la psychologie au sujet de la nature de l'intelligence. D'une part, une tradition philosophique millénaire enseignait que l'intelligence est la fonction spécifique par laquelle l'homme se situe dans l'échelle des êtres et se distingue des autres espèces animales. Il n'y a pas à se surprendre, d'autre part, que, de ce point de vue, les philosophes et beaucoup d'humanistes à leur suite s'étonnent de l'hypothèse behavioriste, à savoir que l'ensemble des comportements humains sont explicables par des conclusions obtenues lors de l'observation du comportement des animaux en laboratoire.

Cherchant appui sur les données de la biologie et aussi sur l'opinion de Conrad Lorenz, qui considère artificielle la position d'un animal en cage incapable de mettre en évidence tout l'éventail de ses comportements possibles, Piaget n'a jamais, pour sa part, voulu donner son adhésion à une position « *a priori* », à une présomption préexpérimentale qui consiste à prétendre qu'une conduite nouvelle dérive uniquement de l'action de l'environnement ou, en d'autres termes, qu'un processus dans le domaine du développement de l'intelligence se distingue d'un processus d'apprentissage. Cette conclusion

> [...] m'a été imposée, dit Piaget, par l'ensemble des faits que j'ai récoltés depuis environ quarante ans en étudiant la psychologie de l'enfant. Je tiens à souligner que cette longue enquête a été menée sans aucune hypothèse préalable sur les relations entre la genèse et la structure (Piaget, 1964, p. 167).

Le mot « genèse » se réfère, dans les écrits de Piaget, autant à l'ensemble des acquisitions factuelles qu'à la construction de structures nouvelles successives à travers le temps. Aussi, comme le souligne Pierre Gréco, collaborateur de Piaget, « il semble bien qu'il existe des faits de développement, et en particulier de développement cognitif, auxquels on ne puisse assigner sans artifice les schèmes connexionnistes » (Gréco, 1959, p. 135). Piaget s'emploiera donc à édifier une théorie qui tienne compte des exigences respectives du développement et de l'apprentissage, une approche dans laquelle « il donne un statut aux interactions des structures déjà formées et des expériences nouvelles, de l'inné et de l'acquis, du sujet et de l'objet enfin » (Gréco, 1959, p. 135). Les modèles réductionnistes des conduites observables de l'apprentissage sont donc, à toutes fins utiles, situés dans le cadre plus large du développement de l'intelligence élaboré par Jean Piaget.

GENÈSE SANS STRUCTURE

Il faut ici préciser la position piagétienne en regard des partisans de l'acquis grâce à l'environnement et ceux de la structure préformée par l'hérédité. Face à la tradition associationniste, Piaget ne nie pas le rôle primordial de l'expérimentation dans le domaine de la recherche, mais refuse avec vigueur l'explication « empiriste » des phénomènes propres à la connaissance. Il est certes d'avis avec les behavioristes américains que l'environnement joue un rôle essentiel, mais pour le reste, le théoricien de Genève accepte difficilement une conception qui fait résider l'apprentissage dans une simple association entre un objet dit stimulus et une réaction de l'organisme, parce que cette manière d'expliquer les faits repose sur une soumission exclusive du sujet à l'objet. Il n'admet pas non plus qu'on doive s'orienter vers une étude statistique des résultats obtenus sans essayer de comprendre ce qui se passe à des niveaux plus profonds, en particulier chez les enfants. Sur le plan des processus, l'association lui paraît une interprétation insuffisante parce qu'elle ne peut rendre compte de toutes les acquisitions au cours du développement et qu'elle néglige l'activité propre du sujet au moment de la formation d'une conduite nouvelle.

Piaget associe cette ligne de pensée à la première forme d'évolutionnisme élaborée par Lamarck, qui voyait dans l'action du milieu le facteur essentiel de l'adaptation des organismes, ainsi qu'aux idées associationnistes chères à Spencer, Taine et Ribot. « C'est toujours la même conception, mais appliquée à la vie mentale : celle d'un organisme plastique, modifié sans cesse par l'apprentissage, par les influences extérieures, par l'exercice ou l'« expérience » au sens empiriste du terme » (Piaget, 1964, p. 166). Pour Piaget, cette position prend sa source dans un « génétisme sans structures », en d'autres termes, accorde la prédominance de l'acquis sur l'inné.

STRUCTURE SANS GENÈSE

Face à la psychologie de la forme née de l'idéalisme de la philosophie allemande, la situation s'inverse. Les auteurs de la gestalt enseignent que l'*insight*, perçu comme un processus d'apprentissage, tire son existence d'une réorganisation qui se modèle sur le champ perceptif. Le procédé donne naissance à des structures qui tendent vers une bonne forme grâce à la recherche d'un équilibre. Nul doute que Piaget se sente en sympathie avec une position théorique dans laquelle il retrouve des éléments comme la tendance à l'équilibre et la réorganisation des structures. Il est aussi d'avis que le schème puisse être comparé à une forme; il se range enfin avec les théoriciens de la gestalt pour rejeter toutes les formes de vitalisme. Mais la psychologie génétique prétend bien dépasser la position établie par la tradition allemande.

Bien que les structures au sens défini par la psychologie de la forme n'apparaissent qu'au sixième stade du développement sensori-moteur, Piaget ne croit pas qu'on puisse expliquer une conduite par une simple structuration du champ perceptif ou par un nouveau réseau de relations entre les éléments d'un problème; il n'admet pas non plus que l'*insight*, cette intuition spontanée, s'impose brutalement au sujet avec une certaine nécessité sans le pouvoir d'une force quelconque qui active les structures et les pousse à se réorganiser. Même si le fait d'expliquer l'intelligence par la construction de formes constitue à son avis un progrès sur l'associationnisme, l'intelligence finit quand même ici par s'évanouir au profit de la perception en une sorte d'empirisme retourné. Or, pour Piaget, le schème est une structure certes, mais jamais arrêtée dans le temps comme peut l'être une gestalt. Grâce à un dynamisme qui le tient en action, le schème assimile l'objet; il se géné-ralise au contact d'objets semblables; il différencie ceux qui s'éloignent du modèle premier. Le schème est de nature évolutive et cherche à s'adapter, ce en quoi il est bien différent d'une gestalt qui demeure sans histoire. « Les structures étant permanentes et indépendantes du déve-loppement » (Piaget, 1964, p. 167), nous sommes cette fois en face d'un « structuralisme sans genèse », c'est-à-dire de la prédominance de l'inné sur l'acquis.

GENÈSE DE STRUCTURES

À lire Jean Piaget, on constate que sa perspective théorique offre du phénomène « apprendre » des explications assez différentes de celles que nous proposent les théories classiques (Gréco, 1959, p. 147). À cet égard, on doit distinguer deux niveaux : le premier dit apprentissage au sens strict concerne l'acquisition d'une information particulière ou d'une réponse s'appliquant à une situation spécifique : ainsi, en géogra-phie, un enfant rendu à un certain niveau de développement peut apprendre par cœur les noms des provinces canadiennes. Le second niveau dit apprentissage au sens large se définit l'acquisition de struc-tures de pensée généralisables à un grand nombre de situations : à ce niveau, l'enfant acquiert non seulement des noms, mais une compré-hension plus vaste à l'égard des provinces canadiennes comme parties d'un état fédéral, celui-ci étant nécessairement plus grand que chacune des provinces (d'où les concepts de base de classe et de sous-classe).

Il faut en être conscient : cette seconde définition au sens large sort l'apprentissage des limites que les positions traditionnelles lui avaient assignées pour lui faire englober le développement des structures de l'intelligence. Cette extension de la notion d'apprentissage repose sur le principe suivant : il ne peut exister dans l'environnement aucun élément assimilable au titre d'acquisition, sans qu'en même temps soit présente dans l'organisme une structure capable de réagir et de l'adapter d'une manière significative. Lors de l'expérience des transvasements, on peut faire apprendre par cœur la réponse « c'est pareil » à un enfant de 3 ou 4 ans ; mais pour qu'il puisse poser un jugement exact sur la conservation de la quantité, il faut que sa structure cognitive ait atteint la régulation interne propre aux opérations acquises vers 6 ou 7 ans. Avant cet âge, Piaget est d'avis qu'aucune récompense, aucun renforcement ne peut parvenir à faire acquérir la conservation de la quantité ; celle-ci s'édifie au cours de la genèse par équilibrations successives.

Il va sans dire que, selon l'approche piagétienne, les véritables apprentissages se situent d'emblée sur le plan du développement, car, dans la mesure où des structures comme celles des classes et des relations sont développées, elles permettent d'élargir les apprentissages au niveau de la signification. Même les informations très spécifiques, celles qu'on a considérées comme des apprentissages au sens strict, accèdent à un palier convenable de compréhension uniquement lorsqu'elles s'insèrent dans des structures ayant déjà atteint un certain degré de développement. C'est le moment où l'enfant est capable d'assimiler avec intérêt et profit une acquisition spécifique nouvelle. Piaget hésite à affirmer clairement qu'il existe des apprentissages absolus au sens où un schème ou une information aussi restreinte que possible vient « occuper une case préalablement vide et se substitue ainsi à un état 'zéro' » (Piaget, 1959, p. 55). Mais alors, quand et comment s'acquièrent ces fameuses structures logiques ? Pour leur part, des empiristes rigoureux avec les principes du behaviorisme enseignent qu'il existe des acquisitions qui demeurent antérieures à toute logique. Mais après une sérieuse discussion des différentes positions, Piaget affirme :

> Nous dirons donc, non pas (ou pas seulement) que les premières structures préfigurant la logique sont acquises par apprentissage, mais (a) que le mécanisme même de l'apprentissage comporte des modes de structuration partiellement isomorphes aux structures logiques ; et (b) que ces

structures d'abord très incomplètes, se complètent ensuite et se différencient progressivement, en tant que formes, au cours de l'apprentissage portant sur les contenus eux-mêmes (Piaget, 1959, p. 53).

Le développement des structures, vu comme une modification durable due à l'expérience, ne saurait s'expliquer sans la composante nécessaire d'un organisme assimilateur. Voilà pourquoi les trois facteurs classiques de l'acquisition d'un schème ou d'une opération sont la maturation (facteur interne), le milieu physique et le milieu social (facteurs externes). « On n'a jamais observé une conduite due à la maturation pure, sans élément d'exercice, ni une action du milieu qui ne se greffe sur des structures internes » (Piaget, 1964, p. 117). Ces dernières n'ayant pas en elles de principe moteur capable de déclencher l'action, Piaget fait appel à une force qu'il nomme l'équilibration comme quatrième facteur, mécanisme régulateur qui se développe du côté du système mental et prend place comme un processus général pendant toute la durée du développement. En effet l'enfant n'exécute aucun saut dans sa montée vers la maturité ; un schème considéré à un moment donné apparaît toujours comme un développement graduel des schèmes précédents ; il tient compte de l'expérience antérieure ; « il résume en lui le passé et consiste ainsi toujours en une organisation active de l'expérience vécue » (Piaget, 1966, p. 332). S'il se transforme graduellement, ce n'est ni en raison d'un innéisme seul, sorte de force inhérente à l'esprit humain, ni à la seule pression du milieu extérieur dont l'action modifie l'organisme, mais grâce à un procédé génétique d'échange entre le sujet et l'objet. Cette interaction se résout, d'une part, par l'assimilation qui intègre les données du milieu aux schèmes antérieurs et, d'autre part, par l'accommodation qui fait plier le sujet aux situations auxquelles il est confronté, ce en quoi s'achève l'équilibre à un moment donné.

L'apprentissage se subordonne donc à un facteur d'équilibration qui constitue un point d'arrivée pour les structures d'intelligence. Selon la perspective piagétienne, l'apprentissage n'est pas vu comme une acquisition passagère sujette à l'extinction, mais comme une modification durable due à l'expérience, modification qui entraîne une évolution des structures internes, ce qui, en définitive, fait basculer la notion nord-américaine de *learning* à l'intérieur des processus de développement. Ceci peut être perçu d'emblée comme l'artifice d'un théoricien qui applique une trop grande élasticité à une définition de type « opérationnel ». Mais Piaget entend bien faire gagner en généralisation ce que la définition de l'apprentissage perd en rigueur (Gréco, p. 147).

En quoi peut-on lui en faire grief? N'est-ce pas Tolman qui affirmait: « Il existe plus qu'une sorte d'apprentissage » (Tolman, 1949, p. 144).

COMMENTAIRE

Placée entre deux traditions théoriques, l'une fondée sur l'action de l'environnement et l'autre sur l'intervention de structures préformées dans l'organisme, l'École de Genève ne prend position ni pour l'une ni pour l'autre; elle s'oriente plutôt vers un changement de perspective, pose les fondements d'une conception qui s'appuie sur les données de la biologie et demeure à mi-chemin entre ces deux pôles. En effet, selon cette nouvelle orientation, l'explication du développement repose sur un « constructivisme » des structures cognitives, construction qui s'édifie par l'action réciproque de l'assimilation et de l'accommodation entre le sujet et l'objet.

En abordant le phénomène de l'intelligence par le biais de la méthode expérimentale, Jean Piaget fait non seulement œuvre de pionnier, mais il élabore une charpente théorique d'une conception vaste et neuve. On y entre comme dans une sorte de cathédrale de la pensée qui commande l'admiration autant par l'ampleur de son interprétation théorique que par la cohérence de la structure.

Cette approche comporte bien des aspects dignes de mention. Premièrement, une solide formation scientifique a permis à ce chercheur de découvrir que la vie se résume à une création continuelle de formes de plus en plus complexes et à une mise en équilibre de ces formes avec leur milieu. Une intelligence en action, c'est pour Piaget un système biologique. Aussi, grâce aux analogies qu'il a tirées de sa fréquentation de la nature, il a su bâtir une théorie aux idées neuves qui fait son chemin avec une parfaite assurance.

Puis il faut le remarquer: Piaget a rendu sa dignité à l'enfant: « il a été un des premiers à observer directement le développement de l'intelligence chez l'enfant et chez l'adolescent. Il a observé l'évolution des différentes notions et il a dégagé certains des processus utilisés pour les construire » (Paré, 1977, p. 50).

En raison même de cet ancrage sur le comportement de l'enfant, l'épistémologie génétique a élaboré un vaste réseau d'hypothèses fertiles. Voilà pourquoi elle est devenue un paradigme fort original susceptible d'orienter la recherche sur la relation entre les connaissances nouvelles et les structures déjà existantes. Le mathématicien Seymour Papert en a souligné la valeur : « j'aime, quant à moi, a-t-il dit, la phrase de Piaget 'pas de genèse sans structure, pas de structure sans genèse' » (Piaget, 1979, p. 153).

En regard de la séduction qu'exerce une explication intelligente des processus humains, en regard aussi des sympathies de plus en plus grandes que beaucoup de psychologues entretiennent pour l'approche piagétienne, il faut quand même en scruter la validité. À un certain niveau, une hypothèse en vaut une autre. C'est pourquoi il faut reconnaître que plus l'interprétation des faits est vaste, plus elle commande l'épreuve de l'expérimentation et le contrôle méthodique de nombreux chercheurs. Que dire au surplus si, au nom de la recherche en sciences expérimentales, certaines hypothèses sanctionnent les données de la philosophie ? Ainsi, l'épistémologie génétique de Jean Piaget (1970) supprime-t-elle cette partie de la philosophie qui traite de la critique de la connaissance ? La preuve ne nous en semble pas faite. D'ailleurs, on peut se demander si les sciences expérimentales possèdent les outils pour traiter de questions qui, en définitive, relèvent d'un savoir différent. Dans le même ordre d'idées, les thèses vitalistes en philosophie sont-elles à biffer (Piaget, 1966) au profit, semble-t-il, d'une définition de l'intelligence qui, en bout de ligne, repose sur l'équilibration ? C'est à ce sujet que Piaget enlève le moins facilement notre adhésion, surtout si on tient compte du principe qu'« il n'y a de régulation que sur des structures et avec des structures qui existent et qui sont là pour régler » (Jacob, 1979, p. 101).

En dépit des questions posées ici, il n'en demeure pas moins qu'un savant de cette stature invite à la modestie. Titulaire de plus de vingt-cinq doctorats *honoris causa* décernés par les grandes universités européennes et américaines, membre d'une quinzaine d'académies et de sociétés savantes, Jean Piaget est celui qui, avec Sigmund Freud, a dominé la psychologie contemporaine. À sa mort, survenue le 16 septembre 1980, on lui a rendu hommage sur les cinq continents. Il a laissé derrière lui une œuvre gigantesque qui demeure un monument à sa gloire.

III. Un paradigme
se construit

CHAPITRE 16 Les bases neurobiologiques de la psychologie

La capacité d'apprendre plus spécialement propre aux vertébrés repose en définitive sur l'organisation du système nerveux. Ce postulat n'a pas semblé évident à tous les anciens. Platon est le premier qui situe le substratum de la raison le long de l'axe cérébro-spinal. Il conçoit que l'âme est tripartite : – l'âme végétative, siège des instincts, logerait aux parties lombaires et sacrée de la colonne vertébrale ; – l'âme animale, siège des émotions, occuperait la région cervicale ; – quant à l'âme rationnelle, elle prendrait place à l'intérieur de l'encéphale. D'autres conceptions ont regardé le cœur et le foie comme des parties essentielles des activités de l'âme. À l'époque de la Renaissance, on est d'avis que les ventricules du cerveau contiennent le pneuma psychique, genre de fluide qui correspondrait à ce qu'on nomme par la suite l'influx nerveux. Comme nous le verrons plus loin, ces idées sont mises définitivement de côté au XIXe siècle, lorsque les neurophysiologistes procèdent à des observations cliniques, à l'occasion de cas pathologiques. Que le cerveau soit l'instrument de base du comportement humain est une vérité qui n'est plus mise en doute après 1850.

À partir de cette date, on peut distinguer trois périodes dans la relation qui unit la science du cerveau à celle de la conscience : une première phase se distingue par l'influence de la recherche en physiologie du système nerveux qui provoque l'entrée de la psychologie dans la famille des sciences expérimentales ; une deuxième phase est marquée par un divorce entre les deux disciplines avec l'avènement du behaviorisme, période durant laquelle la physiologie se développe de son côté d'une façon spectaculaire ; la troisième est celle où les relations entre ces deux disciplines se rétablissent et entraînent l'éclosion de concepts qui seront à la base de théories élargies. Ces trois périodes sont d'une importance capitale pour la compréhension des conceptions nouvelles qui sont nées en sciences humaines à la fin du XXe siècle; c'est pourquoi, elles occupent le présent chapitre, divisé en trois sections: la première est intitulée *présence de la neurophysiologie à la psychologie*; elle fait le rappel historique, depuis 1850, des positions de différents chercheurs sur la façon dont on comprenait les relations qui devaient exister entre les deux sciences; une deuxième section, intitulée *développement de la neurobiologie*, fait le point sur les progrès de la physiologie au moment où le behaviorisme avançait seul dans l'étude de l'humain; enfin, une troisième section, simplement intitulée *L'apprentissage*, passe en revue des recherches en physiologie qui posent les problèmes en des termes nouveaux, assez étrangers au discours habituel des psychologues.

PRÉSENCE DE LA NEUROPHYSIOLOGIE À LA PSYCHOLOGIE

La neurophysiologie, on l'a vu, était là bien présente à la naissance de la psychologie comme science expérimentale: Weber et Fechner, qui ont ouvert la voie à la psychophysique, une approche rationnellement rigoureuse et imaginative, furent des spécialistes de la physiologie; Wundt lui-même avait, après ses études de médecine, opté pour la physiologie, poursuivi sa spécialisation à Berlin avec Johannes Müller[1], le grand physiologiste de l'époque, et publié *Psychologie physiologique* (1874). Les découvertes d'Emil du Bois-Reymond sur l'activité électrique à l'intérieur du système nerveux et celles de Bell et Magendie sur la distinction entre les nerfs sensitifs et moteurs préparent la route à une psychologie physiologique que Wundt saura exploiter par la suite lors de la fondation du premier laboratoire.

Quelques années plus tard, sans qu'on sache quels mécanismes du système nerveux sont sous-jacents au phénomène, les Russes nomment conditionnement une salivation qui semble prendre place à l'intérieur du cerveau. Aux États-Unis, William James offre aux étudiants d'Harvard un cours intitulé «The Relation between physiology and

---

1. Au printemps de 1856, Wundt est mis en contact à l'Université de Berlin avec trois hommes de science, dont la renommée est déjà grande: Magnus en physique, J. Müller et E. du Bois-Reymond en physiologie.

psychology ». De son côté, Thorndike, venu à la psychologie par le biais des *Principles of psychology* de James, cherche une explication physiologique à l'apprentissage par essais et erreurs et fait l'hypothèse qu'un lien se crée dans l'organisme par synapse. Jusqu'ici, on considère normal que le système nerveux soit au principe de l'activité des organismes.

À partir de 1913, le vent tourne ; la psychologie emprunte une autre voie. Watson et Guthrie, reprenant les idées des empiristes anglais, s'appliquent à étudier le comportement avec des méthodes dites objectives et proposent une explication de type S-R qui, à toutes fins utiles, laisse dans l'ombre l'aspect physiologique. « Le behaviorisme, dit Watson (1925, p. 43), doit s'intéresser au système nerveux comme à un organe vital, mais uniquement comme à une partie intégrante de l'organisme entier. » Quand en 1940 Skinner s'impose en Amérique comme la principale expression du behaviorisme, il refuse avec vigueur toute interprétation du comportement qui s'appuierait sur la physiologie[2]. Pendant les années qui suivent, on approche l'organisme comme s'il s'agit d'une boîte noire ; on étudie le stimulus à l'entrée et la réponse à la sortie, puis on décrit les faits primaires du comportement. Une telle approche n'est pas nécessairement mauvaise, pourvu qu'elle ne soit pas exclusive et tolère d'autres voies en recherche, en effet, « la boîte noire des uns constitue le problème des autres » (Crick, 1979, p. 221). Ainsi, à partir de 1930, alors que les psychologues behavioristes poursuivent une démarche orientée vers les éléments externes du comportement, de son côté le neuro-anatomiste, après avoir ouvert la boîte, fait l'inventaire de la quincaillerie (le *hardware* selon l'expression utilisée en américain) montée dans le crâne par l'évolution et le neurophysiologiste en étudie le fonctionnement. Les ponts sont coupés entre la psychologie et la neurobiologie.

La situation n'en reste pas là cependant. Certains psychologues behavioristes, insatisfaits des résultats obtenus en se pliant au principe de Watson, se remettent à fréquenter, quelques-uns avec timidité et d'autres avec enthousiasme, cette amie des premiers jours, la physiologie, qui ne cesse de grandir et de faire parler d'elle. L'un d'entre eux, Clark Hull, introduit des variables intervenantes (variables dont l'organisme est responsable), afin d'apporter plus de précision à des équations aptes à mesurer le comportement. D'autres, influencés par les

---

2. Skinner qualifie l'incident de scandaleux quand E.G. Boring, celui-là même qui l'a fait revenir à Harvard, émet l'opinion lors d'une conférence que la psychologie, si elle veut progresser, doit s'appuyer sur la physiologie.

enseignements de Hull comme Neal Miller et John Dollard (1941), travaillent sur le concept de *drive*. Lashley, disciple de Watson à Johns Hopkins, ne se fait pas scrupule, une fois lancé en recherche aux universités de Minnesota, de Chicago et Harvard, d'orienter son expérimentation vers le problème de la localisation des fonctions du cerveau et de publier des travaux comme *The behavioristic interpretation of consciousness* (1923) et *Brain mechanisms and intelligence* (1929). De son côté, le behavioriste, Donald Hebb (1949, 1958) au Québec, propose une théorie de la perception de l'apprentissage basée sur des ensembles de neurones (*the cell assembly theory*) ou des circuits en boucle. Pour expliquer le comportement, la psychologie revient à la physiologie. On assiste à cette situation paradoxale, où beaucoup d'adeptes du mouvement né en 1913 sortent de l'enclos behavioriste, bâtissent des modèles où la neurophysiologie est présente et se considèrent toujours fidèles, semble-t-il, aux principes et à l'esprit de la révolution scientifique déclenchée par Watson.

D'ailleurs, les orthodoxes eux-mêmes, qui affirment vouloir écarter toute explication à caractère neurophysiologique, ne font-ils pas reposer en définitive la formule S-R sur l'acceptation tacite d'un lien réel entre le stimulus et la réponse à l'intérieur des voies nerveuses. La liaison entre le cerveau et l'apprentissage est irrécusable.

Sans doute, celui qui veut progresser en recherche doit-il diriger son champ de vision sur l'objet ou sur un élément de l'objet, y concentrer toute son attention, en un mot adopter une attitude réductionniste. Cette méthode empruntée aux sciences de la nature et prônée en psychologie a démontré avec succès qu'on peut avancer des explications acceptables du réflexe, de plusieurs comportements de l'homme et de l'animal, sans faire intervenir tout l'appareillage neurophysiologique. Comme Hebb l'affirme (1966, p. 316), « la théorie en psychologie dépasse de beaucoup ce qu'on sait du système nerveux ». Cette affirmation formulée en 1958 et répétée en 1966 perd progressivement de sa valeur à mesure que, grâce à la technologie moderne, nos connaissances progressent en anatomie et en physiologie du système nerveux. C'est d'ailleurs la conclusion de Hebb : il n'est plus possible de ne pas tenir compte des résultats de la recherche en ces domaines. Même si les réponses que peuvent nous fournir les sciences du cerveau ont un caractère ponctuel, on a commencé à préciser certains aspects du comportement, à faire des liens entre des interprétations tirées de la neurophysiologie et celles recueillies en psychologie, de telle sorte que le jour n'est peut-être pas très loin où des progrès sinon considérables, tout au moins importants, puissent être faits dans la connaissance du fonctionnement de l'intelligence. C'est pourquoi on peut conclure que, s'il faut se montrer particulièrement sceptique lorsqu'une théorie affirme que quelque chose n'existe pas, faut-il l'être davantage, si elle ignore une partie importante de la réalité.

Progressivement la physiologie a repris sa place comme l'une des disciplines capables d'apporter un éclairage particulier à l'explication du comportement. La nouvelle convergence n'entraîne pas la fusion des deux sciences : les méthodes d'investigation, le vocabulaire, l'esprit demeurent distincts, mais chacune apporte des réponses particulières qui permettent non seulement d'orienter la recherche dans un cas comme dans l'autre, mais encore d'ouvrir des avenues où la théorie se développe d'une manière plus englobante. Auparavant, voyons à quelle allure, la neurobiologie a su grandir au XXe siècle.

DÉVELOPPEMENT DE LA NEUROBIOLOGIE

Quel que puisse être l'intérêt mitigé que la psychologie a porté à la neurobiologie durant une trentaine d'années, cette dernière avait commencé bien avant que la psychologie naisse comme science expérimentale à mener son propre chemin. Nous ferons ici un bref rappel afin de situer l'évolution constatée au XXe siècle. Après avoir fait ses premiers pas avec Haller (1708-1777), Linnée (1707-1778) et Bichat (1771-1802), avoir franchi une autre étape avec Charles Bell (1774-1842), François Magendie (1783-1855), Pierre Flourens (1794-1867), Johannes Müller (1801-1858) et Claude Bernard (1813-1878), la physiologie scientifique dotée de techniques nouvelles dirige ses recherches vers un problème fondamental, la structure et le fonctionnement du cerveau. Il est vrai que cet organe nécessaire à la pensée est « depuis longtemps un objet de recherches et, depuis encore plus longtemps, un objet de spéculations » (Hubel, 1979, p. 45), sans qu'on ait pu en imaginer toute la complexité. L'homme a su dominer et maîtriser la nature parce que celle-ci l'a gratifié, à travers l'évolution, d'un instrument merveilleux que Sherrington, déjà à la fin du XIXe siècle dans une intuition poétique, entrevoit comme un « métier à tisser enchanté ». L'effort de la science pour comprendre le cerveau est non seulement la plus importante des entreprises intellectuelles, mais probablement la plus utile pour l'avenir de l'humanité elle-même. Le cerveau est

> [...] à l'origine de tout ce qui dans la vie a une signification pour nous. Non seulement nos perceptions immédiates, qu'elles soient visuelles, auditives ou tactiles, par exemple, mais aussi tout ce qui touche à la mémoire, au langage, aux émotions, à la pensée, aux idéaux, à l'imagi-

nation, aux aptitudes techniques et, par-dessus tout, à la création artistique, philosophique ou scientifique[3].

Le système nerveux central et périphérique s'est développé à partir du moment où, il y a trois milliards d'années, la vie renouvelant sans cesse ses structures et ses formes semble s'être mise au travail, telle une flèche ascendante[4], vers une grande synthèse biologique. On peut retracer l'évolution des tissus des couches supérieures du cortex

> [...] du poisson à l'homme, et observer comment chacune des parties du cerveau l'une après l'autre naissent lorsque, les formes vitales se succédant, chaque espèce devient mieux adaptée aux conditions de vie terrestre, plus versatile dans son aptitude à survivre, en un mot, plus intelligente (Gray, 1971, p. 89).

À titre de rappel en ce qui concerne le développement de l'encéphale de l'être humain, qu'il suffise de dire pour l'instant que le système nerveux origine au dix-neuvième jour de l'évolution de l'embryon d'une région différenciée de l'ectoderme[5], appelée plaque neurale. Au cours de phases successives, rapidement cette plaque se transforme en gouttière, puis en tube neural, futur axe cérébro-spinal. À la partie supérieure de ce tube émergent trois excroissances ou vésicules primaires : en se développant, elles deviennent le prosencéphale, le mésencéphale et le rhombencéphale, trois grands secteurs qui regroupent chacun plusieurs parties du cerveau.

À l'état adulte, le cerveau de l'homme se présente comme l'organe intégrateur de toutes les parties de l'organisme humain. S'il est vrai, comme le pense Crick[6], que « pour espérer comprendre les niveaux supérieurs, il faut commencer par rassembler le plus de connaissances possible sur les niveaux inférieurs » (1979, p. 219), il faut de plus utiliser toutes les possibilités que peut offrir la technologie moderne pour les acquérir.

---

3. Ce texte est tiré des colonnes d'un hebdomadaire québécois intitulé *L'enseignement*. Il a été rédigé par John C. Eccles, Prix Nobel de physiologie et de médecine (1963) pour ses travaux en électrophysiologie de la fibre nerveuse.

4. Cette comparaison est inspirée de Teilhard de Chardin.

5. « Ectoderme » est le nom donné à la membrane extérieure lors des premiers stades de la division de l'œuf chez les mammifères.

6. Francis Crick fut lauréat du Prix Nobel (1962) de physiologie et de médecine en même temps que James Watson et Maurice H.F. Wilkins pour leur découverte concernant la structure des acides nucléiques.

C'est précisément l'orientation adoptée par Camillo Golgi (1844-1926). Ce médecin italien, professeur d'histologie et de pathologie de l'Université de Pavie, découvre (1873) une technique de coloration des tissus, révolutionnaire pour l'époque. Non seulement elle met en évidence la forme générale de divers types de neurones, mais elle peut isoler un nombre restreint de cellules dans un fragment de tissu qui peut en contenir des millions. Par ses recherches, Golgi contribue à accréditer une théorie de plus en plus reçue dans les milieux scientifiques, à savoir que le système nerveux serait constitué de circuits électriques continus. Golgi en devient le principal promoteur et Sigmund Freud lui-même y adhère pendant quelques années. En 1889, un autre histologiste opposé à cette thèse, Santiago Ramon y Cajal d'Espagne, applique d'une façon systématique la méthode de coloration mise au point par Golgi à l'examen minutieux au microscope optique de presque toutes les parties du système nerveux de plusieurs espèces d'animaux.

Deux conclusions se dégagent des travaux de Cajal : en premier lieu, le système nerveux semble construit d'unités séparées, les neurones ; ces derniers communiqueraient entre eux au moyen de mécanismes de nature encore inconnue ; en second lieu, les interconnexions entre les neurones relèvent d'ensembles agencés et merveilleusement structurés, où le hasard n'a rien à voir. En 1904, Cajal publie un monumental ouvrage, traduit et intitulé en français (1911) *Histologie du système nerveux de l'homme et des vertébrés*, qui expose pour la première fois la théorie du neurone[7]. Les milieux scientifiques, une fois de plus, résistent à des idées trop neuves pour l'époque. Une controverse s'élève autour de la théorie : les uns dont Cajal considèrent que les neurones sont les entités dont le système nerveux est constitué, pendant que les autres soutiennent que les neurones sont soudés les uns aux autres d'une manière continue. À mesure que des techniques de plus en plus raffinées font leur entrée au laboratoire, on accumule les preuves qui accréditent la théorie de Cajal[8]. Le fait est indéniable : le neurone est l'unité du système nerveux. Au cours des années, de 1920 à 1960, les recherches se multiplient et sont de plus en plus fécondes. On

7. La cellule nerveuse reçut le nom de « neurone » en 1891, grâce à W. Waldeyer (1836-1921), anatomiste et physiologiste allemand, mais Cajal est considéré comme le père de la théorie du neurone.

8. Golgi et Cajal reçurent conjointement le Prix Nobel en 1906 pour les travaux qu'ils avaient accomplis dans le domaine de la physiologie du système nerveux. Présents ensemble à la remise du prix, ils ne s'adressèrent même pas la parole.

s'attaque à l'organisation du cerveau, à la nécessité de dénombrer les neurones et d'établir la manière dont ils communiquent les uns avec les autres.

Les neuroanatomistes évaluent habituellement à un nombre situé entre 15 et 20 milliards l'ensemble des neurones contenus dans les 1 500 grammes de matière grise du cerveau et du système nerveux central. Charles Stevens de l'Université Yale avance le chiffre de cent milliards (10^{11}) de neurones, ce qui correspondrait, selon lui, au nombre d'étoiles contenues dans notre galaxie. Le neurone, bien qu'offrant de nombreuses variétés de formes et de grandeurs, se caractérise principalement par ses prolongements : l'axone et les dendrites. Comme toutes les autres parties de la matière vivante, il est capable de réagir aux modifications physiques et chimiques des milieux interne et externe. Sa réaction consiste à transporter quelques millivolts d'énergie électrique et surtout à jouer un rôle important dans le stockage de l'information quelque part dans l'organisme. Ce sont là, exposés à grands traits, quelques progrès importants réalisés par la recherche en physiologie du cerveau durant les années où le behaviorisme a imposé à la psychologie de faire route seule. Il y aurait certes beaucoup à dire sur la morphologie du neurone, ses nombreux composants, son activité électrique, la synapse, les médiateurs chimiques et combien d'autres sujets exposés dans des ouvrages spécialisés. En ce qui nous concerne, selon l'orientation de notre étude, il faut considérer le système nerveux au titre d'instrument primordial de l'apprentissage de comportements nouveaux.

L'APPRENTISSAGE

Le neurone joue un rôle essentiel dans toutes les activités de la grande majorité des êtres vivants, qu'il s'agisse du réflexe de succion du nouveau-né, de celui de la grenouille dont on pince la patte et même du raisonnement de l'être humain. Le tout premier objectif que l'organisme se voit imposer par la nature, lorsqu'il arrive à l'existence, c'est celui de sa survie comme individu.

> Le répertoire limité des comportements génétiquement déterminés ne permet cependant la survie que dans des conditions simples et constantes, prévues par l'information héréditaire. Pour pouvoir s'adapter à des conditions de vie plus complexes et plus variables, les systèmes biologiques ont dû développer des mécanismes permettant l'utilisation des informations acquises. Ces mécanismes, dits d'*apprentissage*, permettent, à la lumière d'expériences passées, l'adaptation des individus aux changements du milieu. L'apprentissage implique, bien entendu, la

capacité de conserver les informations acquises, capacité désignée par le terme de *mémoire* (Ungar, 1968, p. 424).

De son côté, la mémoire suppose pour un fonctionnement adéquat trois rôles essentiels : – la fixation de l'information, – la rétention et – le rappel. Comme phénomène biologique ou physiologique, surtout depuis l'émergence du concept de l'information, la question est de savoir si les traces laissées dans le système nerveux, à la suite d'un apprentissage, sont de nature biochimique, électrique ou autre.

Dans le cadre du présent essai, il n'est pas possible de tenir compte de tous les travaux qui ont eu cours spécialement dans ce domaine durant les cinquante dernières années. Nous nous en tiendrons aux plus importants par rapport à notre objectif, à ceux, par exemple, qui ont une certaine implication non seulement sur la perception et l'apprentissage, mais aussi, étant données les théories nouvelles dans ces domaines, sur la mémoire, la représentation mentale, la résolution de problèmes, etc. Mais avant de passer au détail des recherches, nous faisons le point afin de connaître où en est l'apprentissage présenté d'un point de vue neurophysiologique.

Les neurobiologistes intéressés à l'apprentissage et à la modification du comportement grâce à l'expérience acquise ont pris l'habitude de distinguer deux types de réflexes, ou mieux, de liaisons dans le système nerveux : l'une synchronique et l'autre diachronique. La liaison synchronique est stable, prévisible, en un sens, fatale. Elle ne dépend pas de l'histoire de l'organisme, mais demeure la même chez tous. À un stimulus déterminé, l'individu répond toujours par une réponse identique. Par contre la liaison diachronique n'est pas stable ; l'organisme peut s'habituer et ne plus répondre avec la même intensité à un stimulus donné. C'est dans le cadre de la liaison diachronique que l'on rejoint l'acquis ou les processus d'apprentissage. L'une des formes les plus simples est sans doute le réflexe conditionné. Pavlov présente une variété de stimuli à l'animal, étudie les réponses, évalue le taux de sécrétion de la salive, fait apparaître le réflexe conditionné et en décrit les caractéristiques : la nécessité de lier le stimulus conditionnel au stimulus inconditionnel, les conditions d'extinction, de généralisation, de discrimination, etc.

Par la suite, on constate que le conditionnement, qu'on essaie de produire dans les circuits qui traversent uniquement la moelle épinière, est presque impossible à obtenir. Il semblerait que la plasticité du système nerveux ne s'étendrait pas à toutes les cellules nerveuses. Cette constatation soulève le problème de la localisation des apprentissages dont il sera question plus loin. Pavlov, pour sa part, avait supposé que le cortex est essentiel à l'apparition du réflexe conditionné.

En outre cette liaison diachronique s'opère dans le cas du conditionnement classique, du moins selon ce qu'on en sait, sans que l'animal y joue un rôle actif; elle est habituellement considérée comme une des formes les plus simples d'apprentissage. Au contraire lors du conditionnement instrumental, une autre forme de liaison diachronique, l'organisme est actif. Dans les situations d'apprentissage, lors d'expériences sur les animaux, on s'applique donc à mesurer les variables d'ordre physiologique, tandis que chez l'être humain s'ajoutent d'autres formes d'enquête, dont les interventions de Penfield, comme on le verra plus loin, sont un bel exemple.

L'investigation prend rapidement le chemin d'un type de recherche dans lequel on s'efforce de déterminer l'endroit où prennent place les mécanismes d'apprentissage. Pour parvenir ainsi au siège du phénomène, on emprunte la route de l'*input*, c'est-à-dire des voies sensorielles. Plusieurs recherches entreprises pour établir le lieu où s'effectuent les liens entre le stimulus inconditionné et le stimulus conditionné n'ont pas donné de résultats probants. Cependant la physiologie lancée sur cette voie ne s'arrête pas au concept de *learning* dans lequel s'est enfermé le behaviorisme, mais s'applique à chercher les mécanismes à la base de la mémoire, de la représentation mentale, de l'attention, de la perception, etc.

Au départ il semble normal de faire l'hypothèse que les acquisitions doivent produire au cerveau des changements qu'on nomme par la suite des engrammes; on les définit des modifications fonctionnelles du système nerveux dont la trace conditionnerait la fixation du souvenir. Ces modifications affectent-elles le cerveau dans son ensemble ou certaines parties spécifiques de l'encéphale comme tendent à le démontrer les résultats obtenus par Broca et Wernicke? Sont-elles d'ordre structural ou dynamique? S'il s'agit de changements au plan des structures nerveuses, sont-ils de nature chimique ou électrique? Telles sont, parmi un grand nombre d'autres, quelques-unes des interrogations qui retenaient l'attention des hommes de science au début des années 1950. Sur le plan expérimental, l'hypothèse de départ se consolide: lorsqu'un organisme apprend, il semble exister un changement dans le système nerveux. On espère comprendre un jour les mécanismes qui permettent aux faits vécus de s'inscrire quelque part dans l'organisme; néanmoins en raison de leur évidente complexité, il faut faire preuve d'imagination.

La difficulté d'investiguer directement sur le cerveau humain a suscité chez les chercheurs une variété d'approches. Nous en retiendrons trois : A. celle de la chirurgie ; lors de situations pathologiques ou de traumatismes, la nécessité d'intervenir sur le plan médical sans anesthésie en raison du caractère indolore du cerveau a permis, comme nous le verrons, d'obtenir de précieux témoignages de la part des patients ; B. une deuxième approche dirige la recherche vers les modifications chimiques et biochimiques qui peuvent se produire au moment de l'apprentissage ; C. enfin d'autres chercheurs ont choisi de s'orienter vers l'activité électrique de la fibre nerveuse. Il s'agit là de trois grands secteurs de recherche qu'il convient de ne pas confondre au départ, bien que certains résultats obtenus finissent par se rejoindre et produire une somme de connaissances que les théories contemporaines en psychologie n'ont pas ignorées. Ces dernières les ont avec le temps intégrées de manière à ouvrir les horizons nouveaux concernant les activités supérieures de l'organisme humain. Nous ferons donc ici une revue succincte de ces trois approches.

L'approche chirurgicale

L'une des premières constatations que l'on peut faire sur les vertébrés, c'est la symétrie de leur structure. L'être humain pour sa part possède de nombreux organes en double, et en particulier, deux hémisphères cérébraux dont l'un semble, à l'œil nu, la copie point par point de l'autre. Or on sait aujourd'hui que les deux côtés ne sont pas identiques, que les fonctions du langage chez l'homme sont situées à l'hémisphère gauche dans approximativement 97 % des cas. Les deux hémisphères ne paraissent pas fonctionner indépendamment l'un de l'autre. Il existe entre eux des voies d'association ou un large faisceau de fibres nerveuses (d'une épaisseur de 1 cm et d'une longueur de 8 à 9 cm) connu sous le nom de corps calleux en langage technique.

Longtemps ignorée de la neurophysiologie, cette partie du cerveau n'avait pas semblé jouer aux yeux de certains un bien grand rôle, comme mécanisme à la base des activités supérieures, car à la suite d'un sectionnement important, le comportement de l'organisme demeurait relativement normal. Chez l'homme, on avait constaté que l'activité intellectuelle était inchangée ; c'est du moins ce qui était apparu à la suite d'interventions chirurgicales qui consistent à séparer les hémisphères par une coupure complète des fibres nerveuses du corps calleux. Warren S. McCulloch (1940) de l'Université Yale résume la situation en prétendant que le corps calleux ne semble « servir qu'à transmettre les charges électriques d'un hémisphère à l'autre lors d'une crise épileptique». De son côté, Karl Lashley analyse spécialement la formation et la rétention des habitudes chez les rats après avoir effectué divers sectionnements ou extrait certaines parties du cerveau. Il en vient à dire, tout en plaisantant, que le rôle du corps calleux « doit être surtout mécanique, c'est-à-dire empêcher les hémisphères de se ballader librement» à l'intérieur de la boîte crânienne. C'est le psycho-biologiste, R.W. Sperry, qui nous rapporte ces conclusions. Insatisfait lui-même des résultats obtenus jusque-là, il entreprend à l'Université de Chicago avec Ronald Myers une série de recherches qui conduiront Myers au doctorat. Voici comment Sperry résume la thèse de Myers :

> Vérifiant séparément les performances de chacun des deux hémisphères du cerveau, il constate que lorsque le corps calleux est coupé, les apprentissages adressés à un seul hémisphère ne sont pas transférés à l'autre. De fait les deux côtés peuvent apprendre des solutions diamétralement opposées au même problème expérimental, de telle sorte que la réponse de l'animal dans une situation donnée dépend de quel côté le stimulus a été reçu par le cerveau. On dirait que chaque hémisphère possède une capacité mentale de fonctionner séparément sans tenir compte (pour dire vrai, avec un véritable manque de conscience) de ce qui se passe de l'autre côté. L'animal dont le cerveau a été sectionné se comporte comme s'il possédait deux cerveaux entièrement séparés (Sperry, 1964, p. 41).

Les résultats de la recherche sur les rats, les chats et les singes laissent supposer qu'un sectionnement du corps calleux chez l'être humain entraînerait un comportement équivalent. Dans le but de mettre fin à des convulsions épileptiques, une intervention de ce genre pratiquée sur un homme de 48 ans par P.J. Vogel et J.E. Bogen (1965) du California College of Medicine fournit des indications précises. Au départ, l'intervention ne semble pas produire de changement notable en ce qui concerne l'intelligence, le tempérament et la personnalité du patient. Mais après une série de tests et d'expériences auxquels se prête le patient dans le laboratoire de Sperry et de Gazzaniga (1965, 1967) au California Technology Institute, on décèle toute une série de caractéristiques particulières qui contribuent à établir le syndrome de la séparation des hémisphères. Michael S. Gazzaniga (1967, p. 87) décrit le comportement de chacun des hémisphères du point de vue sensori-moteur. D'une manière générale, les tests de nature à fournir des renseignements sur le contrôle moteur révèlent que l'hémisphère gauche du cerveau exerce un contrôle normal sur la main droite et un contrôle assez pauvre sur la main gauche. La situation s'inverse lorsque les tests sont effectués sur l'hémisphère droit. Au niveau des activités supérieures, si on procède de manière à ne faire travailler qu'un hémisphère à la fois, de façon à bloquer l'information à l'autre hémisphère, on peut constater que l'individu semble doué de deux cerveaux capables d'activités mentales d'un ordre assez élevé.

> De toute évidence, la séparation des hémisphères crée deux champs de conscience indépendants à l'intérieur d'un même crâne, c'est-à-dire à l'intérieur d'un même organisme. Cette conclusion trouble certaines personnes qui voient la conscience comme une propriété indivisible du cerveau humain. À d'autres, elle semble prématurée en raison du fait que les capacités révélées jusqu'ici dans le cas de l'hémisphère droit ne s'élèvent pas au-dessus du niveau de l'automate. Il y a certes une inégalité hémisphérique dans les cas présents, mais ce peut bien être une caractéristique des cas que nous avons étudiés (Gazzaniga, 1967, p. 100).

Pour déconcertantes que puissent paraître ces remarques, elles sont plus suggestives que vraiment démonstratives du rôle du corps calleux dans les mécanismes de transfert d'apprentissage entre les hémisphères. Michell Glickstein (1966, p. 490) de l'Université de Washington à Seattle apporte une opinion sensée sur la question, lorsqu'il prétend que, d'une part, « le corps calleux peut être utilisé ou pour établir un engramme dans l'hémisphère contra-latéral aussi bien que dans celui qui reçoit l'information ou pour permettre au second hémisphère de lire les engrammes enregistrés dans le premier... » et que, d'autre part, « il semble assez évident que l'engramme peut être emmagasiné à plus d'un endroit au cerveau ».

Ces remarques posent le problème de la localisation des apprentissages. On sait que des médecins européens avaient investigué dans ce domaine, bien avant les chercheurs américains et avaient obtenu des résultats fort étonnants pour l'époque. Le début de l'histoire se situe à Parie dès 1860. Un médecin d'une grande culture, Paul Broca (1861), identifie, lors d'autopsies, une aire au pied de la troisième circonvolution frontale de l'hémisphère gauche qui, si elle est atteinte de lésion, provoque une aphasie ; cette région, dite aire de Broca, est adjacente à cette partie du cortex moteur qui contrôle la motricité du larynx, de la langue et de la bouche.

De son côté, un Anglais, Huglings Jackson, intéressé depuis son enfance au rapport du cerveau et de la pensée et connu pour ses travaux sur l'épilepsie et l'aphasie, est attiré par le cas d'une femme devenue incapable d'identifier les objets, les lieux et les personnes. Après le décès de cette dame, l'autopsie révèle une tumeur à l'hémisphère droit du cerveau. Dix ans plus tard, un jeune chercheur allemand, Karl Wernicke (1874), découvre une aire, la première circonvolution temporale de l'hémisphère gauche, responsable de certains troubles liés à la signification des mots plutôt qu'à leur aspect phonétique ou grammatical, lorsqu'une lésion s'y trouve. Cette région, dite aire de Wernicke, reliée à l'aire de Broca, semble un relais entre les faisceaux qui unissent les centres visuel et auditif. Ces associations physiologiques contribuent à consolider l'hypothèse de la localisation des mécanismes à la base de l'activité humaine et à établir un modèle structural de la parole que Geschwind (1979, p. 187) décrit ainsi :

> La structure qui sous-tend l'émission de la parole naît dans l'aire de Wernicke. Elle est ensuite transmise par le faisceau arqué à l'aire de Broca, où elle déclenche un programme d'articulation détaillé et coordonné. Ce programme est transmis au cortex moteur de la face, une aire adjacente, qui active les muscles appropriés de la bouche, des lèvres, de la langue, du larynx et ainsi de suite.

Chez l'humain, les lésions dont on vient de parler sont dues à des thromboses de vaisseaux sanguins chargés d'irriguer le cerveau et de le nourrir. Quand elles se produisent, elles entraînent l'atrophie et la mort de milliards de neurones. La pathologie offrait depuis 1920 des moyens nouveaux d'identifier les aires du cortex et de déterminer avec plus de précision les régions du cerveau responsables de la sensation, de la motricité et de la mémoire. Parmi ceux-là, il faut signaler une technique mise au point par Wilder Penfield du Neurological Institute de Montréal. Elle consiste, lors d'interventions sur des malades maintenus conscients, à enregistrer les réactions et les réponses à la suite de stimulations de diverses zones du cerveau. Cette méthode et les résultats obtenus sont rapportés dans un livre intitulé *The excitable cortex in conscious man* (1958).

Dans le but d'en montrer le raffinement, il n'est pas sans intérêt de citer un cas décrit par le Dr Penfield lui-même :

> Le cas de C.H. nous conduit directement au problème de la relation de l'esprit au cerveau. Sous anesthésie locale, une assez grande partie de l'hémisphère gauche de ce patient avait été mise à jour. Afin d'être aidé dans mon travail d'excision corticale, j'entrepris de déterminer avec précision les limites de l'aire principale du langage dans la région temporale. À cette fin, l'un de mes associés commença à montrer au patient une série d'images. C.H. nommait chaque représentation avec précision. Tandis que nous procédons ainsi, j'applique (à l'insu du patient) un courant électrique au moyen d'une électrode placée dans l'aire du

langage. On lui montre l'image suivante, mais il demeure silencieux. Il fait claquer ses doigts, comme s'il était exaspéré. Je retire alors l'électrode.

« Je peux la nommer maintenant, dit-il, c'est un papillon. Je ne pouvais pas trouver ce mot papillon, c'est pourquoi j'essayai de trouver le mot insecte ».

Il est clair qu'au moment où les mécanismes du langage étaient temporairement bloqués, il pouvait encore percevoir l'image d'un papillon et en saisir la signification. Il fit un effort conscient pour obtenir le mot correspondant. Ne comprenant pas pourquoi il en était incapable, il fit appel à un autre concept qu'il considérait très proche du mot papillon et qu'il présenta au mécanisme du langage, mais obtint encore un blanc (Penfield, 1969, p. 156).

À l'aide de ces techniques, Penfield, assisté d'une équipe, recueille des données qui permettent de dessiner la carte des régions où arrivent les sensations au cortex ainsi que celles d'où partent les messages moteurs vers les muscles. Progressivement l'œuvre de Broca se continue ; la cartographie du cerveau s'élabore peu à peu.

En raison du caractère diffus de beaucoup de lésions, les chirurgiens ne peuvent atteindre en profondeur les mécanismes de la mémoire, même si certaines observations, lors d'interventions, révèlent des aspects intéressants de la localisation des souvenirs à des endroits précis au cortex. D'autres données ont été recueillies par Brenda Milner (1970) sur des personnes épileptiques à l'occasion de la résection plus ou moins étendue d'une partie du lobe temporal, dit aussi hippocampe. L'ablation de cette région du cortex à l'hémisphère gauche entraîne un déficit assez important de la mémorisation des mots du vocabulaire, alors qu'une intervention similaire à l'hémisphère droit fait perdre la rétention de matériel non berbal, comme la capacité de reconnaître les visages, les mélodies, le parcours d'un labyrinthe, etc.

D'autres travaux plus récents élaborés au sujet de la localisation des fonctions du cerveau, même s'ils n'utilisent pas toujours la chirurgie comme méthode de recherche, paraissent dignes de mention. Dans cette lignée, il est opportun de signaler ceux d'Anderson et Bower (1973), de Wickelgren (1979), de Grossberg (1974, 1975, 1978) et enfin ceux de Michel Jouvet (1974, 1979). Ce dernier, professeur de médecine expérimentale à l'Université Claude-Bernard de Lyon, étudie l'activité onérique chez les chats à la suite de l'ablation ou de lésion du système de commande pratique de l'atonie posturale. Ces lésions artificielles, en supprimant l'inhibition des mouvements d'un animal en état de rêve, obligent le sujet à exprimer extérieurement par un comportement musculaire réel les activités et les images qui prennent place au cerveau durant le rêve. Des observations recueillies chez le chat ont permis par la suite de mieux reconnaître les caractéristiques du sommeil paradoxal[9] chez l'homme.

Grâce à la recherche effectuée depuis Sperry, intelligente, tenace et effective, l'approche neurophysiologique est parvenue à des résultats étonnants, bien que fragmentaires, concernant la latéralisation des fonctions, le rôle du corps calleux, la localisation des sensations et de la motricité au cortex. Notre soif de savoir demeure néanmoins loin d'une connaissance approximative des mécanismes à la base des activités supérieures du cerveau. C'est maintenant au tour de l'approche biochimique de sonder le mystère sur un autre plan.

L'approche biochimique

Bien que la chirurgie du cerveau ait jeté quelques lueurs sur la complexité de l'organisation du système nerveux central, l'énigme n'est pas tranchée. L'approche biochimique interroge la nature des changements provoqués dans le système nerveux à l'occasion d'un apprentissage. Au siècle dernier, John Stuart Mill, Théodule Ribot et William James avaient fait de vagues allusions à la possibilité que les faits mémorisés provoquent des changements d'ordre biochimique; en réalité, une hypothèse en ce sens n'a été vraiment formulée qu'en 1902, lorsque Bernstein a prétendu que le courant de faible intensité constaté sur la fibre nerveuse est généré par un échange d'ions de sodium et de potassium à travers la membrane cellulaire. De là, on peut être amené à penser que le passage de cette quantité d'énergie laisse des traces ou des transformations qui sont d'ordre biochimique.

Des travaux plus récents n'ont-ils pas montré que la transmission du signal d'un neurone au suivant s'effectue au moyen de médiateurs chimiques. Vers 1950, il est admis qu'une approche des phénomènes de mémorisation par la voie de la biochimie serait de nature à fournir des résultats positifs.

---

9. L'organisme des vertébrés supérieurs subit l'alternance de trois états durant le *cycle circadien*: l'éveil, le sommeil lent et le sommeil paradoxal. Cette dernière phase «est en effet paradoxale, car une activité cérébrale plus intense y correspond à un relâchement musculaire» (Jouvet, 1979, p. 136).

Parmi les molécules soupçonnées de jouer un rôle dans les mécanismes de la mémoire et de l'apprentissage, il paraît plausible aux adeptes de cette approche d'exclure celles dont l'existence est brève comme les lipides et les glucides (hydrates de carbone). L'intérêt se concentre sur les molécules géantes, les protéines, considérées comme le matériau de construction de la matière vivante. Vers la fin du XIXᵉ siècle, un biochimiste suisse, Frederich Miescher, avait fait la découverte (1888) d'une autre macromolécule, substance acide qui semble assez liée aux protéines situées à l'intérieur du noyau de la cellule. De 1940 à 1950, les travaux d'André Boivin, Roger et Colette Vendrely à Strasbourg ainsi que ceux d'Alfred E. Mirsky et Hans Ris au Rockefeller Institute finissent par rendre compte que la quantité de cet acide, communément appelé aujourd'hui l'ADN (l'acide désoxyribonucléique), est constante dans chaque ensemble de chromosomes. Au même endroit, en 1944, Oswald T. Avery, Colin M. MacLeod et Maclyn McCarty font la preuve que des traits héréditaires bien identifiés peuvent être transmis d'un type de bactéries (pneumocoques) à un autre par le transfert de l'ADN du premier au second. La conclusion s'impose : l'ADN est l'agent transporteur de l'information contenue dans les cellules génétiques, il est au surplus l'élément de base de tous les organismes vivants, responsable de la structure des protéines, de leur diversité, en définitive de la singularité des espèces. La découverte est de taille, mais une question demeure. Que contient en réalité un composé si important ? Quelle en est la structure ?

L'événement capital en ce domaine s'est produit au laboratoire Cavendish de l'Université de Cambridge et constitue l'un des grands moments scientifiques de ce siècle. Deux chercheurs du Medical Research Council de Grande-Bretagne, Francis Crick et James D. Watson, font irruption dans le « pub » du campus un après-midi de l'hiver 1953 et s'écrient : « Nous avons découvert le secret de la vie ! ». En effet, un coin du voile est levé. Ces deux jeunes gens viennent d'édifier une structure moléculaire en double hélice, qui constitue le modèle (*the tinkertoy-like molecular model*), c'est-à-dire le plan architectural complet de la conformation spatiale de l'ADN, plan qui satisfait entièrement aux lois des liaisons atomiques. En bref, il découle de ceci que dans chacune des cellules de tous les êtres vivants existent des structures moléculaires en double hélice, dite ADN ou acide désoxyribonucléique, matière qui prend place à l'intérieur des gènes. À leur tour, les gènes sont situés sur les chromosomes, organites cellulaires inclus dans le noyau de la cellule et responsables des caractères héréditaires de l'espèce à travers les générations. L'ADN contient donc, pense-t-on, les secrets de l'hérédité, de la croissance, du vieillissement, et en ce qui concerne l'*homo sapiens*, probablement l'explication fondamentale de l'intelligence et de la mémoire. Cet événement est attendu depuis 35 000 ans! Mais de quoi l'ADN est-il fait?

> Quand il est réduit à ses éléments constitutifs, rien ne distingue l'ADN humain de l'ADN de l'escargot, de la grenouille ou de la baleine. La différence d'un ADN à l'autre réside uniquement dans la manière dont les nucléotides y sont agencés. Environ cinq milliards de nucléotides, formant une chaîne qui, étendue complètement, mesurerait plus d'un mètre, sont nécessaires pour construire un homme. Il n'en faut pas moins pour faire une souris, ni plus pour faire un éléphant: trois à cinq millionièmes de microgrammes suffisent dans tous les cas. En quelques semaines ou en quelques mois, cette infime quantité de matière, pelotonnée dans les chromosomes de l'œuf, va se reproduire à des milliards d'exemplaires et diriger, planifier, orchestrer l'élaboration du nouvel organisme (Denis, 1973, p. 309).

Mais ici l'interrogation se poursuit: par quel mécanisme, l'ADN enfermé dans le noyau de la cellule peut-il contrôler la fabrication des protéines à partir des acides aminés, puisque ce travail s'exécute dans une autre partie de la cellule. On suspecte la présence de serviteurs à l'ADN; de fait, on lui découvre un sien cousin fort actif dont la structure lui est assez semblable, l'ARN (l'acide ribonucléique), qui se charge d'encoder les messages que lui présente l'ADN et de les transporter dans le ribosome où s'effectue la synthèse des protéines. On nomme cet acide l'ARN messager. Mais une fois présent dans le ribosome, cet ARN messager ne peut présider à la synthèse des protéines sans le matériel nécessaire à cette fin, c'est-à-dire les acides aminés. En 1955, Francis Crick fait l'hypothèse qu'il doit exister une seconde forme d'ARN chargé de recueillir les acides aminés[10] particuliers en suspension dans le cytoplasme pour les véhiculer jusqu'au ribosome. Cet ARN de transfert, tel qu'on le nomme aujourd'hui, est effectivement identifié par Jacques Monod et François Jacob de l'Institut Pasteur à Paris. De plus les recherches qui aboutissent en 1965 au déchiffrage du code contenu dans les acides nucléiques constituent un chapitre passionnant de la biochimie. La première étape de ce décodage a eu lieu à New York grâce au travail de Severo Ochoa. On sait maintenant que l'acide désoxyribonucléique contient un code formé

---

10. Les acides aminés sont les matériaux utilisés à la fabrication des protéines. Lors du développement d'un organisme, les acides nucléiques non seulement possèdent le plan de construction, mais effectuent une grande partie du travail.

de quatre bases : l'adénine (A), la cytosine (C), la guanine (G) et la thymine (T) ; la nature se sert de ces éléments pour former de nombreux « mots » à partir desquels les organismes s'édifient. Mais c'est là une autre histoire.

Ce détour par la biologie moléculaire ne nous a éloignés de notre sujet qu'en apparence, car les psychobiologistes se tournent vers les acides nucléiques avec l'espoir que l'un d'eux soit un des principaux agents responsables des mécanismes de la mémoire. On a remarqué en effet que la concentration d'ARN augmente avec l'âge et décroît lorsque la capacité d'apprendre diminue. Un neurobiologiste suédois de l'Université de Göteborg, Holder Hydén, fait l'hypothèse en 1959 que l'acide ribonucléique est la clef de l'explication des phénomènes de la mémoire. En 1962, il entreprend en collaboration avec E. Egyhazi (1962, 1964) une série d'expériences lors desquelles il fait apprendre à des rats des tâches spécifiques. Après avoir tué les sujets, il détermine à l'aide de microtechniques d'une rare précision le dosage des quatre bases de l'ARN contenu dans le noyau vestibulaire. Il constate une augmentation de la quantité et une différence dans la composition des bases de l'ARN. L'interprétation donnée à ces premiers résulats a suscité de nombreuses recherches selon deux approches particulières.

La première repose sur un raisonnement assez simple. En effet si le métabolisme des acides nucléiques est augmenté à l'occasion d'un apprentissage, certaines drogues qui stoppent la synthèse des protéines devraient par le fait même bloquer l'apprentissage. Certains biochimistes eurent l'idée de se servir d'un antibiotique comme la *Puromycine* pour empêcher la synthèse des protéines chez des animaux et observer ensuite les effets. Bernard Agranoff (1971) de l'Université du Michigan choisit un poisson rouge (*Carassius auratus*) qu'il entraîne à parcourir un aquarium en ayant à sauter au centre une barrière qui s'élève du fond jusqu'à un pouce (2,6 cm) de la surface de l'eau. Si immédiatement avant ou après l'entraînement, il injecte dans le cerveau du poisson 170 microgrammes de *Puromycine*, le poisson ne peut ni apprendre, ni se souvenir de la tâche. Cependant l'injection donnée une heure après la leçon terminée ne semble avoir aucun effet sur la tâche à exécuter.

La seconde approche, à première vue moins orthodoxe, se fonde sur ce qu'on appelle le transfert de mémoire. En 1962, McConnell entraîne des planaires à réagir à la lumière par conditionnement instrumental. L'apprentissage, une fois acquis par les sujets, il les coupe en fragments minuscules et sert cette « soupe » en nourriture à d'autres planaires. Ces derniers apprennent la tâche beaucoup plus rapidement que des planaires témoins. McConnell (1962, 1965) conclut à un phénomène de rétention. Bien que controversés, les résultats de ces expériences reçoivent une large publicité. En 1965, un associé de McConnell, Allan Jacobson, tente une expérience similaire. Il extrait une certaine quantité d'ARN du cerveau des rats auxquels il a fait apprendre une tâche. Il injecte le précieux liquide à des sujets naïfs (des rats non entraînés à la tâche). Il annonce à son tour un résultat positif. Quelques mois plus tard, vingt-trois chercheurs signent dans la revue *Science* un article dans lequel ils annoncent qu'aucun d'entre eux n'a réussi à répéter l'expérience avec succès. Ce texte aurait porté un coup fatal à l'hypothèse, si George Ungar (1970a, 1970b), professeur de pharmacologie, n'avait relevé le défi. Il apprend à des souris à fuir la noirceur qu'elles préfèrent pourtant naturellement. Il extrait les protéines de leur cerveau et les injecte à l'abdomen de souris naïves qui réagissent à leur tour d'une manière craintive à la noirceur.

Si la mémoire par injection n'est pas pour demain, les discussions se prolongent autour de ce problème. Faut-il rejeter l'hypothèse d'un lien possible entre la production de protéines et la mémoire? Non seulement cette hypothèse n'a pas réussi, selon Carlson (1977, p. 604), à s'affirmer avec solidité, mais à sa base elle aurait besoin, selon Hilgard et Bower (1981, p. 514), de l'appui d'une théorie suffisamment articulée capable d'orienter la recherche. N'est-ce pas là au départ demander beaucoup à une simple intuition scientifique, à une approche qui a reçu plus que sa part de critiques? Il faut reconnaître que des positions trop bien définies ont déjà eu dans le passé de mauvais effets sur le progrès de la science. Une fois de plus la réalité se laissera probablement connaître brin par brin au hasard d'issues imprévisibles, pour s'assembler progressivement en des explications plus vastes. Pour l'instant, voyons de quelle manière se formulent les questions à l'attention des chercheurs en électrophysiologie.

L'approche électrophysiologique

Depuis longtemps, on soupçonnait que l'énergie électrique pouvait s'accumuler ou circuler dans les organismes animaux, lorsque Carlo Matteuci (1841) présente à l'Académie des sciences de Paris une note sur les phénomènes électriques perçus chez les animaux. Cette communication publiée deux ans plus tard (1843) fait la démonstration suivante: lorsque les deux électrodes d'un galvanomètre sont fixées, l'une à la surface, l'autre à l'intérieur d'un même muscle, on enregistre une différence de potentiel au cadran de l'appareil, même si le muscle est au repos. Johannes Müller s'empresse de faire connaître cette expérience à ses étudiants de l'Université de Berlin. L'un d'eux, Emil du Bois-Reymond, intéressé par le phénomène, publie son propre compte rendu sur des expériences similaires et un premier traité d'électrophysiologie (1848) qui fait le point sur la question.

En 1875, Richard Caton, physiologiste anglais, enregistre une activité électrique au cerveau… Il décèle l'équivalent du potentiel électrique déjà enregistré dans le système nerveux périphérique. Adolf Beck en 1890, sans connaître les travaux de Caton, s'adonne aux mêmes expériences et obtient les mêmes résultats.

Au début de ce siècle, la neurophysiologie accepte donc comme un fait bien établi une certaine activité électrique sur la fibre nerveuse. Dès 1902, Bernstein formule la théorie de la conduction qui repose sur les deux hypothèses suivantes : en premier lieu, la membrane cellulaire possède une perméabilité sélective à la concentration d'ions de potassium à l'intérieur de l'axone d'une part et à la concentration d'ions de sodium en suspension dans le liquide intersticiel à l'extérieur de la membrane d'autre part ; cette double concentration établit une polarité entre l'intérieur (négatif) et l'extérieur (positif) de la membrane, lorsque la cellule est au repos. En second lieu, au moment de l'influx nerveux, la membrane perd momentanément cette perméabilité sélective ; le potentiel tombe à zéro ; ceci génère une dépolarisation de la membrane et un courant électrique le long de la fibre nerveuse. Pour le moment, cette théorie intègre bien les faits connus jusqu'ici. Elle est reçue comme une explication satisfaisante des phénomènes nerveux.

L'expérimentation en laboratoire tarde à vérifier les hypothèses de Bernstein, car les appareils rudimentaires du début du siècle et les techniques peu raffinées alors en usage ne permettent pas encore d'apercevoir et de manipuler une fibre nerveuse dont le diamètre ne dépasse pas quelques microns. Après trois décades de stagnation, la nature elle-même vient au secours de la science et présente aux chercheurs en 1933 une de ses meilleures inventions. En effet, cet été-là, J.Z. Young, membre de la Marine Biological Association de Grande-Bretagne, découvre un mollusque, le calmar, dont la fibre nerveuse[11] possède des

---

11. Richard D. Keynes a fait paraître dans *Scientific American* en 1958 un excellent article intitulé « L'influx nerveux et le calmar ». Ce texte a été reproduit dans *Physiological psychology* en 1972.

dimensions géantes (1 millimètre de diamètre); elle est en effet 1000 fois plus grosse que celle des autres espèces. Les neurophysiologistes se tournent vers ce céphalopode qui livre plusieurs secrets concernant l'activité électrique du neurone et le fonctionnement synaptique du système nerveux.

Dès 1936, K.S. Cole et H.J. Curtis isolent le neurone géant du calmar, réussissent à le monter sur une des branches du pont de Wheatstone[12], mesurent la résistance de la membrane et peuvent ainsi établir que la *capacitance*[13] de ce tissu membranaire est de 1 microfarade par centimètre carré de surface. Puis grâce à des techniques plus perfectionnées, ils démontrent que la perte de résistance au moment du passage de l'influx nerveux, phénomène qu'avait prévu Bernstein trente-cinq ans plus tôt, se produit effectivement. En 1939, deux équipes, l'une formée de Cole et Curtis (1942) à Woods Hole, Mass. aux États-Unis, l'autre de Hodgkin et Huxley (1939) à Plymouth, Angleterre, travaillant sur la mesure du potentiel par une même méthode, c'est-à-dire l'introduction d'une micropipette à l'intérieur de l'axone géant du calmar, constatent à leur grand étonnement que non seulement le potentiel descend à zéro, mais que la polarisation s'inverse; la vague positive à l'intérieur de l'axone correspond à une vague négative à l'extérieur.

Sans abandonner le calmar devenu un sujet privilégié en recherche, comme l'attestent les études récentes de Katz et Miledi (1967), de Pumplin et Reese (1978), de Llinas, Sugimori et Simon (1982), en 1939 l'attention se porte sur d'autres invertébrés. À la Station de biologie marine de Tamaris-sur-mer, France, Angelique Arvanitak (1938, 1939), étudie la dépolarisation en série sur la seiche (*Sepia officinalis*), un autre céphalopode à tentacules qui présente un axone de 0,2 millimètre et survit assez facilement en captivité. Ces études et celles qui ont suivi permettent de mesurer la rapidité avec laquelle l'axone reprend son état normal, soit 1/1000 de seconde, après le passage de l'influx nerveux.

---

12. Le pont de Wheatstone est un dispositif électronique qui fournit «le circuit le plus direct et le plus connu pour comparer des résistances inconnues à d'autres *standards* dont le degré de résistance est connu» (Malmstadt, Enke et Toren, 1963, p. 273). Cole et Curtis ont réussi à monter la fibre nerveuse du calmar sur un pont de Wheatstone afin de mesurer la résistance de la membrane.

13. La *capacitance* n'est rien d'autre que l'aptitude d'un appareil à accumuler une charge électrique.

Bien que des mollusques tels le calmar, la seiche et l'aplysie[14] intéressent toujours les chercheurs à cause des proportions de leur fibre nerveuse, on se tourne vers les organismes supérieurs, grâce au raffinement de la technique. Deux physiologistes de l'Université de Chicago, Ralph W. Gérard et Gilbert Ling (1949) réussissent à inventer une électrode dont la pointe est plus mince (0,5 μ) que le diamètre d'une fibre nerveuse. Cette aiguille ultrafine peut traverser la membrane d'un axone sans la déchirer, mesurer l'intensité de la dépolarisation, enregistrer les ondes successives de l'influx nerveux sur le neurone, quelles que soient sa grosseur et sa forme.

Cette découverte de la technique permet d'étudier le cheminement de la stimulation, après que celle-ci a traversé les organes des sens. Une équipe du M.I.T., dirigée par Jerome Y. Lettvin (1959) l'utilise pour étudier la réponse (le potentiel évoqué) dans le système visuel des grenouilles. Ces chercheurs découvrent quatre classes de cellules spécialisées qui réagissent à des stimuli particuliers : ce sont les détecteurs d'arête, les détecteurs de contraste mouvant, les détecteurs d'obscurcissement et enfin les détecteurs d'arête convexe qui répondent uniquement si un petit objet ou un point noir se déplace dans le champ visuel. On imagine que ce dernier type de détecteurs doit être fort utile à ce batracé pour attraper des insectes, puisque la survie des espèces dépend de leur habileté à réagir au monde extérieur, c'est-à-dire à recueillir l'information de l'environnement, à se l'assimiler et à y répondre d'une manière adéquate. En dépit de cette spécialisation des neurones de l'œil, le système visuel de la grenouille est assez pauvre. Aussi l'intérêt de la recherche se tourne du côté des mammifères. Deux professeurs de Harvard, l'un d'origine canadienne, David Hubel, et l'autre d'origine suédoise, Torsten Wiesel (1962, 1965, 1968, 1977), découvrent des détecteurs spécialisés sur les voies optiques et au cortex visuel du chat et du singe. Enfin, David Noton et Lawrence Stark (1971, p. 221) rapportent que « des enregistrements relevés à partir du cortex visuel humain par Elwin Marg de l'Université Berkeley de la Californie donnent des indications préliminaires que les résultats obtenus sur les animaux peuvent être appliqués à l'homme ».

Des conclusions de ce genre contribuent à diriger les chercheurs vers un consensus. Dès 1970, Kit Pedler, directeur de l'Anatomy

---

14. Eric C. Kandel (1972, 1976) s'est servi de l'aplysie pour faire de la recherche sur le système nerveux. Ce gastéropode appelé vulgairement « lièvre de mer » émet un liquide violet quand on l'inquiète.

Department of the Institute of Ophtalmology, à Londres (1970, p. 49), est d'avis que « la rétine agit comme un système primaire de traitement des données avant de les acheminer au cerveau ». Ainsi donc, chez les mammifères supérieurs, les images reçues de l'environnement seraient analysées d'étape en étape par une réduction progressive de l'information à partir de la rétine de l'œil jusqu'au cortex visuel. Selon Lindsay et Norman (1977), il existe chez l'homme un premier niveau de traitement où prend place une première extraction de l'information entre l'œil et le corps genouillé ; un second niveau se situe du corps genouillé jusqu'à l'intérieur du cortex visuel. On y trouve trois types de neurones chargés de trois fonctions distinctes : les cellules simples détectent des lignes, des arêtes et des contrastes ; les cellules complexes réagissent aux lignes et aux arêtes que lorsque ces dernières apparaissent dans une orientation déterminée bien précise ; enfin les cellules hypercomplexes ne répondent que si une ligne ou une arête dans une orientation déterminée se déplace dans un plan.

À certains, les résultats de cette approche peuvent paraître encore assez minces. Un fait demeure cependant : le transport de signaux électriques sur la membrane par des dépolarisations produites en série laisse supposer la présence d'un code d'une manière plus évidente depuis les travaux d'Hubel et Wiesel. « L'idée du code nerveux est généralement inspirée par des trains d'ondes électriques qui transportent l'information dans les systèmes de télécommunication » (Ungar, 1972, p. 21). À ce niveau de développement, il est sans doute utile de réunir les diverses approches afin d'arriver à des explications plus vastes. Le transport de l'énergie, c'est connu, est engendré par un échange d'ions de sodium et de potassium à travers la membrane. En outre, les travaux d'Eccles[15] ont montré que ce sont des molécules fabriquées par l'organisme qui sont les agents de transmission de l'influx nerveux à la synapse (phénomène biochimique et électrique à la fois). Espérons que la convergence des différentes approches nous conduise vers des explications plus larges des phénomènes à la base du transfert de l'information.

COMMENTAIRE

Bien que des progrès considérables aient été réalisés durant les trente dernières années, les mécanismes physiologiques demeurent mystérieux en regard de l'ampleur et du nombre de problèmes soulevés par

---

15. On pourra lire avec intérêt les ouvrages de Eccles (1957, 1964).

les sciences du comportement. Il n'est plus possible cependant de tenter d'apporter une explication quelque peu sérieuse sur des phénomènes comme la perception, la mémoire et l'apprentissage sans faire une place importante aux recherches effectuées aujourd'hui sur le système nerveux. Si essentielle que soit l'observation externe pour l'explication des phénomènes comportementaux, il demeure que la psychologie risque de sombrer dans la stérilité, si elle s'isole. Au moment où les behavioristes avaient la carapace dure et faisaient de l'apprentissage le tout de la psychologie, l'approche de type « boîte noire » a fini par s'enliser. Un bon nombre d'hommes de science en sont venus à chercher une base de niveau neural au lien associatif. Ceci accrédite l'idée qu'il pourrait exister différentes espèces de liaisons entre les unités du système nerveux ; mais les théoriciens des vingt dernières années ont largement démontré qu'il existe effectivement des niveaux de recherche qui dépassent de beaucoup en complexité celui du lien associatif.

Que dire de certains autres domaines du comportement humain comme l'attention, la reconnaissance des formes, la résolution de problèmes et la pensée ? La revue que nous avons faite des principaux thèmes de recherche n'a pas fourni les éclaircissements auxquels on s'attendait peut-être sur ces sujets. Elle laisse néanmoins, à notre avis, percevoir deux voies nouvelles.

En premier lieu, à mesure qu'on va plus avant dans l'étude du transport de l'énergie électrique sur la fibre nerveuse, que l'on constate la fréquence de la dépolarisation de la membrane, la spécification de l'information lors des phénomènes de vision, la complexité des mécanismes du transfert de l'énergie à la synapse, on soupçonne et on finit par admettre comme un fait difficile à récuser la présence d'un code capable d'acheminer des messages aux différentes aires du cerveau. Avec l'idée de code, le concept de l'information prend forme. Le système nerveux apparaît comme un vaste réseau d'intercommunications capable de recevoir des messages de l'environnement et d'en échanger à tous les niveaux de l'organisme. Ces idées assez simples en soi revêtiront un caractère nouveau lorsqu'elles seront mises en parallèle avec la théorie de l'information de Shannon et Wiener.

En second lieu, les recherches que nous avons présentées dans ce chapitre sur la neurobiologie ne sont qu'un survol des principales études concernant la mémoire et l'apprentissage ; elles demeurent à cent lieues d'un inventaire exhaustif capable de donner une idée de la quantité et de la variété des travaux exécutés en ce domaine. En dépit de l'excellent travail accompli, nous ne pouvons pas nous flatter d'avoir acquis une idée même lointaine et approximative du fonctionnement des mécanismes supérieurs du cerveau. Les recherches en neurobiologie jointes à celles qui sont poursuivies en psychologie nous ont tout au plus permis d'accumuler un certain nombre de connaissances précises mais isolées sur le comportement des organismes vivants en général ainsi que sur le comportement humain. La disparité elle-même des résultats obtenus plaide en faveur de la nécessité de faire apparaître un cadre théorique général capable d'unifier les conclusions de la recherche et d'en fournir une interprétation originale.

17 La cybernétique ou théorie des messages

Avec le présent chapitre, nous passons à un autre niveau de discours assez proche de celui de la neurobiologie, bien que différent en apparence. Notre exploration se dirige cette fois du côté de l'*engineering*, de l'informatique, des sciences de la communication et de la linguistique, car, lorsqu'il s'agit d'étudier l'être humain, c'est une des caractéristiques propres aux sciences modernes d'emprunter des concepts, des méthodes, des principes de toute discipline capable de fournir un éclairage nouveau, des connaissances originales, sinon définitives. Cette méthode qui consiste à élargir l'état de la question et à faire appel à des idées plus englobantes a permis de progresser dans l'étude de l'univers humain.

Nous avons vu la neurobiologie[1] introduire le concept de mémoire et le lier à celui de l'apprentissage. Cette approche d'une valeur scientifique certaine a secoué les vieux schèmes théoriques behavioristes ; en effet, ceux-ci avaient d'une façon assez régulière ignoré la mémoire et les données de la physiologie dans l'interprétation du phénomène de l'apprentissage. De nouveau, au cours des années 1950, la psychologie va bénéficier de recherches menées dans des sciences nées

---

1. À titre de complément d'information en neurobiologie, on trouvera, dans les œuvres de Bernstein (1982), Farah (1984), Imbert (1985), Jeannerod (1983), Kordon *et al.* (1986), Lazorthes (1983), Paillard (1983), Robert (1984), l'aboutissement actuel des idées élaborées après la Deuxième Guerre mondiale.

avec la guerre, sciences qui vont fournir un certain nombre de concepts tout à faire neufs. Ceux-ci auront pour effet de changer nos perspectives dans le domaine des sciences de l'homme. Cette orientation cependant, comme il arrive souvent en pareil cas, plonge ses racines maîtresses dans des conceptions qui sont nées bien auparavant.

UNE VISION MOINS RIGIDE DE L'UNIVERS

Le tout a commencé vers le milieu du XIXe siècle : un prodigieux jaillissement dans le domaine des sciences de la nature chambarde les systèmes les mieux assis, même ceux qu'on croyait d'une solidité inaltérable. À ce sujet, rappelons-le : c'est par la formulation des lois de la gravitation universelle que le grand savant anglais, Isaac Newton, avait donné de l'univers une description qui s'était imposée avec autorité. « Cette physique newtonienne, qui exerça son empire sans la moindre opposition depuis la fin du XVIIe siècle jusqu'à la fin du XIXe, décrivait un univers où tout ce qui survenait était régi par des lois, un univers compact fortement organisé » (Wiener, 1971, p. 17), dans lequel le futur ressemblait infailliblement au passé. Une théorie scientifique est cependant toujours sujette à révision. Aussi, vers la fin du XIXe siècle, deux physiciens, l'Américain Gibbs (1839-1903) et l'Autrichien Boltzmann (1844-1906), arrivent à des conclusions qui introduisent une faille dans l'univers de Newton, ce monde fermé, régi par des lois considérées immuables.

Selon les conclusions de ces deux nouveaux venus, on « ne peut éviter de considérer l'incertitude et le caractère accidentel des événements » (Wiener, 1971, p. 20) qui se produisent à l'intérieur des systèmes présents dans l'univers. De leur côté, deux mathématiciens français, Borel et Lebesgue, grâce à des travaux sur les probabilités, fournissent une expression mathématique à cette idée nouvelle. En effet, la prise en considération des lois statistiques comme un instrument capable d'expliquer le fonctionnement de l'univers ne détruit certes pas les convictions qu'on entretient envers le vieux déterminisme, mais cette conception nouvelle introduit un doute sérieux concernant la solidité de la théorie de Newton. Puis, avec le temps, les physiciens finissent par admettre la présence de l'incertitude et du caractère accidentel à l'intérieur de beaucoup d'événements qui se déroulent dans l'univers. Comme conséquence de cette évolution théorique, ils « s'attachent, non plus à ce qui se produira toujours, mais plutôt à ce qui surviendra avec une probabilité totale » (Wiener, 1961, p. 23). Qui dit probabilité, dit hasard ; désormais, le hasard s'offre face à la nécessité[2] comme une explication possible des lois de la nature. De telles idées révolutionnent le domaine de la physique et ouvrent la route à la théorie des quanta (Planck) et à celle de la relativité (Einstein).

Mais quel lien, on peut se le demander, les théories de Gibbs et Boltzmann entretiennent-elles avec la psychologie ? En réalité, ce n'est qu'à partir de la Deuxième Guerre mondiale que ces idées émises au tournant du siècle acquièrent suffisamment d'autorité pour trouver à s'exprimer dans des domaines *nouveaux*, comme ceux de l'information, de la communication et de la cybernétique, vastes notions qui, à leur tour, auront un impact assez prononcé sur la conception des sciences de l'homme. Mais, pour le moment, voyons ce développement tel qu'il s'est produit dans un domaine qui semble quand même au départ un peu loin des propos qui intéressent la psychologie.

LA CYBERNÉTIQUE

L'homme clef, celui qui au début des années 1940 entrevoit l'avenir de la révolution électronique et dès ce moment l'oriente, se nomme Norbert Wiener (1894-1964). Son père, Léo Wiener, est un Israélite russe, professeur de langues slaves, émigré aux États-Unis au siècle dernier. Le jeune Norbert a tout du prodige. On rapporte qu'il

> [...] savait lire à l'âge de dix-huit mois. À quatorze ans, il terminait sa licence ès sciences, et à dix-huit il soutenait sa thèse de doctorat. Il passa son existence à explorer les zones extrêmes des sciences, celles où plusieurs disciplines se rapprochent dans le même temps qu'elles s'élargissent (Hardouin Duparc, 1971, p. 9).

Disciple de Bertrand Russell (1872-1970) à Cambridge et du mathématicien allemand, David Hilbert (1862-1943), il devint en 1919 professeur de mathématiques et de quelques disciplines connexes au Massachusetts Institute of Technology, à Cambridge, en banlieue de Boston, où il enseigne jusqu'en 1960, sans laisser, dit-on, une réputation d'excellent professeur. Au début de sa carrière en recherche, le Département de la défense des États-Unis lui commande ainsi qu'à un collègue, Julien H. Bigelow, une étude dont les applications pratiques

---

2. Jacques Monod, biochimiste et Prix Nobel de médecine, a fait paraître en 1970 une étude qui s'intitule *Le hasard et la nécessité*; dans ce livre, il montre que l'on peut recourir à la notion d'incertitude pour l'explication de certains aspects de la vie. On pourra consulter aussi le numéro 47 de la revue, *Le Débat*, nov.-déc. 1987, spécialement l'article de D. Andler intitulé « Progrès en situation d'incertitude ».

doivent servir à améliorer le tir de canons légers destinés à la défense contre les attaques aériennes des Allemands en Europe.

Il s'agit de bâtir un dispositif capable de prévoir la succession des positions d'un avion en course parabolique. Wiener fait l'hypothèse que l'engin au sol devrait être doté d'un organe sensoriel, capable de recevoir des messages continus concernant les positions de l'avion, ce qui permettrait de corriger le tir à tout moment (Gardner, 1985, p. 15). Bigelow et moi-même, dira Wiener,

> [...] en vînmes à la conclusion qu'une solution au problème devait dépendre du principe de *feed-back*[3], comme il opère non seulement dans les appareils, mais aussi chez l'opérateur humain d'une arme à feu ou d'un avion. Nous avons rencontré le Dr Rosenblueth (1900-1970), avec une question bien spécifique concernant les oscillations dans le système nerveux qui confirma notre hypothèse de l'importance du *feed-back* dans l'activité volontaire (Wiener, 1948, p. 40).

Wiener se tourne alors vers l'étude de ce fameux concept de *feed-back*. Le procédé est déjà utilisé dans l'industrie, au sein d'appareils bâtis de manière à pouvoir se passer d'un opérateur humain. En effet, il existe certaines machines capables de régulariser leur marche par elles-mêmes. Le principe mis en application dans ces mécanismes repose sur l'utilisation d'une information retournée à un point de contrôle du système où se trouve un récepteur de messages. Les locomotives à vapeur munies d'un régulateur de Watt constituent une application intéressante de ce principe. La Figure 14 en illustre le fonctionnement. Si la vitesse de la locomotive augmente, les boules tournent plus vite, s'éloignent de l'axe central par force centrifuge et actionnent ainsi la tige qui ferme l'entrée de la vapeur ; si la vitesse diminue, les boules retombent et ouvrent l'entrée. L'engin à vapeur et le régulateur décrit ici forment un système dont l'une des parties fait parvenir un message à l'autre. L'information ainsi transmise permet de garder l'ensemble dans un état stable, puisque tout écart de la locomotive est automatiquement corrigé par une compensation. Du point de vue informatique, la vapeur introduite dans l'appareil constitue l'entrée du système ou l'*input*, tandis que la vitesse effective des roues de l'appareil en est la sortie ou l'*output*.

---

3. *Feed-back* est un terme introduit vers 1920 dans la langue anglaise en électricité d'abord, puis en cybernétique par la suite ; il vient du verbe anglais *to feed*, nourrir, et *back*, en arrière. Le mot a fait son apparition en français, dans le langage courant, en raison de la nouveauté et de la fécondité de l'idée qu'il exprime ; les équivalents proprement français sont *rétroaction* et *alimentation de retour*, qu'on utilise peu cependant.

FIGURE 14
Un régulateur

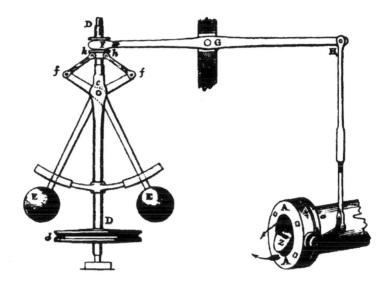

La situation à la sortie est communiquée comme un message à l'entrée du système qui est ainsi continuellement renseignée sur la production de la machine. Cette fonction se nomme *feed-back* (alimentation en retour ou rétroaction). « Ce n'est pas autre chose, dit Wiener, que la possibilité de définir la conduite future par les actions passées » (Wiener, 1971, p. 89).

On retrouve une application du même principe dans le système de chauffage de nos maisons. Le thermostat agit comme un organe sensoriel capable d'envoyer à la fournaise un message qui lui indique que c'est le moment d'allumer le feu ou de l'éteindre, selon la température ambiante du milieu. La nature de ce message est une information acheminée sur un fil sous forme d'impulsions électriques assez semblables à celles transportées par la fibre nerveuse. De plus en plus, dans la panoplie de machines de toute espèce que la technologie moderne invente chaque jour, il est possible de voir aujourd'hui une multitude d'applications de ce principe du *feed-back*, où des systèmes mécaniques ou électromagnétiques peuvent contrôler leur propre fonctionnement (Wiener, 1971, p. 90).

Wiener, pour sa part, soupçonne que ce phénomène, dit *feed-back*, se rencontre assez fréquemment dans la nature. Le contrôle de la quantité de sucre dans le sang, la régulation de la faim, de la soif, l'équilibre hormonal sont probablement le résultat de mécanismes dont le fonctionnement s'appuie sur un transport d'information à l'intérieur de l'organisme à la manière d'un *feed-back*. D'ailleurs, Arthuro Rosenblueth, ce médecin chercheur, dont nous a parlé Wiener, est un professeur de grande renommée dans le domaine de la neurophysiologie à l'Université de Mexico. En 1934, il reçoit de la part de Walter B. Cannon (1871-1945), professeur à Harvard, une invitation à venir se joindre à lui. Cannon vient de démontrer que la constance du milieu interne d'un organisme vivant, phénomène découvert par Claude Bernard, reflète une fonction régulatrice générale, dite aussi « homéostasie »[4], qui semble, selon une hypothèse assez ferme, être l'œuvre du système nerveux central. Ensemble, Cannon et Rosenblueth (1937) font la preuve de cette dernière partie de l'énoncé par une sympathectomie[5] bilatérale sur un chat mettant ainsi en cause la survie de l'animal.

Intéressé au déroulement de l'expérience, à partir de ce moment, Wiener donne plus d'extension à sa propre notion de *feed-back*. Entre-temps, Rosenblueth anime les rencontres d'un groupe d'hommes de science, parmi lesquels on compte les mathématiciens John von Newmann et Walter Pitts, le physiologiste Warren McCulloch, le psychologue gestaltiste Kurt Lewin, les anthropologues Gregory Bateson et Margaret Mead, l'économiste Oskar Morgenstern et plusieurs autres.

> Les membres de ce groupe s'étaient proposé l'étude de problèmes scientifiques d'un caractère suffisamment général afin de pouvoir intéresser également tous les participants, à savoir quelques problèmes sur les méthodes scientifiques de recherche. Parmi eux, fut introduit Norbert Wiener qui très rapidement devint l'un des plus actifs participants (Guiasu et Theodorescu, 1971, p. 3).

---

4. Claude Bernard en 1865 découvre le principe de la régulation des humeurs dans les organismes : selon lui, tous les systèmes vivants, quelque variés qu'ils soient, poursuivent un but, celui de garder constantes les conditions de vie de leur milieu interne. Quant au mot *homéostasie* pour exprimer ce phénomène, il a été forgé par W.B. Cannon à partir de deux mots grecs dont l'un *stasis* signifie état, position et l'autre *homoios* égal, semblable à.

5. Une sympathectomie est une intervention chirurgicale qui consiste à retrancher le nerf sympathique sur une étendue plus ou moins longue. Lors de l'expérience menée par Cannon et Rosenblueth, on a fait la preuve qu'un animal ne peut conserver son équilibre homéostasique sans cette section du système nerveux.

Wiener constate que la notion de *feed-back* est non seulement suffisamment large pour intéresser des savants de divers domaines, mais elle se prête effectivement à de nombreuses applications à l'intérieur des mécanismes biologiques comme le contrôle de la quantité de sucre dans le sang, celui de la faim, de la soif et de plusieurs autres mécanismes physiologiques. Il rappelle que le simple geste de prendre un crayon sur une table s'exécute grâce au retour d'une information au cerveau qui guide chaque étape du geste et la quantité d'énergie à exercer. Dans le cas présent, l'information peut paraître visuelle; elle est plus régulièrement kinesthésique[6], ou, pour utiliser un terme souvent employé aujourd'hui, « proprioceptive ».

> Le *feed-back* peut être aussi simple que celui du réflexe normal, ou être plus élaboré comme dans le cas où l'expérience passée est utilisée non seulement pour régler des mouvements spécifiques, mais aussi pour déterminer toute une ligne de conduite. Ce dernier type de *feed-back* aboutissant à la détermination d'une conduite peut être (et n'est souvent) qu'un réflexe conditionné, ou, sous un autre aspect, un apprentissage (Wiener, 1971, p. 89).

À ce sujet, on peut même affirmer avec Wiener que l'apprentissage est dans son essence une forme de *feed-back* (action ou retour), dans lequel le schéma du comportement est modifié par l'expérience passée.

Toutes ces considérations nous conduisent à la définition du *feed-back* qui est, selon Wiener, la commande d'un système, au moyen de la réintroduction, dans ce système, des résultats de son action (Wiener, 1971, p. 187). À partir de diverses notions progressivement agglutinées s'élaborent des théories qui, par l'ampleur des applications qu'elles laissent percevoir dans l'ensemble des affaires humaines, dégagent une nouvelle science nommée la cybernétique. « Nous avons été obligés de forger un nouveau mot » (*we have been forced to coin a new word*), écrit Wiener. Ce mot[7] est en lui-même presque une définition. En termes clairs cependant, la cybernétique est « la science qui s'est donné pour objet l'étude des systèmes vivants et non vivants que l'on peut qualifier d'auto-gouvernés » (Boulanger, 1968, p. 12). En 1948, Norbert Wiener expose ses idées dans un

---

6. Le terme *kinesthésie* signifie l'ensemble des sensations cutanées et musculaires qui nous permettent de percevoir la position et les mouvements de nos membres.

7. Le terme *cybernétique* est la transcription littérale d'un mot de la langue grecque signifiant pilote, gouverneur.

livre intitulé *Cybernetics*. Cet ouvrage, acte de naissance d'une science nouvelle, annonce le développement que nous connaissons aujourd'hui dans le domaine de l'informatique.

L'INFORMATION

Quand on s'arrête un tant soit peu au phénomène du *feed-back*, on constate qu'à l'intérieur d'un système vivant ou mécanique, ce qui est transmis d'un endroit à un autre, c'est un message, ou pour être plus précis, une information. Ce terme issu de la langue judiciaire revêt plusieurs significations : 1° il prend d'abord le sens d'un ensemble de faits ou d'idées recueillis par l'étude, la recherche ou l'expérience ; 2° en psychologie expérimentale, il signifie un signal ou un stimulus utilisé par un organisme en situation d'apprentissage ; 3° le mot au singulier (une information) exprime une caractéristique applicable à une collection d'objets ou à un ensemble d'items qui permet de les classer d'une certaine manière. En outre, ce terme « information » a donné naissance au dérivé « informatique », qui signifie la science du traitement automatique de l'information. Il a été proposé en 1962 par Philippe Dreyfus, puis accepté en 1966 par l'Académie française. Cette savante assemblée en donne la définition suivante : « Science du traitement rationnel, notamment par machines automatiques, de l'information considérée comme le support des connaissances humaines et des communications dans les domaines techniques, économiques et sociaux ». L'informatique a donné naissance à deux sciences filles : l'une ayant pour objet l'ordinateur lui-même (*computer science*), l'autre son utilisation (*electronic data processing*), soit le traitement des données par des procédés électroniques.

Ces définitions utiles en soi se défendent mal d'une certaine sécheresse et nous renseignent peu sur l'étendue de la signification que des cybernéticiens font recouvrir au mot information. Comme le souligne le professeur Seymour Papert, ce n'est pas par hasard que Wiener donne à son livre *La Cybernétique* le sous-titre : *Commande et transmission chez l'animal et dans la machine* (Control and communication in the animal and the machine). L'information est l'élément central de la cybernétique, c'est-à-dire de cette science du gouvernement, du contrôle et des communications dans les machines, les animaux et les êtres humains. Régler la marche d'appareils mécaniques par le transfert d'une information était, jusqu'à une date récente, un privilège que l'espèce humaine croyait posséder seule. Mais le rôle de l'information à l'intérieur des machines ne s'arrête pas là ; après avoir régularisé leur fonctionnement, les machines ont appris à recevoir de l'information, l'emmagasiner, la traiter et la reproduire. Prévus par Wiener, ces développements font de la cybernétique une science carrefour capable de fournir des analogies riches de sens entre les divers systèmes vivants et non vivants.

Une première analyse du concept de l'information nous livre deux propriétés fondamentales : l'information

> [...] ne peut exister sans support matériel puisqu'elle doit être perçue et il n'y a pas d'information sans récepteur, homme, animal ou machine, car elle doit être comprise pour mériter son nom. Ces deux aspects, forme et contenu, sont liés par des relations encore mal connues qui constituent l'objet principal des sciences de l'information (Cros, 1970, p. 1014).

La réception de l'information demeure l'opération essentielle et cruciale, sans quoi elle ne peut exister. Le thermostat des systèmes de chauffage, la cellule photo-électrique qui commande l'ouverture d'une porte, la tentacule de l'amibe ou de l'escargot, le radar de la chauve-souris ou du dauphin, les multiples sortes d'antennes des insectes, le museau olfactif du berger allemand, l'œil, l'ouie, le toucher des animaux supérieurs sont autant de capteurs externes capables de décoder des messages et d'en acheminer l'information vers un système central qu'on nomme le cerveau[8]. C'est ainsi que dans l'ordre de la vie, grâce à l'entrée de l'information présente dans le milieu, tout système vivant peut satisfaire ses divers besoins vitaux et se défendre contre toute agression éventuelle.

L'information, quels que soient son contenu et sa forme, doit suivre certaines règles propres au système utilisé ; elle doit se plier aux contraintes d'un code et respecter un certain niveau d'arrangement, une mise en force, une structure particulière, un certain niveau d'ordre. Une phrase française qui ne respecterait pas la signification des mots ou les lois de la structure de la langue ne serait qu'un imbroglio dénué de sens. Un ordre et une structure (Wiener utilise le terme « *pattern* » qu'on peut traduire par modèle, patron, arrangement) sont donc essentiels. « Une série de symboles pris au hasard ou un modèle purement fortuit ne saurait transmettre aucune information » (Wiener, 1971, p. 35). En ce

---

8. On ne saurait trop insister sur le fait que l'information est l'aliment tout naturel du cerveau. Les sciences cognitives s'efforcent d'en scruter les mystères. Plusieurs auteurs dont Anderson (1983), Block (1983), Grossberg (1980), Holyoak (1983), Neisser (1984), Newell (1983), Hofstadter (1983) y ont apporté récemment une contribution non négligeable.

sens, on peut dire que plus un message possède d'ordre (car le hasard est essentiellement un manque d'ordre), plus il contient de l'information. Nous voilà revenus au désordre et à la notion de hasard : cette dernière qui avait fait son entrée en physique vers la fin du XIXe siècle semble maintenant avoir son mot à dire dans les affaires humaines.

C'est un passage de l'œuvre de Wiener rédigée en 1948 qui introduit pour la première fois cette notion dans le domaine de l'information. Avec les idées d'ordre et de hasard, nous sommes ramenés aux conceptions de Newton et de Gibbs sur l'univers : celle de Newton décrit un univers soumis à des lois constantes et déterminées ; la seconde accepte le jeu du hasard, de l'accidentel, de l'imperfection, en un mot le désordre. L'information appartient à cette seconde catégorie. Plus un message manque d'ordre, moins il transmet d'information.

À la suite de ce bref aperçu, on ne saurait trop considérer les relations qui existent entre des domaines comme la cybernétique et l'information d'une part et les lois fondamentales de la physique d'autre part. Les concepts de base de la théorie de l'information sont d'une telle simplicité et d'une telle généralité qu'ils s'introduisent d'une manière toute naturelle à l'intérieur de plusieurs disciplines. Prenant place entre la biologie et la physique, cette approche possède sa méthode particulière de recueillir, d'organiser et d'expliquer certains phénomènes propres à des champs de connaissances divers. Les barrières que les hommes de science avaient élevées entre les différentes disciplines au cours de l'histoire cèdent le pas à des visions d'ensemble et à des concepts pleins de signification pour une meilleure connaissance de l'être humain.

LA COMMUNICATION

Alors qu'en français le mot information met l'accent sur l'acte de prendre ou de donner connaissance d'un fait, le mot message insiste davantage sur l'aspect communication ou transmission d'une information. Le message est donc, selon l'expression de Wiener, un modèle, un arrangement d'éléments capable de transmettre de l'information ; or, faut-il le rappeler, transmettre de l'information, c'est communiquer. On se retrouve ici face au phénomène qui permet « de sortir de soi pour atteindre la réalité de l'objet ou la vérité d'autrui » (Mucchielli, 1973, p. 4). Mais d'une façon plus générale, il faut le dire : « la communication réfère à l'émission, la transmission, la réception et au stockage de l'information » (Messick, 1968, p. 38).

Cette fois, l'ensemble des notions qui prennent place autour de ce concept de la communication nous ont été fournies par les mathématiciens Claude Shannon (1948) et Warren Weaver (1949). Dans un premier texte fort synthétique, Shannon fait reposer sa théorie sur le fait que la communication ne peut avoir lieu sans la présence d'un ensemble constitué par 1) une source, 2) un « codeur » ou transmetteur qui adapte le message au type de 3) canal (air ambiant, ligne téléphonique, ondes hertziennes), 4) un décodeur ou receveur qui transforme le message dans sa forme originale et le transmet à 5) la destination. Ce modèle est un système universel qui s'applique à tous les ensembles possibles de communication. Nous le reproduisons dans la figure 15.

FIGURE 15
Le modèle de Shannon (1948)

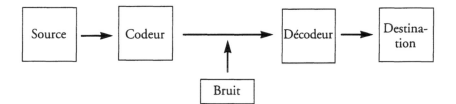

À travers des milliers d'exemples, on peut considérer le cas de Madame X en train de raconter à Madame Y, à l'occasion d'une conversation au téléphone, sa dernière randonnée à la métropole voisine. Selon le schéma conçu par Shannon, Madame X est à la source du message, le combiné, qu'elle tient dans la main, transforme la voix en un signal électrique, le fil entre les deux postes sert de canal par lequel est acheminé ce signal qui est retraduit dans sa forme originale par le combiné receveur. Enfin, Madame Y, au point d'arrivée, est la destination du message. Si, au lieu de communiquer par téléphone, ces deux dames s'étaient rencontrées à l'heure du thé, le schéma de Shannon s'applique encore : cette fois, on peut considérer le cerveau de Madame X comme la source ; le message quitte les hémisphères cérébraux et est acheminé par les voies nerveuses à un système de traduction orale : la bouche, le palais, la langue, le larynx. En un mot, tout cet ensemble, qu'on nomme le système de phonation, joue le rôle d'un codeur ; il traduit en phrases françaises les impulsions électriques reçues du cerveau ; l'air ambiant constitue le support ou le canal par lequel les paroles de

Madame X sont transportées jusqu'à l'oreille de Madame Y ; les phrases une fois reçues, un travail de décodage est exécuté par l'oreille ; il consiste à transformer les paroles en impulsions électriques qui sur-le-champ sont acheminées au cerveau de Madame Y ; ce dernier est la destination du message.

Cette grille s'applique à tous les genres de communication, à tous les systèmes de transmission de message connus ou possibles dans l'univers. Elle permet en outre de calculer la quantité d'information produite à la source et de mesurer la capacité[9] du canal en nombre de « bits » d'information par seconde. Un « bit »[10] d'information est l'unité de mesure adaptée à la théorie par Shannon lui-même. Quant au concept de bruit, il devient une quantité négative non négligeable qu'on retrouve sur tous les canaux de communication.

Malgré l'impact considérable créé dans le monde scientifique par les idées de Shannon, les chercheurs en linguistique, en psychologie et en épistémologie objectent que ce schéma, utile au plan technique, semble laisser de côté tout le domaine de la signification du message. Un groupe de linguistes nommé le collège invisible[11] considère qu'il faut abandonner le modèle de Shannon, « repartir d'une vision « naïve », c'est-à-dire, du point de vue de l'observateur, du comportement naturel » (Winkin, 1981, p. 22). En réalité, dès 1949, le texte de Shannon s'enrichit d'un substantiel commentaire fourni par Warren Weaver qui contribue à remettre un certain nombre d'idées en place. Selon ce dernier, dans toute communication, il faut distinguer trois niveaux : 1° le niveau technique, 2° le niveau sémantique et 3° le niveau effectif (*influential*).

Les problèmes *techniques* concernent surtout la précision du transport de l'information à partir de l'émetteur jusqu'au receveur. Ils sont inhé-

---

9. Au plan de la technologie, Shannon a fourni aux ingénieurs en communication, un instrument qui les rend capables de mesurer la capacité de tous les canaux de transmission, un outil extrêmement important pour les calculs concernant le transport de l'information que ce soit sur terre ou sous la mer.

10. Le mot *bit* est une contraction de l'expression anglaise *binary digit*. Il représente une unité d'incertitude, c'est-à-dire le degré d'incertitude qui existe entre « oui » et « non », « droite » et « gauche », « ouvert » ou « fermé », « 0 » et « 1 », quand les deux parties sont également probables.

11. Ce groupe, dit le « collège invisible », est formé d'anthropologues et de sociologues vivement intéressés aux phénomènes linguistiques. Ils sont de milieux divers, comme Gregory Bateson, Ray Birdwhistell, Edward Hall, Erving Goffman et quelques autres qui viendront les rejoindre par la suite.

rents à toute forme de communication qu'il s'agisse de symboles discrets (un texte écrit constitué de mots séparés par des espaces), d'un signal continu et variable (une conversation au téléphone, la transmission de la musique par la radio) ou d'un modèle variable à deux dimensions (une émission de télévision). Les problèmes *sémantiques* regardent l'interprétation du sens par le récepteur en regard de celui exprimé par l'émetteur (Weaver, 1949, p. 47).

Même dans le cas d'un type de communication relativement simple, le niveau sémantique constitue l'un des domaines fort complexes auquel s'intéressera d'une manière particulière la théorie du traitement de l'information.

Quant à *l'efficacité*, elle concerne le succès avec lequel l'émetteur produit un changement de comportement chez le receveur. À titre d'exemples, on peut citer le discours de l'homme politique désireux d'obtenir le vote de ses auditeurs ou le message publicitaire qui incite à faire acheter un produit.

De prime abord, on peut croire que les problèmes techniques ne touchent que la quincaillerie, alors que tout ce qui se rapporte au sens du message et à son influence sur le destinataire est d'ordre sinon philosophique, du moins forme le contenu principal de la communication. Pour bien se rendre compte que la réalité est différente, on doit constater que les recherches qui ont le plus fait progresser le domaine de la communication relèvent des mathématiques (Weaver, 1949, p. 47).

Weaver s'efforce de donner aux travaux de Shannon un caractère sémantique. Cette position théorique incite des programmeurs du M.I.T. à tenter de faire traduire des textes par un ordinateur. Les essais aboutissent à des résultats minables, des traductions ambiguës, bizarres, illisibles. Vitor H. Ungve, un associé de Chomsky, émet l'idée que l'ordinateur dans son état actuel est bloqué par la barrière sémantique. C'est alors que Chomsky (1970, 1972b) cherche une issue du côté des lois générales qui présideraient à la formation de toutes les langues. Il élabore une théorie selon laquelle il existerait des structures mentales communes à toutes les langues, structures qui seraient en définitive responsables d'une syntaxe universelle de base, qu'il nomme «la grammaire générative». À la suite de certaines transformations qui respectent le sens, on peut effectivement arriver à des schèmes similaires dans la plupart des langues.

C'était, de la part de ce linguiste, remettre à l'honneur une conception innéiste assez proche de celle prônée au XVIIe siècle par Blaise

Pascal. En effet, Port-Royal avait conçu la grammaire comme un ensemble de règles qui président à la pensée, la langue n'étant rien d'autre que ce code, cet ensemble de lois auxquelles il faut obéir. On sait comment les néo-grammairiens du XIXe siècle, Ferdinand de Saussure en tête, ont combattu cette conception. Quant aux behavioristes, qu'ils soient psychologues comme Skinner (1957) ou linguistes comme Bloomfield (1925, 1936), ils ne sont pas disposés à admettre des explications d'un caractère aussi innéiste. Un débat[12] assez vif s'engage autour des théories de Chomsky : un bon nombre de spécialistes du langage ne partagent pas la théorie de la grammaire générative. À l'inverse, cependant, plusieurs s'intéressent aux idées émises par les tenants de la théorie de l'information. À l'issue d'un congrès qui réunit anthropologues et linguistes à l'Université d'Indiana en 1952, Roman Jacobson affirme :

> Dans l'étude du langage en acte, la linguistique s'est trouvée solidement épaulée par le développement impressionnant de deux disciplines parentes, la théorie mathématique de la communication et la théorie de l'information. Les recherches des ingénieurs des communications n'étaient pas au programme de ce congrès, mais il est symptomatique que l'influence de Shannon et de Weaver, de Fano, ou de l'excellent groupe de Londres, se soit retrouvée dans pratiquement tous les exposés. Nous avons involontairement discuté dans des termes comme codage, décodage, redondance, etc... (1963, p. 28).

L'application de ces notions neuves à la linguistique met en lumière l'hypothèse de Bateson selon laquelle « la communication est le dénominateur commun qui jette un pont entre les différentes sciences humaines » (Bateson et Ruesch, 1988, p. 27).

Un fait demeure cependant : comme le montrent les travaux de Garner (1974), ce n'est pas la théorie de l'information qui, au moment de son élaboration, fait beaucoup évoluer les idées de base en psychologie. Mais, avec le temps, elle agit peu à peu comme un système de balisage qui oriente les chercheurs vers une conception rajeunie des phénomènes humains dans l'acquisition de la connaissance. Aussi les théories de Wiener et Shannon guident les psychologues plus que ces derniers s'en rendent vraiment compte vers un ensemble de concepts,

---

12. Pour plus d'information sur la grammaire générative de Chomsky et le débat qui s'en est suivi, on peut consulter Berwick et Weinberg (1983), Bresnam (1978, 1981), Katz et Fodor (1963), Lakoff (1980), Lakoff et Ross (1976), Longuet-Higgins, Lyons et Broadbent (1981), Newmeyer (1980), Rieber (1983), Smith et Wilson (1979).

vers une forme de pensée qu'on nommera le traitement de l'information à l'intérieur du cadre des psychologies dites cognitives. Ceci va impliquer le rejet pur et simple de l'antimentalisme, le remplacement du terme apprentissage par celui d'information ou de connaissance, l'utilisation de concepts comme codage, incertitude, traitement de l'information, canaux de transmission, bref un ensemble de notions que non seulement les psychologues, mais tous les chercheurs en neurophysiologie finiront par utiliser. Progressivement un paradigme nouveau s'annonce et va bientôt prendre forme (Norman, 1980, Hunt, 1982).

COMMENTAIRE

Nous avons assisté à l'élaboration d'un ensemble de notions qui achemineront la science et la technologie vers la construction d'automates intelligents. Or, le schéma général de l'automate réside dans l'utilisation de la rétroaction (le *feed-back* des Anglo-Saxons). À son tour, la rétroaction n'est en définitive que la communication d'une information, l'envoi d'un message. Il ne faudrait pas toutefois s'imaginer que l'information et la communication sont nées avec Wiener et Shannon. Les phénomènes qui se réfèrent à ces deux concepts existaient avant l'apparition de l'homme sur la planète. « L'instinct social et les relations continues de certains animaux avec leurs semblables sont comparables à ceux de l'homme » (Weiner, 1971, p. 30). Chez ce dernier cependant, la nécessité de communiquer est pour ainsi dire le mobile de sa vie et lui fait concevoir des outils simples d'abord, puis de plus en plus compliqués, à mesure que progressent les inventions techniques.

C'est au siècle dernier que s'amorce une évolution qui laisse présager les grandes transformations d'aujourd'hui. Les inventions sont liées aux formes d'énergie dont l'homme se sert pour produire des biens de consommation. On voit l'énergie humaines faire place à l'énergie animale qui, à son tour, est remplacée par l'énergie mécanique. Puis, l'ère de la vapeur recule devant l'électricité qui fournit des moyens de communication insoupçonnés. Mais l'activité humaine dans son ensemble demeure encore à l'usine et à la ferme. Le col blanc fait figure de parasite devant la salopette plus directement impliquée dans la production.

Ce n'est qu'après la Deuxième Guerre mondiale que le secteur tertiaire se développe avec une extrême rapidité. On entre dans l'ère de la simulation. Le travail sur signe, qu'il soit linguistique, mathématique, informatique ou iconographique, apparaît comme l'activité qui s'arroge le droit de diriger les autres secteurs de la société. Il est centralisateur et dominateur de nature. « Par suite du développement et de la centralisation des moyens de contrôle, le nombre des administrateurs s'accroît dans toutes les sphères des sociétés et le type humain de l'administrateur prend une place de plus en plus grande dans la structure sociale » (Wright, 1966, p. 98).

La machine, après avoir conquis les secteurs agricole et industriel, envahit à son tour le tertiaire, avec des appareils audio-visuels, logiques et mathématiques. Lorsque l'ordinateur voit le jour, c'est désormais avec une efficacité sans cesse croissante que l'information sera emmagasinée, traitée et communiquée. On verra cette dernière, grâce au développement de la machine, prendre progressivement une place de plus en plus importante dans les affaires humaines. Quant à l'ordinateur, son caractère d'automate intelligent, aussi bien dans l'administration des affaires que sur les chaînes d'assemblage, en fera une vedette montante que les psychologues ne pourront ignorer à l'avenir dans leurs conceptions de l'apprentissage.

CHAPITRE 18 L'intelligence artificielle

Les idées issues de la théorie de l'information et de la science de la cybernétique font renaître un vieux rêve de l'humanité, la plus profonde et la plus grandiose fantaisie, celle de comprendre assez bien l'être humain pour en construire une copie parfaite. Dans les siècles passés, ce but poursuivi par l'art et la science a donné naissance à des conceptions si imparfaites, si loin de la réalité que la légende s'en est emparé à son tour. Il en est résulté le mythe du Golem[1], cet homme d'argile animé par des paroles de vérité (Dieu créa par son « dire ») et l'histoire aux nombreuses versions de la statue vivante[2].

Au XXe siècle, des sciences nouvelles font revivre ces vieux espoirs sous une forme insoupçonnée. Les théoriciens de la cybernétique en élaborant la théorie du message et celle de l'information ont permis non seulement d'entrevoir la possibilité d'enregistrer et de transmettre des données, mais aussi de les transformer, c'est-à-dire de leur faire subir divers types de traitement (*processing*). Le mystère de l'humain n'est pas nécessairement connu parce qu'on peut maintenant construire des calculatrices ou des « cerveaux électroniques » selon l'expression de von Newman. Mais après les premiers projets de l'époque de la Deuxième Guerre mondiale, la machine commence à rivaliser avec son créateur d'une façon surprenante et sait se mesurer dans des activités

---

1. Gustav Meyrink dans son livre célèbre, *Le Golem*, raconte cette légende.
2. L'imagination populaire a entretenu ce mythe de la possibilité de faire parler et vivre des statues par des pratiques magiques.

qu'on croyait réservées au domaine de l'humain (apprendre, jouer, décider, résoudre des problèmes, etc.). Sans doute l'automate est-il fascinant; il nous permet aussi de débattre des idées beaucoup plus importantes que l'automate lui-même. Dans quelle mesure est-il ou deviendra-t-il la copie exacte de l'homme lui-même? Sera-t-il jamais possible qu'un automate puisse acquérir par lui-même une connaissance du monde extérieur à peu près égale à celle que nous sommes capables d'accumuler? Nous ne pouvons dans l'état actuel de la science répondre à toutes ces questions, même si on peut entrevoir certaines pistes de réponses. Mais pour l'instant, il convient d'assister à la naissance et au développement spectaculaire de l'une des créations les plus originales de l'être humain.

HISTORIQUE DE LA ROBOTOLOGIE

Les premiers essais susceptibles d'annoncer une évolution sur le plan des réalisations concrètes sont apparus vers la fin des années 1930. Un physicien, Howard H. Aiken, frustré par la masse de calculs à effectuer pour sa thèse de doctorat, réussit à construire dans les laboratoires d'Harvard un appareil à calcul numérique de grande puissance. La machine utilise 3 304 relais ou commutateurs électromécaniques actionnés par le passage d'un courant, pèse 5 tonnes, comprend 18 sections reliées par 800 km de fil électrique. Nommé calculateur à séquence contrôlée, l'invention surnommée le Mark I et utilisée d'une façon plus ou moins continue par la suite à Harvard, marque, tout au moins quant aux principes appliqués, une avance appréciable sur les additionneuses Burroughs dispersées dans le commerce à cette époque. Durant la même période, un ingénieur de la Compagnie de téléphone Bell, George R. Stibitz, tout en bricolant durant ses loisirs sur la table de cuisine avec des objets aussi rudimentaires que des vieux relais, une couple de piles électriques, des ampoules de lampes de poche, des fils et des lamelles de métal découpées dans des boîtes de conserves, fait la preuve qu'on peut bâtir des circuits électroniques qui permettent de faire des additions; puis, par la suite, avec un collègue de la compagnie Bell, Samuel Williams, il met au point un appareil capable de soustraire, multiplier et diviser aussi bien qu'additionner. Dans ce dernier cas, il s'agit d'un calculateur assez semblable à celui d'Aiken. Il en fera la présentation au Collège Dartmouth en 1940 devant les membres de la société américaine de mathématique. « Des problèmes sont envoyés de Hanover, New Hampshire, à New York à travers une longue série de circuits; les résultats reviennent immédiatement par câble et sont communiqués par télétype » (Hawkes, 1971, p. 29).

Stibitz vient de faire la preuve qu'on peut faire effectuer des calculs par des appareils situés à de grandes distances. Les ingénieurs de Bell ne soupçonnent pas l'intérêt que représente cette découverte de leur collègue pour l'avenir de la compagnie, mais les mathématiciens présents en demeurent ébahis. Ils se souviennent que l'un des leurs, quatre ans auparavant, l'Anglais Turing (1936) a démontré qu'un *computer*, terme qui désigne une machine universelle capable d'effectuer toute espèce de calculs arbitraires, pouvait effectivement être construit. En outre au plan de la réalisation, Stibitz donnait suite à l'idée d'un autre mathématicien anglais, Charles Babbage (1792-1871), qui au XIXe siècle a imaginé une machine étrange et compliquée à la construction de laquelle, encouragé par la jolie Comtesse de Lovelace[3], il a travaillé pendant quarante ans. Il avait cru à la possibilité de lui communiquer les données à l'aide de cartes perforées du genre de celles utilisées par le tisserand français, Joseph Marie Jacquard (1752-1834) qui commandait ainsi le dessin et les couleurs sur la chaîne d'un immense métier automatique. En conclusion, les calculatrices de Aiken et de Stibitz, pour intéressantes qu'elles soient, ne dépassent pas le stade de l'expérimentation.

Première génération de cerveaux électroniques

Le premier cerveau électronique digne de ce nom est construit pendant la Deuxième Guerre mondiale. L'unité des commandes de l'Armée américaine propose au coût de 500 000 dollars la construction en secret d'un calculateur rapide, afin d'établir des tables de pointage du tir dont les résultats tiennent compte de nombreuses variables (type de canon, vent, genre de munitions, température de l'air, etc.). En 1943, J.P. Eckert et J.W. Mauchly travaillent au projet et réalisent l'ENIAC (*Electronic Numerical Integrator and Calculator*), un appareil entièrement électronique dans lequel la grande majorité des relais sont remplacés par des tubes à vide. Il ne compte que 1 500 relais pour 18 000 lampes. Il effectue 5 000 opérations à la seconde; on le déclare en 1946 l'ancêtre des ordinateurs d'aujourd'hui.

Même si l'ENIAC présente un réel progrès sur ses prédécesseurs, il passerait en 1980 pour un gros esprit lourd en regard des petits génies que sont les micro-ordinateurs d'aujourd'hui. Ses 18 000 lampes nécessitent de vastes espaces et dégagent de fortes quantités de

---

3. Ardente admiratrice des travaux de Babbage, Ada Augusta, Comtesse de Lovelace (1816-1852), est fille de Lord Byron, célèbre poète romantique anglais.

chaleur. À l'époque, un tube électronique à vide de bonne qualité a une durée approximative de 10 000 heures ; au moment des opérations, ceci suppose une faute toutes les trente minutes. L'arrivée sur le marché du transistor (mot qui synthétise l'expression « transfert de résistance ») en 1947, inventé par trois ingénieurs de Bell, corrige les problèmes de chaleur, réduit la taille de l'appareil et lui fournit une plus grande fidélité.

L'ENIAC présente un autre défaut majeur : chaque fois qu'on doit exécuter une nouvelle série de calculs, il faut procéder au refilage de l'appareil. L'opération consiste à changer des milliers de connexions de la même manière que procèdent les opératrices de cette époque devant le tableau d'une centrale téléphonique. Ce travail fastidieux est supprimé grâce aux idées d'un mathématicien de génie né en Hongrie, John von Newmann (1903-1957). Il suggère de fournir au cerveau électronique un programme d'instructions emmagasinées en séquence (*a sequential stored program*), « qui peut être modifié à volonté sans avoir à réviser les circuits de l'appareil » (Ulam, 1964, p. 151). Ce sont les mêmes Eckert et Mauchly qui, utilisant les idées de John von Newmann, bâtissent le successeur de l'ENIAC. Le nouvel appareil, nommé l'EDVAC (pour Electronic Discrete Variable Computer) et conçu pour accélérer le travail de programmation, sera capable d'emmagasiner les instructions dans sa mémoire et soulagera d'autant la pénible tâche d'avoir à fournir les instructions à la machine en la refilant de bout en bout. Pendant la même période un homme de science, Maurice Wilkes de l'université Cambridge d'Angleterre, à la suite d'un voyage aux États-Unis, où il avait assisté à des conférences de Eckert et Mauchly, réussit de retour en Angleterre à assembler un ordinateur nommé l'EDSAC (Electronic Delay Storage Automatic Calculator) dont la structure demeure assez semblable à celle de l'EDVAC.

Deuxième génération de cerveaux électroniques

Les idées que continue à émettre von Newmann favorisent la création d'un nouveau type de cerveaux électroniques, dès le début des années 1950. Ce mathématicien, attaché à l'Advanced Studies Institute de l'Université Princeton, élabore un projet avec l'intention de bâtir un calculateur vraiment universel, c'est-à-dire capable de résoudre des problèmes de divers types. C'est ainsi qu'il contribua à donner le jour à des ordinateurs de conception avancée pour l'époque et parmi eux, en 1951, le MANIAC I (Mathematical Analyser Numerical Integrator and Computer), appareil qui permit de résoudre certains problèmes nécessaires à la fabrication de la bombe à hydrogène. Pendant ce temps, Prosper Eckert et John Mauchly s'installent dans un studio de danse désaffecté, pour lancer sur le plan commercial un nouveau calculateur qu'ils nomment l'UNIVAC, mais avant que le premier appareil ne sorte de leur manufacture, à court d'argent, ils sont obligés de vendre l'entreprise à Remington Rand, et ce sera comme employés de cette compagnie qu'ils finiront de mettre au point la machine qu'ils ont conçue au grand désespoir d'une firme rivale, spécialiste des articles de bureau, l'International Business Machine (IBM), celle précisément dont les cerveaux électroniques feront la renommée. En 1957, succède à MANIAC I, MANIAC II qui peut additionner deux nombres de treize chiffres chacun en six microsecondes. Cette fois IBM présente en même temps son calculateur STRETCH qui joue avec les nombres à une vitesse dix fois supérieure à celle de MANIAC II.

Troisième génération de cerveaux électroniques

Nous sommes en 1960; la miniaturisation des pièces d'équipement, commencée avec le transistor se continue avec les circuits imprimés; le progrès de la technologie électronique et l'art de la programmation évoluent à une allure fantastique; grâce à l'instauration du temps partagé, il devient possible à plusieurs utilisateurs, éventuellement fort éloignés les uns des autres, de se servir simultanément du même cerveau électronique. De nouveaux langages (Fortran en 1957, Algol en 1958, Lisp en 1959, Cobol en 1960) et des terminaux de type variés permettent une utilisation sans cesse élargie. Le cerveau électronique moderne est né. On assiste désormais à une révolution technologique sans précédent, à l'arrivée de robots capables d'assister l'homme dans son labeur quotidien.

Déjà en 1956, on s'était rendu compte d'un fait: l'appareil qu'on perfectionne sans cesse est plus qu'une simple calculatrice. Il faut lui trouver un nom. Un professeur de latin de la Sorbonne consulté par IBM-France préconise le terme «ordinateur», mot de la famille de *ordiner* utilisé en vieux français pour signifier «mettre de l'ordre». Mais l'ordinateur, qu'est-il? Un servile automate ou un cerveau que les aptitudes présentes destinent à un brillant avenir. À ce moment, une double ligne de développement se présente presque naturellement: une première approche sera celle de l'industrie. De grandes compagnies, comme Remington Rand, I.B.M. et par la suite APPLE tenteront d'améliorer sans cesse ce merveilleux appareil pour le faire servir d'abord dans les bureaux des gouvernements et du commerce, puis, au cours des années 80, le faire entrer dans les foyers comme instrument personnel de travail et de communication. Les progrès de la technologie ont déclenché « une véritable révolution au point qu'aujourd'hui les micro-ordinateurs et les modèles portables parviennent à exécuter les mêmes tâches que les grands systèmes d'hier » (Stiel, 1994, p. 136).

La seconde approche demeurera celle de la recherche plus proprement dite ; celle qui nous intéresse et que nous retiendrons pour les fins de cet ouvrage. Des chercheurs en cybernétique s'orientent vers l'élaboration de programmes non seulement susceptibles d'imiter l'être humain, mais aussi de rivaliser avec lui sur le plan des tâches intelligentes. Assez tôt, on reconnaît qu'il peut accomplir des activités variées et simuler des comportements de divers types. Précisément dans cette voie, déjà en 1952, un neurologue et cybernéticien anglais, William Ross Ashby, avait conçu un homéostat, sorte de modèle du cerveau, capable de maintenir en équilibre l'homéostasie de son milieu interne. Il le décrit dans *Design for a brain* (1952). Un autre neurologue anglais, William Grey Walter (1953) réalise différents types de robots dont le comportement constitue une réplique de certaines activités psychophysiologiques : l'un nommé « machine spéculatrice » explore le milieu ambiant afin de chercher nourriture et abri ; un autre doté d'un système d'apprentissage se tire d'un labyrinthe tout comme peut le faire un rat. Ces quelques exemples de projets de recherche ne constituent encore, selon Marvin Minsky (1968, p. 7), qu'une application assez simple de principes tirés de la théorie de la cybernétique élaborée par Wiener. On voit néanmoins le jour où devraient émerger éventuellement des automates au comportement plus évolué.

Sur le plan de la théorie, les idées font leur chemin. En psychologie, des termes font leur apparition pour décrire certaines manières de fonctionner des robots. L'expression « intelligence artificielle » se trouve à côté d'autres telles que théorie des algorithmes, méthode numérique, langage de programmation, théorie des automates qui toutes se réfèrent à des sous-spécialités de la science des ordinateurs. Cette alliance des termes « intelligence » et « artificielle » étonne. Est-il convenable de qualifier d'intelligentes des machines dont la structure se réduit à une quincaillerie sans aucun principe vital que ce soit. « L'intelligence représente la fonction par laquelle l'homme a essayé de se définir dans l'échelle des êtres, c'est-à-dire de se situer par rapport à son inférieur, l'animal, et par rapport à son supérieur, la divinité » (Richard, 1970, p. 1081). Ces idées héritées de traditions philosophiques séculaires expliquent les réticences que nous entretenons à constater que la caractéristique capable de nous distinguer de l'animal nous ravale en une décade au niveau de l'automate. Il paraît essentiel de distinguer fonction et structure : « un robot est un modèle fonctionnel de l'homme. Il marche, il parle, mais personne ne va jusqu'à penser qu'il est un homme et qu'il explique l'homme simplement parce qu'il agit comme lui » (Oettinger, 1966, p. 118). Comme dans tous les domaines nouveaux, la confusion a tendance à s'installer. Pour sa part, Minsky définit l'intelligence artificielle la science de faire faire à des machines des choses qui exécutées par des êtres humains demandent de l'intelligence.

À l'été 1956, des chercheurs américains se rencontrent au Collège Dartmouth pour faire le point sur les projets en cours et « discuter de la possibilité de construire d'authentiques machines intelligentes » (Minsky, 1966, p. 41). Deux tendances se manifestent : l'une, dite l'école psychologique plus spécialement représentée par A. Newell et A. Simon, s'applique à bâtir des robots qui simulent d'assez près le comportement humain, tandis que l'autre, dite l'école pratique, celle de M. Minsky et S. Papert, est intéressée à des systèmes à grande efficacité, peu importe qu'ils fonctionnent à la manière humaine. Plusieurs participants ont des projets en cours : [Arthur L. Samuel a]

> [...] déjà rédigé un programme capable de jouer une assez bonne partie de dames et d'incorporer plusieurs techniques pour améliorer son propre jeu. Allen Newell, Clifford Shaw et Herbert A. Simon de la Rand Corporation ont construit un programme capable de démontrer des théorèmes et travaillent maintenant sur un projet qui une fois réalisé peut apporter des solutions à divers types de problèmes [...]. John McCarty construit un système qui fera des raisonnements de sens commun, quant à moi [c'est Minsky qui parle] j'esquisse les plans d'un programme qui prouvera des théorèmes de géométrie plane en espérant que l'ordinateur utilise éventuellement un raisonnement analogique sur diagrammes (Minsky, 1966, p. 141).

Il va sans dire que le cheminement et les détails de ces travaux ainsi que de ceux qui viendront par la suite, discutés dans des ouvrages comme *Computers and thought* (Feigenbaum et Feldman, 1963), *Semantic information processing* (Minsky, 1968) et *Pattern recognition* (Uhr, 1966) sont d'un vif intérêt. Mais comme le rappelle Minsky, l'aspect le plus significatif réside surtout dans les procédés qu'ils mettent à profit. À mesure que les projets progressent, l'idée s'accrédite que l'ordinateur peut dépasser le niveau de la manipulation des seuls symboles mathématiques et aborder des niveaux sémantiques plus universels par des procédés variés. Des logiciens ont démontré que certaines idées pouvaient être représentées exactement par des symboles et que les opérations sur ces symboles pouvaient être spécifiées avec précision. Si cette possibilité est reconnue, la psychologie pourrait avoir le matériel nécessaire pour construire des énoncés théoriques rigoureux, bien qu'hypothétiques, des processus mentaux (Lachman, Lachman et Butterfield, 1979, p. 97).

Ce point de vue est exposé devant des hommes de science de diverses disciplines, lors d'un congrès tenu en 1958, afin d'établir des liens entre des domaines comme la logique formelle, la science des ordinateurs, la linguistique et la psychologie. « Le cœur de l'approche, disent Newell, Shaw et Simon (1958), consiste à décrire le comportement d'un système par un programme bien spécifique défini en termes de processus élémentaires d'information ». Les linguistes déjà habitués à ce langage pour avoir fréquenté les logiciens des mathématiques ne sont pas loin de défendre des conceptions assez semblables à celles de Newell et Simon. Quant à certains psychologues présents comme Miller, Atkinson et Shepard, ils en sortent peu convaincus et ne semblent pas encore ressentir l'impact des travaux théoriques et empiriques exécutés autour de cette « intelligence artificielle ». L'ordinateur peut certes simuler des comportements qu'on avait crus d'un caractère exclusif à l'être humain ; il demeure que de tous les concepts hérités de la philosophie par la psychologie, celui de l'intelligence avait paru jusqu'ici l'un des plus réfractaires aux méthodes expérimentales. Les raisons fondamentales de ce manque d'adhésion paraissent se situer ailleurs. Au départ les approches diffèrent : d'une part, en recherche, les psychologues utilisent la méthodologie classique et travaillent plutôt auprès de groupes de sujets, alors que les théoriciens de l'intelligence artificielle favorisent l'approche individuelle avec des méthodes particulières afin de mieux analyser les processus du comportement intelligent. D'autre part, le langage utilisé pour communiquer avec l'ordinateur est rebutant à des non-initiés. Certains rapprochements seront opérés grâce à D.E. Broadbent, U. Neisser et au linguiste N. Chomsky, précurseurs d'une approche cognitive sympathique à la notion d'information. Les travaux de ces hommes finiront par inspirer Atkinson et Shiffrin, lorsque ces derniers élaboreront leur modèle de mémoire humaine à trois niveaux.

Les années qui suivent la rencontre de 1958 demeurent fort riches en travaux de tous genres. Il serait illusoire de vouloir faire un exposé exhaustif de l'ensemble de la recherche théorique et pratique développée par la suite. Nous laisserons davantage émerger ici les idées nouvelles intéressantes pour l'orientation de la psychologie.

L'ÉTUDE DES SYSTÈMES

Nous entrons donc dans une période où la simulation des comportements humains par les automates fournit des modèles de processus et fait resurgir un problème toujours présent, celui de la conscience. Pour contourner les difficultés inhérentes à la situation, nous adoptons la méthode systémique : elle constitue une manière globale d'approcher le réel et permet une organisation plus rationnelle des résultats de la recherche.

Selon J. de Rosnay de l'Institut Pasteur, cette approche s'est développée en trois phases : les années 1940 nous ont montré, grâce à Wiener, les relations existant entre les êtres humains et des machines utilisant le principe de la rétroaction ; les travaux des années 1950 exécutés par W. McCulloch, W. Pitts et W.H. Lettvin joints aux recherches en simulation par A. Newell et H. Simon et en intelligence artificielle par M. Minsky et S. Papert nous ramènent aux notions de code, de transfert d'information, de mémoire et d'apprentissage ; la fin des années 1950 et les années 1960 voient naître la notion de système[4] et en même temps une société qui a pour but l'étude des systèmes, la Society for General Systems Research. Les principaux artisans de ce développement se nomment W.R. Ashby et L. von Bertalanffy, biologistes, A. Rapoport, mathématicien, N. Raschewsky, biophysicien, K. Boulding, économiste, et enfin J. Forrester, un brillant ingénieur qui travaille sur des servomécanismes. Cette approche suscite en France des travaux originaux et des applications théoriques d'une grande pénétration. Il faut citer J. Attali (1972), H. Atlan (1972), H. Laborit (1968, 1974) et Joël de Rosnay (1975). Une remarquable étude intitulée *Introduction à l'étude scientifique de l'organisme humain*, publiée par Yves St-Arnaud de l'Université de Sherbrooke au Québec, donne une idée de la richesse de l'approche systémique appliquée à l'être humain.

La méthode systémique nous permet d'aborder le problème de la vie mentale sous un angle nouveau. Il s'agit de modifier le point de départ. « L'homme n'est plus conçu comme le lieu de rencontre de deux principes autonomes, mais un tout unifié, un organisme plus complexe sans doute que ceux qui intéressent la psychologie animale, mais qui répond aux mêmes lois fondamentales que les organismes

---

4. Une bonne définition du mot « système » est celle que propose J. de Rosnay (1975, p. 91) : « Un système est un ensemble d'éléments en interaction dynamique, organisés en fonction d'un but. »

moins complexes» (St-Arnaud, 1979, p. 10). Cette démarche méthodologique ne tranche pas le problème de savoir si oui ou non l'homme
répond à un modèle dualiste, elle laisse simplement la question
ouverte, comme le fait le Dr Wilder Penfield dans *The mystery of mind.*

Cette approche nous permet de considérer l'homme et le robot
comme deux ensembles systémiques ou deux systèmes ouverts[5]. En
ceci, nous demeurons fidèle à l'esprit de la cybernétique qui se présente
elle-même comme la science qui s'est donné pour objet d'étudier la
communication et les régulations aussi bien chez les êtres vivants que
chez les machines construites par l'homme. Par ailleurs, cette méthode
favorise une vision globale des organismes et fournit l'occasion
d'établir une comparaison mieux hiérarchisée des deux systèmes. Afin
de rendre ce parallèle intelligible, nous produisons ici un tableau
(Tableau 2) qui met en contrepartie les différents niveaux d'organisation des deux systèmes. Nous aborderons entre autres, quelques points
de comparaison sur le plan de la structure, des principes de fonctionnement, de l'acquisition et du traitement de l'information.

QUELQUES POINTS DE COMPARAISON

Structure

Au premier niveau, celui de la structure, lorsque nous considérons les
deux colonnes du Tableau 2, on constate que la quincaillerie (*hardware*) de l'ordinateur fait pendant à la neuroanatomie du cerveau. Une
comparaison plus large certes devrait nous conduire à regarder l'être
humain dans sa constitution intégrale, à observer la merveilleuse organisation biologique du système vivant face au robot. Les cellules, le
matériau de construction de l'ensemble, s'unissent pour former les tissus ; à leur tour, les tissus s'enroulent pour composer des organes ou des
glandes ; plusieurs organes constituent un système ; plusieurs systèmes
un organisme complet, homme ou femme. Mais il faut le reconnaître :

> [...] un être vivant n'est pas constitué d'autres éléments que la manière
> inanimée. Sans doute se combinent-ils suivant un ordre particulier réa-
> lisé autour de l'atome de carbone, dont un électron μ délocalisé a permis
> vraisemblablement des combinaisons plus faciles et plus nombreuses.
> Mais la matière vivante est soumise au deuxième principe de la thermo-

---

5. «Un système ouvert est en relation permanente avec son environnement. Il échange
énergie, matière, informations utilisées dans le maintien de son organisation interne,
contre la dégradation qu'exerce le temps» (de Rosnay, 1975, p. 92).

TABLEAU 2
Parallèle entre deux systèmes

L'être humain	L'automate
A – Structure	A – Structure
Neuroanatomie	Quincaillerie *(hardware)*
Montage héréditaire	Circuits électroniques
B – Fonctionnement	B – Fonctionnement
Transport d'énergie électrique	Transport d'énergie électrique
Feed-back	Feed-back
Code binaire	Code binaire
Base logique	Base logique
C – L'acquisition de l'information	C – L'acquisition de l'information
Système sensoriel	Système d'analyse de l'environnement
Reconnaissance des formes (Perception)	Reconnaissance des formes
D – Traitement de l'information	D – Traitement de l'information
Plan rationnel	Plan rationnel
Calcul	Calcul
Démonstration	Démonstration
Jeux	Jeux
Langage	Langage
Traduction	Traduction
Plan affectif	Plan affectif
Émotivité	Émotivité
Humour	Humour
Personnalité	Personnalité
Conscience	Conscience

dynamique. Elle tend constamment vers le désordre, vers le nivellement thermodynamique. Si elle peut maintenir sa structure complexe, c'est grâce à un apport constant d'énergie chimique fournie par les aliments, énergie alimentaire qui n'est elle-même rien d'autre que le résultat de la transformation de l'énergie photonique solaire par la photosynthèse. Or, dans le maintien de cette structure, les régulations cybernétiques règnent à tous les échelons d'organisation, depuis la molécule jusqu'à l'individu entier plongé dans son environnement (Laborit, 1968, p. 176).

En outre, dès que nous atteignons le niveau du système responsable du comportement rationnel, l'observation scientifique a décelé chez le vivant de grands réseaux de communication, des montages précis d'où le hasard est absent, des milliards de neurones dont les points de contact sont encore plus nombreux. Ces ensembles neuroniques nous font penser aux circuits miniaturisés de l'automate, et dans un cas comme dans l'autre, ils transportent quelques millivolts d'énergie électrique dans toutes les parties du système. Mais le transfert de l'énergie nous introduit au niveau B, celui du fonctionnement.

Fonctionnement

Au deuxième niveau, celui du fonctionnement (*software*), de multiples rapprochements sont possibles. Nous nous attardons ici à quelques aperçus concernant la base des deux systèmes réservant tout l'aspect plus strictement cybernétique pour l'acquisition et le traitement de l'information. Tout le progrès de la physiologie dont nous avons rappelé les travaux les plus pertinents a fini par montrer que le comportement dans son ensemble peut, sur le plan de l'organisation nerveuse, se réduire en unités d'information. À ce sujet, les résultats obtenus par Eccles (1957, 1964), Kandel et Spencer (1968), Miller (1971), Hubel (1963), Lettvin, Maturana, McCulloch et Pitts (1959), Hubel et Wiesel (1968, 1979) n'excluent pas la possibilité que la fibre nerveuse utilise un code binaire tout comme la mémoire de l'ordinateur[6]. Kit Pedler (1970, p. 49), chef du Département d'anatomie de l'Institute of Ophthalmology of London, a montré que le « réseau de neurones du fond de l'œil origine de l'embryon comme une partie du cerveau. L'information qui provient des signaux lumineux est traitée dans la rétine avant de se rendre au cerveau lui-même sous la forme d'un code ». D'autres phénomènes neurophysiologiques, comme la sommation des influx à la synapse ou la loi du tout ou rien[7], autorisent à supposer la présence d'un code établi par des processus électriques assez proches de ceux mis en action dans les machines. L'ordinateur, comme son nom l'indique (mettre de l'ordre), n'est rien d'autre qu'un appareil

---

6. Pendant plusieurs années, un anneau de ferrite, appelé *tore magnétique* a constitué la base de la mémoire de l'ordinateur. Comme il peut électriquement prendre facilement deux états, il exprime donc 0 et 1 du code binaire et par le fait même contient de l'information.

7. Pour un stimulus donné, l'axone répond avec un potentiel d'action à plein rendement ou demeure inactif. Il n'existe aucun intermédiaire entre l'activité et le repos : on nomme ce phénomène la loi du tout ou rien.

logique dont le principe de l'enregistrement de l'information est aussi simple que oui (1) et non (0), vrai ou faux, ouvert ou fermé, pile ou face, car il applique le système binaire[8] mis au point par le mathématicien anglais George Boole (1815-1864), contemporain de Babbage. L'anneau de ferrite peut être dans deux états ; un circuit peut être ouvert ou fermé. L'un et l'autre sont alors capables d'exprimer les chiffres 0 et 1, soit un *bit* d'information. Or on sait qu'avec 0 et 1, il est possible de faire toutes les opérations arithmétiques, tous les calculs mathématiques possibles.

Le code binaire dans son étonnante simplicité rejoint l'un des premiers principes des anciens, qui est en définitive le fondement de la logique d'Aristote, tout comme celui du sens commun, à savoir qu'un être ou une chose ne peut à la fois être ou ne pas être[9]. Si on s'attarde d'autre part à considérer les particules logiques que sont « et », « ou », « ne pas », « ni, ni », etc., on constate qu'elles se traduisent facilement dans des circuits électroniques. En effet, faut-il le rappeler, l'ordinateur digital possède des éléments logiques nommés commutateurs. Tous les éléments des ordinateurs, qu'ils appartiennent à la section mémoire ou à la section traitement, ne peuvent être que binaires, c'est-à-dire dans l'un ou l'autre de deux états. L'ingénieur David C. Evans (1966) a montré avec une précision étonnante dans un article intitulé « Computer logic and memory » comment la logique humaine est effectivement transcrite dans des circuits électroniques pour effectuer différents types d'activités. Par ailleurs, celui qui est à l'origine des systèmes de mémoire à anneau de ferrite (*magnetic core memory systems*), Jan A. Rajchman du David Sarnoff Research Center de l'Université Princeton écrit : « Ce qui rend l'ordinateur si efficace et si envahissant, c'est le fait que le seul et même mécanisme pourvu d'un programme approprié peut exécuter n'importe quelle tâche bien spécifiée de traitement de l'information » (Rajchman, 1967, p. 28). Parmi les tâches intéressantes que peut exécuter un ordinateur nous en considérerons quelques-unes dans les domaines de l'acquisition et du traitement de l'information.

---

8. Il est permis de supposer que le système décimal à dix chiffres (de 0 à 9) fut inventé au temps où les humains voulant dénombrer les choses utilisèrent leurs dix doigts ou leurs dix orteils (en anglais, le mot *digit* tire son origine du latin *digitus*, doigt, orteil). On peut imaginer d'autres bases de calcul : ainsi on compte les heures du jour et les mois de l'année en utilisant la base douze (12). Boole eut l'idée qu'on pouvait tout aussi bien compter et calculer en se servant uniquement de 0 et 1.

9. Aristote au livre IV de la *Métaphysique* écrit : « il est impossible qu'une chose soit et ne soit pas en même temps et sous le même rapport ».

L'acquisition de l'information

L'homme et l'ordinateur sont des systèmes ouverts. Ils ont la possibilité de communiquer avec l'environnement ; ceci leur confère une caractéristique fort différente des autres mécanismes dits automatiques. Les machines peuvent recevoir des données et des instructions dans un langage technique qu'elles comprennent, comprendre étant pris au sens matériel ; « elles sont cependant assez mal équipées pour tirer par elles-mêmes de l'environnement les éléments ou les relations qui leur servent à penser. Elles sont en ceci carrément différentes des organismes vivants doués d'intelligence » (Selfridge et Neisser, 1960, p. 95). L'ordinateur résout une équation différentielle plus facilement qu'il peut reconnaître une personne qui traverse la rue. Pourtant un bambin reconnaît des personnes avant d'apprendre l'arithmétique. Les premiers programmes entrepris dans le but de faire reconnaître des formes à un ordinateur ont soulevé des difficultés inouïes et mis en évidence la complexité des phénomènes perceptifs. Pourtant

> [...] la valeur prééminente des facteurs responsables de la perception de la forme ainsi que la prépondérance des relations entre les éléments de cette forme ont été abondamment démontrées durant quarante ans environ de psychologie gestaltique. Il semble extraordinaire alors que si peu de progrès aient été faits pour systématiser et quantifier de tels facteurs (Attneave et Arnoult, 1956, p. 452).

Ainsi les premiers programmes élaborés dans le domaine de la reconnaissance des formes ont fait surgir le phénomène de la représentation mentale dans toute sa complexité. Quelles sont les différentes étapes de la reconnaissance d'une forme ? Quels sont les processus physiologiques et psychologiques mis en question ? En définitive, face à un programme à produire, la première étape consiste à se demander quelle séquence d'opérations détermine suffisamment les caractéristiques d'un être ou d'un objet de manière à l'identifier à travers l'énorme bombardement de stimuli qui proviennent de l'environnement. Pour répondre à ces difficultés, Léonard Uhr (1966) a invité les hommes de science à faire l'état de la question. Il réunit vingt-deux études sur la perception par l'homme et l'ordinateur : des philosophes établissent le cadre conceptuel ; des psychologues font le point sur les résultats expérimentaux et les développements théoriques ; des neurophysiologistes comme Barlow, Young, Hubel et Wiesel élaborent des modèles de mécanismes de fonctionnement ; enfin des chercheurs en simulation et en intelligence artificielle rendent compte de l'état des programmes dans le domaine.

Sur le plan des réalisations concrètes, on constate, à titre d'exemple, que faire reconnaître la lettre « A » à travers les vingt-six lettres de l'alphabet se révèle une tâche difficile, surtout si le stimulus externe « A » varie en grandeur, en inclinaison, en forme, etc. Selfridge et Neisser (1960) attaquent le problème par un procédé sérial (*serial processor*) plutôt que par un procédé parallèle (*parallel processor*) préféré par Uhr et Vossler (1961). Parmi la centaine de projets réussis et dignes de mention, il faut signaler l'EPAM (Elementary Perceiver and Memorizer) rédigé par Simon et Feigenbaum (1964), un programme qui vise à simuler le comportement humain dans une variété de tâches de discrimination, les modèles SAL I, II et III (Stimulus and Association Learner) développés par Hintzman (1968), le programme de Guzman (1968), celui de Winston (1970), etc. En dépit des résultats obtenus, la recherche progresse avec lenteur et ne répond pas aux attentes des hommes de science.

Le traitement de l'information

Sous ce titre du traitement de l'information, nous ne pouvons considérer que deux ou trois projets choisis parmi les activités énumérées dans le Tableau 2 ; en effet la recherche effectuée dans ce domaine est vaste. Tel que l'avait prévu Turing en 1936, l'ordinateur est réellement devenu un appareil capable de résoudre toute espèce de problèmes. Sur le plan du comportement et des processus, la recherche foisonne. Parmi les programmes dits intelligents à considérer brièvement ici, le premier concerne le stade sensori-moteur.

Jean Piaget, le grand psychologue du développement de l'intelligence, décrit la période préverbale chez l'enfant comme une phase pendant laquelle l'intelligence sensori-motrice arrive à son plein achèvement entre 18 mois et 2 ans.

> Un acte d'intelligence sensori-motrice, dit-il, ne tend qu'à la satisfaction pratique, c'est-à-dire au succès de l'action, et non pas à la connaissance comme telle. Il ne cherche ni l'explication, ni la classification, ni la constatation pour elles-mêmes, et ne relie causalement, ne classe ou ne constate qu'en vue d'un but subjectif étranger à la recherche du vrai. L'intelligence sensori-motrice est donc une intelligence vécue et nullement réflexive (Piaget, 1947, p. 144).

Des automates ont été construits, capables d'effectuer des activités à ce niveau. Ils recueillent l'information, l'analysent en vue d'opérations à exécuter dans l'environnement. Deux professeurs du M.I.T., M.L. Minsky et S. Papert, ont réalisé une main mécanique qui « saisit, transporte et assemble des blocs de différentes formes dans une superficie bien définie. Une caméra de télévision sert d'œil pour voir l'environnement et faire parvenir sous forme d'images des données à analyser à l'ordinateur» (Rosen, 1968, p. 109). Cet automate doué d'un système pseudo-sensoriel reconnaît des formes de son environnement et utilise cette information pour mettre en action et diriger un bras et une main mécanico-électronique.

Parmi les automates capables de se déplacer d'une manière autonome, il faut présenter le robot Shakey né au Stanford Research Institute grâce aux travaux de John McCarthy et de Charles Rosen. Doué de quatre entrées sensorielles distinctes: 1° une caméra de télévision rotative, 2° un appareil de télémétrie, 3° des antennes tactiles et 4° un système de navigation, Shakey, pourvu d'un cerveau électronique d'une capacité de 8 000 000 bits, reconnaît le milieu ambiant, s'en fait une représentation point par point selon un système de coordonnées géométriques, peut rouler dans toutes les directions actionné par des moteurs dont les commandes proviennent d'une unité de décision. «Actuellement, dit Rosen (1968, p. 111), le véhicule ne peut que pousser des objets, mais nous prévoyons lui donner un certain degré de manipulation manuelle.» Néanmoins, il est hors de propos selon l'approche de Minsky et Papert que l'automate ressemble à un homme. Il peut marcher ou rouler; le problème est ailleurs, au niveau des processus enregistrés dans le programme. Ainsi il semble important que Shakey comprenne approximativement cent mots rédigés en langue anglaise; ceci est amplement suffisant pour lui demander de se rendre dans la troisième ou la quatrième pièce et d'exécuter certaines tâches comme celle d'aller pousser des blocs en bas d'une plate-forme, même s'il faut pour cela déplacer un plan incliné afin de monter à l'endroit désigné. On trouvera peut-être osé de se servir de l'expression «activités sensorimotrices», alors que dans le cas de Shakey, il est loin d'être acquis que les mécanismes mis en cause reproduisent ceux d'un enfant de deux ans. Il ne s'agit pas tant de comparer les comportements que d'identifier les processus utilisés pour programmer un automate. L'élaboration et la réalisation du projet ont demandé à ses auteurs, au-delà de la tâche, un esprit créatif. Bertrand Raphael (1976), collaborateur de McCarthy et Rosen, décrit quatre niveaux majeurs de programmation pour une bonne exécution des commandes. Pour en arriver à ce résultat cependant, l'étape cruciale avant de commencer le travail consiste à identifier des mécanismes et des procédés à trois niveaux de fonctionnement: 1° le premier consiste non seulement à savoir comment un être humain perçoit le monde réel, comme on l'a vu lors de l'acquisition de l'information, mais encore à savoir dans les faits quelle représentation il se fait d'un problème à résoudre, comment il en arrive à une certaine compréhension ; 2° les données d'un problème une fois acquises et comprises, il faut trouver des procédés efficaces à mettre en action pour avancer vers une bonne solution (qu'il s'agisse d'une recherche par essais et erreurs, d'un système de balayage des voies possibles, d'une vérification d'une démarche plausible entre plusieurs, d'une réorganisation des données, etc.) ; 3° le processus de décision : quand la solution trouvée est la bonne, l'ordinateur tout comme l'être humain doit stopper sa recherche.

L'automate une fois en marche ne devient qu'un modèle hypothétique des processus réels d'un comportement humain, mais un modèle tout aussi prometteur que bien des modèles théoriques produits jusqu'ici en psychologie.

Il existe beaucoup d'autres activités explorées par les programmes d'intelligence artificielle. Tout le domaine des jeux (jeux de dames, d'échecs, de backgammon) fascine les chercheurs en raison des stratégies et méthodes utilisées. Le programme doit au départ posséder une représentation du damier ou de l'échiquier, « par exemple comme une table de nombres donnant pour chaque carreau le genre de pièce qui l'occupe s'il s'en trouve » (McCarthy, 1966, p. 11). Les premiers programmeurs dans leur enthousiasme avaient espéré faire jouer une partie parfaite de dames par un ordinateur : ceci supposait la prévision de tous les coups possibles de la première dame déplacée à la dernière. « En pratique cependant cette approche est hors de propos même pour un ordinateur. Le dépistage de chacune des lignes possibles de jeux comporterait quelque 10^{40} positions différentes sur le damier, 10^{120} sur l'échiquier » (Minsky, 1966, p. 141). Selon ce procédé, un ordinateur capable de calculer au millionième de seconde (soit à un million d'opérations par seconde) aurait besoin de 10^{95} ans pour décider de son premier coup sur l'échiquier. Sur le plan mathématique, cette stratégie aboutit à une explosion exponentielle à laquelle une situation réelle ne peut correspondre. Même les champions des dames et des échecs, pourtant munis de cerveaux composés de 16×10^9 neurones prévoient à peine deux coups à l'avance. Il fallut abandonner l'idée de l'algorithme rigoureux pour revenir à des règles humaines de mener le jeu, appelées méthodes heuristiques[10]. C'était abandonner

10. Les méthodes heuristiques sont des stratégies de l'art de programmer qui s'appuient davantage sur des démarches utilisées par l'intelligence humaine que sur des algorithmes. Ces règles sans être infaillibles conduisent assez généralement à une bonne réponse.

une ligne de pensée systématique, presque mécanique, pour des procédures moins sûres, plus aléatoires. C'était même enlever à la programmation en général sa chemise de force pour la laisser voguer avec plus de liberté au gré de l'inspiration et de l'intuition, lui laisser trouver des itinéraires dans le brouillard, échafauder des hypothèses, tenter une solution selon le mode humain de procéder à travers la confusion des problèmes posés par la vie de tous les jours. Voilà l'idéal vers lequel tend désormais l'intelligence artificielle. Dans le domaine des dames et des échecs, il ne s'agit plus d'évaluer tous les coups possibles, mais les coups plausibles.

En 1959, A.L. Samuel élabore un programme capable de jouer une partie convenable de dames et d'améliorer son jeu à partir de l'expérience acquise dans les parties antérieures grâce à un sous-programme qui analyse les coups inefficaces. De l'avis de Samuel, cette procédure, bien que rudimentaire, devrait éventuellement éliminer une bonne partie des efforts à faire pour rédiger un programme détaillé d'opérations. À l'été 1962, le Dr Samuel invite M. Nealey, champion aux dames de l'État du Connecticut et l'un des meilleurs joueurs de la nation américaine, à venir faire une partie avec son ordinateur. La rencontre a lieu le 12 juillet à Yorktown, New York. Le *IBM Research News* publie en août 1962 le commentaire de M. Nealey :

> Notre partie... n'a pas manqué d'intérêt. Du début au 31ᵉ coup, tout notre jeu avait été publié antérieurement, excepté là où quelquefois je m'évade des principes du 'livre' dans un effort vain d'ailleurs pour désarçonner le jeu bien réglé de l'ordinateur. À partir du 32ᵉ coup [11], perdant désormais, je constate pour autant que je le sache que notre jeu est original. Il est intéressant pour moi de remarquer que l'ordinateur eut à exécuter quelques coups d'éclat pour gagner la partie et que j'eus quelques occasions de jouer autrement. C'est pourquoi je restai au jeu. La machine joua alors une fin parfaite sans un seul faux pas. En ce qui concerne cette finale, je n'avais rencontré rien d'équivalent de la part d'un être humain depuis 1954, lorsque j'ai perdu ma dernière partie (Samuel, 1963, p. 104).

Amélioré par Samuel en 1967, ce programme a été qualifié d'adroit par B. Raphael (1976) au point de vue des procédés d'apprentissage. En ce qui concerne des jeux plus compliqués, on fait souvent mention des programmes de Bernstein et Roberts (1958), de Greenblatt, Eastlake et Crocker (1967), de Simon et Barenfeld (1969), de

---

11. La partie s'est jouée en 53 coups ; au 54ᵉ, R.W. Nealey qui joue les dames blanches concède la partie.

Chase et Simon (1973) pour les échecs ; de Reitman et Wilcox (1978) pour le *go*[12].

Parmi les programmes dignes d'intérêt en intelligence artificielle, il est difficile d'ignorer un projet d'avant-garde élaboré par Thomas Evans (1968) pour sa thèse de doctorat dirigée par M. Minsky. Il consiste à faire trouver des analogies entre des figures géométriques complexes, un genre de problèmes proposés dans les tests d'intelligence

> [...] largement utilisés pour les examens d'admission au collège parce que leur niveau de difficulté est considéré requérir un degré considérable d'intelligence. Le format général est connu : étant donné deux figures comportant une certaine relation de l'une à l'autre, il faut trouver une relation semblable entre une troisième figure et l'un des cinq choix offerts. Le problème est généralement présenté ainsi : A est à B comme C est à D_1, D_2, D_3, D_4, D_5. La caractéristique particulièrement attrayante de ce genre de problèmes pour mesurer l'intelligence des machines réside dans le fait qu'il n'existe aucune réponse rigoureusement correcte. À dire vrai, la performance à de tels tests n'est pas évaluée selon des règles connues, mais est jugée sur la base des choix exécutés par des personnes d'intelligence vraiment supérieure à qui ce test est proposé (Minsky, 1966, p. 143).

Au sujet des méthodes heuristiques utilisées dans ce programme, T. Evans s'appuie sur les idées de Minsky et sur des recherches prometteuses dans le domaine de l'intelligence artificielle. Le robot passe le test avec succès. On se rend rapidement compte qu'un automate peut résoudre sans difficultés toute espèce de problème circonscrit et bien défini, que l'étape suivante à franchir maintenant doit être la résolution de problèmes plutôt versatiles et mal définis, tels qu'ils se présentent dans la vie de tous les jours.

> Il ne semble exister aucune limite théorique au degré d'intelligence que les machines peuvent atteindre un jour. Ceci ne signifie pas que nous savons comment rivaliser et même approcher la capacité intellectuelle étonnamment générale de l'homme qui inclut l'habileté à concevoir et à rendre effectives des machines qui luttent contre lui-même (Rosen, 1968, p. 114).

---

12. En octobre 1982, David Waltz rapporte que Ken Thompson et Joe Condon ont rédigé un programme pour jouer aux échecs qui analyse 160 000 positions à la seconde et joue dans les tournois. Sa classification lui donne 2 160 points (un expert se classe entre 2 000 et 2 160 points).

Le premier pas vers cette intelligence générale a été franchi bien avant le programme d'Evans. Newell, Simon et Show (1958) avaient élaboré un programme, le Logic Theorist : ce programme doit prouver des théorèmes de logique mathématique énoncés sous une forme axiomatique en utilisant diverses règles de transformation ; c'est un domaine où doivent se manifester l'imagination intuitive autant que la rigueur. En un seul essai, le programme réussit à prouver 52 premiers théorèmes des « principes mathématiques de Russell et Whitehead » (1925). Un même type de programme repris sous le nom de General Problem Solver est créé en 1959 et amélioré en 1961. En 1972, on a l'idée intéressante de le faire raisonner « tout haut », afin de mieux suivre les protocoles de recherche utilisés par l'automate.

Il va sans dire que les quelques projets exposés ici représentent des cas intéressants à travers une multitude d'autres qui ont été élaborés dans divers milieux. C'est une des caractéristiques propres à l'approche systémique de permettre la considération de certains phénomènes et de laisser voir tous les autres niveaux d'étude possibles.

COMMENTAIRE

Le domaine de l'intelligence artificielle a pris durant les trente dernières années des proportions plus vastes que ne le laisse supposer le bref survol qui précède. Il soulève en outre plus de problèmes qu'il en règle. Entre autres, on n'est pas parvenu à isoler le concept que des traditions séculaires nomment l'intelligence. Est-il convenable au plan des sciences expérimentales de se demander ce qu'est en réalité l'intelligence. « Ma vue personnelle, dit Minsky, est que celle-ci est plus une question d'esthétique ou une de dignité, qu'une matière technique. » En définitive, on rejoint la position du Dr W. Penfield dans *The mystery of mind*. Le neurophysiologiste n'a pas tranché la question. Cette attitude n'est-elle pas celle de la majorité des hommes de science, à l'exception de Watson. L'intelligence artificielle a fait son entrée sur le terrain de la science sans trancher le problème de savoir si les automates sont intelligents, mais en leur faisant produire des comportements qui dans plus d'un domaine rivalisent avec succès avec ceux de l'intelligence humaine.

S'il n'appartient pas aux programmes inscrits dans les automates de dire quelle est la nature de l'intelligence, un fait demeure cependant : chaque fois qu'un programme rivalise avec une quelconque activité produite par un être humain, n'est-il pas en lui-même une hypothèse valable des processus probablement utilisés par l'intelligence humaine? La psychologie de l'apprentissage est l'une des sciences les plus intéressées à savoir comment fonctionne le cerveau de l'homme. La recherche récente en neurophysiologie fournit certaines indications; la psychologie animale observe le comportement du chat, du singe et du pigeon pour décrire l'apprentissage. Pourquoi se refuserait-on à considérer le robot, particulièrement si ce dernier manifeste un comportement parfois supérieur à celui du rat ou du pigeon?

L'objection souvent entendue consiste à dire que l'automate équipé d'une mémoire et d'une unité de traitement est un esclave, un *Golem* obéissant qui ne peut faire rien de plus que répéter avec exactitude les séquences d'opérations dictées par son programmeur. Voyons ce qu'il en est: un ordinateur sait faire des opérations arithmétiques; il sait additionner et dire que 4 + 3 = 7, non parce qu'on lui a fourni la réponse à cette addition particulière, mais parce qu'il sait quelle opération effectuer pour arriver à la bonne réponse. On lui apprend certes le « comment » de l'addition en lui incorporant un programme qui lui enseigne les règles de l'addition, tout comme l'instituteur montre à John la manière d'additionner 2 + 3. Mais une fois que John et l'automate savent additionner, ils savent aussi que 7 + 4 = 11.

Au début des années 1960, l'ordinateur a tout juste atteint sa majorité; ses performances notamment en apprentissage (le programme de Samuel, 1961) posent à l'attention des chercheurs dans les domaines de la psychologie et de l'épistémologie des problèmes fondamentaux, en particulier au chapitre des processus cognitifs. Il demeure cependant que les échanges entre les spécialistes de l'intelligence artificielle et ceux de l'intelligence humaine tardent et se font rares. Les orientations, les méthodes, le jargon utilisé par les uns et les autres ont contribué à creuser un fossé. À titre d'exemple, rappelons que la description d'une version récente du programme General Problem Solver, le G.P.S., « s'élève à au-delà de 100 pages et encore ne couvre que les principaux éléments du système. En outre, sa discussion présuppose la connaissance d'un premier texte fondamental sur le G.P.S. et celle du langage du traitement de l'information nommé IPL-V (Information Processing Language-V) » (Reitman, 1964, p. 4). De telles situations ont pu causer certains retards, mais n'expliquent pas tout, car les jeunes générations de psychologues familiarisés avec les langages de la programmation ont tôt fait de reprendre le temps perdu.

Une autre raison assez profonde, nous semble-t-il, concernant les retards survenus repose en définitive sur une position théorique et sur

le fait que l'ordinateur est venu remettre à l'honneur un type de recherche, celui des processus mentaux. Or, la psychologie de 1913 à
1960, qui avait pour nom le behaviorisme a réduit la démarche scientifique au comportement observable. Le prix à payer: la mise en
veilleuse de tous les phénomènes internes de l'organisme. Durant cette
période Broadbent, Sperling, Sternberg ont l'air de prédicateurs dans le
désert, tant les travaux qu'ils produisent sont loin des idées mises en
relief à l'avant-scène. Mais avec l'avènement de l'intelligence artificielle
et les programmes en simulation sur ordinateur, les processus mentaux
resurgissent avec un dynamisme nouveau. La psychologie cognitive fait
des convertis avec une idéologie qui prend forme, celle du traitement
de l'information.

CHAPITRE 19 Un paradigme : le traitement de l'information

Les trois domaines que nous avons abordés dans les chapitres précédents, la neurophysiologie, la théorie des messages et l'intelligence artificielle ouvrent des voies encore à explorer. Néanmoins, aucun des trois pris isolément ne nous fournit un cadre théorique capable de donner une certaine interprétation du phénomène de la connaissance. Ils offrent tout au plus des notions originales, des pistes vierges de recherche concernant les processus mentaux supérieurs. Aussi, à mesure que des concepts neufs sont élaborés, les psychologues cognitivistes, insatisfaits des résultats obtenus par les méthodes traditionnelles d'analyse, cherchent d'autres explications aux problèmes fondamentaux que posent la vie et l'intelligence humaine. Or il n'existe en définitive que

> [...] deux routes possibles vers la connaissance : la première, directe, qui consiste à affirmer *a priori* que l'application méthodique des techniques et des disciplines élaborées pour l'étude de la matière inerte doit forcément nous conduire à la compréhension de la matière vivante et à la connaissance de la corrélation des phénomènes. Le point de départ est un postulat, qu'on peut appeler le postulat mécaniste, entièrement subjectif, sentimental, pourrait-on dire... la seconde route consiste, au contraire, à ne pas s'appuyer sur un acte de foi, mais à travailler en employant toutes les méthodes possibles et en espérant que l'étude intelligente de la vie elle-même permettra de trouver un raccourci qui nous rapprochera d'un seul coup du but poursuivi (Lecomte du Noüy, 1964, p. 65).

C'est précisément cette seconde voie qu'empruntent tous ceux qui non seulement cherchent des explications capables d'englober tous les faits constatés en psychologie et dans les sciences connexes, mais désirent poser les problèmes en termes plus proches de l'humain. Cette voie les a conduits directement aux théories dites cognitives.

L'EXTENSION DU PROBLÈME POSÉ

Au début des années 1960, précisément au moment où la psychologie adopte des méthodes de recherche et des vues moins mécanistes, une notion nouvelle, celle de paradigme, permet une reformulation des idées en rapport avec la marche de la science. Ce mot « paradigme » existe déjà en langue grecque : Platon s'en sert pour exprimer le monde intelligible, prototype divin du monde sensible. En 1962, un historien des sciences, Thomas Kuhn, le découvre en linguistique et en philosophie, l'utilise pour rendre compte de la manière dont se développent les sciences ; il lui donne le sens d'adhésion tacite à une conception de la réalité, à une idéologie non exprimée, pas toujours défendable sur le plan rationnel, mais capable d'orienter la recherche scientifique.

> En suggérant ce terme, j'entends signifier que certains exemples de la pratique scientifique (exemples incluant les lois, la théorie, les applications, l'instrumentation et tout cela ensemble) fournissent des modèles d'où surgissent des traditions particulières et cohérentes de recherche scientifique (Kuhn, 1962, p. 10).

Rétrospectivement, on peut constater que l'empirisme anglais, le behaviorisme américain, la psychologie de la forme, la psychanalyse se sont révélés des paradigmes qui ont dirigé la recherche et ont suscité de véritables adhésions intellectuelles de la part de leurs adeptes. De ces exemples, il découle qu'un paradigme suppose un contexte intellectuel préparé par des idées émises antérieurement, un thème principal, des outils en recherche, un langage et enfin, une caractéristique importante, des concepts partagés par des groupes d'hommes de science entre lesquels existent des échanges. Un paradigme n'est pas une théorie ; il ressemble plutôt à une philosophie sur laquelle la théorie s'appuie.

Le remplacement d'un paradigme par un autre suppose une transformation en profondeur, une révolution idéologique, un mode de pensée différent qui ne peuvent s'élaborer sans la rencontre d'influences diverses. Quarante ans durant, le behaviorisme occupe l'espace en Amérique ; il oriente la recherche grâce au poids d'idées préthéoriques, de propositions reçues, d'hypothèses dont la majorité ne découlent pas de conclusions expérimentales, mais sont acceptées parce

que tous en conviennent. Elles sont le matériau dont est fait ce paradigme dominant. À titre d'exemples, nous relevons quelques-uns de
ces énoncés : le comportement des organismes est dû à l'apprentissage
et relativement peu à des caractères innés ; l'introspection n'est pas une
méthode scientifique de recherche ; apprendre, c'est créer des liens
entre le ou les stimuli de l'environnement et la réponse du sujet ; il y a
relativement peu de différences entre les processus de comportement
de chacune des espèces. Ces propositions non démontrées, mais plausibles en soi, jalonnent la route des chercheurs. Elles les orientent vers
un type d'expériences qui se déroulent en laboratoire avec des rats, des
chats ou des pigeons dans des conditions bien contrôlées.

L'évolution vers un autre paradigme commence le jour où on se
demande si différentes espèces d'animaux ne possèdent pas des modes
d'apprentissage particuliers ? si les résultats obtenus en laboratoire par
des expériences sur les animaux sont applicables d'une manière directe
à l'être humain ? si l'apprentissage est le seul processus à étudier dans
l'organisme ? Ces interrogations ont surgi parfois dans les conversations et sont apparues dans les écrits des psychologues, même avant
que s'établissent des liens théoriques avec les idées qui foisonnent dans
les sciences connexes.

Pour sa part, Ulric Neisser croit que la tournure des événements
vers une psychologie de type cognitif est due principalement au développement de l'ordinateur,

> [...] non pas seulement parce que l'ordinateur permet de mener des
> expériences plus facilement ou analyse les données d'une manière systé-
> matique, mais surtout parce que les activités de l'ordinateur semblent
> d'une certaine manière apparentées aux processus cognitifs. L'ordina-
> teur recueille l'information, traite les symboles et emmagasine les
> réponses en mémoire (Neisser, 1976, p. 5).

Sans doute cette influence est-elle réelle ; elle s'inscrit cependant au sein
d'un mouvement convergent qui permet la rencontre et le mélange
d'idées originales. Il s'agit d'un changement dans les habitudes de pensée, d'un esprit qui enveloppe les milieux scientifiques, que ce soit ceux
de la biologie, des mathématiques, de la linguistique de même que ceux
des sciences nouvelles comme l'information et la communication. Des
données disparates s'assemblent autour de la notion d'information pour
donner naissance à un paradigme qui reflétera l'orientation d'une autre
génération d'hommes de science. À leur tour, ils accepteront comme
plausibles des propositions non démontrées au plan expérimental, mais
capables d'orienter leur propre recherche pour les années à venir.

En ce qui concerne plus spécifiquement la psychologie, les premières manifestations, ou mieux les premiers signes d'une divergence d'opinion avec le paradigme en place, remontent à la Deuxième Guerre mondiale, époque qui pose une série de problèmes que l'orthodoxie behavioriste s'interdit d'aborder. La croissance rapide des effectifs de l'aviation militaire nécessite un entraînement intensif des pilotes, des opérateurs de radar, des contrôleurs aériens qui doivent guider l'arrivée et le départ des avions. Ces carrières nouvelles exigent de ceux qui s'y engagent des habiletés exceptionnelles de perception, d'attention, de jugement et de prise de décision afin d'assurer une sécurité maximale. Des causes d'erreurs humaines subsistent nombreuses, comme le constate Donald E. Broadbent. En 1943, ce jeune anglais âgé de 17 ans désire entrer dans la Royal Air Force (R.A.F.), afin de devenir pilote de guerre. À l'automne 1944, il est envoyé en Floride, U.S.A., pour sa formation. À l'entraînement, il constate que les avions de chasse ne sont pas bâtis d'une manière suffisamment fonctionnelle pour éviter les risques d'accident. Il rapporte un cas entre plusieurs : sous le siège du pilote deux manettes sont placées l'une à côté de l'autre qui servent la première à relever les ailerons, la seconde à sortir le train d'atterrissage. Une erreur dans le choix du levier peut entraîner une entrée sur le ventre de l'avion et le retour de l'apprenti pilote en Angleterre. Cet exemple illustre le problème de la division de l'attention : si un pilote doit porter trop de vigilance au choix correct d'un levier, il réduit par le fait même la somme d'attention qu'il doit aux autres manœuvres au moment de prendre contact avec le sol.

Après la guerre, attiré par le problème des facteurs humains dans le travail, Broadbent s'inscrit à Cambridge pour y étudier la psychologie. Dès le départ, il est initié à une approche originale enseignée par sir Frederic Bartlett (1932), qui étudie des phénomènes reliés à la mémoire à l'aide de diverses méthodes. Après ses études à Cambridge, Broadbent est de nouveau attiré par le phénomène de l'attention, influencé par les recherches d'E. Colin Cherry, un autre chercheur d'origine anglaise qui poursuit des expériences au laboratoire d'électronique du M.I.T. Cherry, ayant remarqué au cours d'une réunion sociale à quel point l'attention peut être sélective[1], tente de reproduire la même situation en utilisant des écouteurs et en présentant des messages différents à l'une et à l'autre oreille. En pareil cas, si le sujet doit

---

1. Qui n'a pas vu, lors d'une réunion sociale, l'un des invités siroter un petit verre, s'exprimer par monosyllabes avec son interlocuteur et porter discrètement attention à une conversation qui se poursuit un peu plus loin ?

porter attention à l'oreille gauche, il affirme ne pas entendre le message présenté à l'oreille droite. « Au sens large, dit Cherry, les conclusions montrent qu'on peut reconnaître certaines propriétés statistiques au signal « ignoré », mais que des aspects particuliers, tels que la langue, certains mots, ou le sens ne sont pas retenus » (Cherry, 1953, p. 979).

Broadbent poursuit des recherches dans le même domaine en variant les situations et s'efforce d'assembler les résultats obtenus jusque-là. Il lui revient de formuler une première théorie qui couvre l'ensemble du phénomène de l'attention et il la concrétise au moyen d'un diagramme qui illustre le cheminement de l'information à travers l'organisme. D.A. Norman a commenté ainsi cette théorie :

> Broadbent propose que la limite à notre habileté à enregistrer des messages concurrents est perceptuelle ; nous ne sommes capables d'analyser et d'identifier qu'une somme limitée de l'information qui se présente à nos sens. Il est d'avis que le cerveau contient *un filtre sélectif* qui peut être réglé (syntonisé, ajusté, *tuned to*) pour la réception du message désiré et pour le rejet de tous les autres. Il bloque toutes les entrées non désirées et réduit ainsi la surcharge à l'intérieur du système perceptuel (Norman, 1969, p. 23).

Broadbent lui-même a dû proposer par la suite certaines corrections à son premier schéma théorique de l'attention ; toutefois ses travaux marquent l'une des étapes parmi les plus importantes dans la révolution idéologique qui annonce le paradigme du traitement de l'information en psychologie. Non seulement on considère l'année 1958, date de publication de *Perception and communication*, comme un point tournant, mais cette étude du phénomène de l'attention remet en honneur la conscience comme objet de recherche. Si la démarche théorique doit beaucoup à Broadbent, son modèle n'a pas survécu aux recherches effectuées par Moray (1959), Treisman (1960), Grey et Wedderburn (1960), Deutsch et Deutsch (1963) qui apportent des changements substantiels au modèle initial. L'image qui prévaut à la suite de recherches ultérieures sur l'attention est celle du goulot d'une carafe à travers lequel la matière à retenir est dirigée par les sens.

Cette position théorique conduit les chercheurs à s'intéresser à la capacité limite du « goulot de l'attention » ; elle leur rappelle le concept mathématique de la capacité du canal mis en relief par Claude Shannon dans sa théorie de la communication. C'est alors le moment de revenir à un texte fort significatif publié en 1956 par George Miller. « La capacité de la mémoire immédiate impose des limites sévères à la somme d'informations que nous sommes capables de recevoir, de traiter et de mémoriser (Miller, 1956, p. 96). À la suite d'expériences, ce dernier établit à 7 ± 2 le maximum d'éléments (ou groupe d'éléments, *chunks*)[2] que la mémoire immédiate peut effectivement retenir pendant quelques instants. C'est là un phénomène que des travaux plus approfondis élucideront par la suite.

Des recherches de ce genre auxquelles on pourrait joindre celles de James Gibson (1950, 1966), de Sperling (1960), d'Ulric Neisser (1963, 1967), de G.A. Miller, E. Galanter et K.H. Pribam (1960) constituent les points de repère des étapes d'une révolution théorique. Au cours des années 1960, grâce à une convergence étonnante dans divers domaines, le concept d'information s'impose en psychologie. On l'accepte comme une notion fondamentale sur laquelle vient se greffer tout un ensemble d'autres concepts qui permettent l'élaboration graduelle de la théorie du traitement de l'information à l'intérieur d'un mouvement plus vaste qu'on nomme le « cognitivisme ».

Cette théorie, le traitement de l'information, qu'il ne faut pas confondre avec la théorie mathématique de l'information (dite aussi le modèle de Shannon) jette un regard large et compréhensif sur le phénomène humain dans son ensemble ainsi que sur le mode de fonctionnement du cerveau ; elle s'emploie particulièrement à comprendre les processus internes qu'on englobe désormais dans l'expression « processus cognitifs » selon la terminologie du paradigme.

À l'intérieur de ce paradigme, les psychologues du traitement de l'information définissent leur champ d'étude

> [...] comme étant la manière dont l'être humain recueille, emmagasine, modifie et interprète l'information de l'environnement ou l'information accumulée à l'intérieur de l'individu. Ils sont intéressés à savoir comment une personne ajoute de l'information à sa connaissance permanente du monde, comment elle y accède et comment elle utilise cette connaissance face aux différentes situations de la vie humaine. Les théoriciens cognitivistes orientés vers le traitement de l'information croient que connaître, c'est recueillir, emmagasiner, interpréter, comprendre, utiliser l'information interne et celle de l'environnement (Lachman, Lachman et Butterfield, 1979, p. 7).

---

2. Lors de ses expériences, Miller a constaté qu'une personne retient tout aussi bien 7 mots d'une syllabe que 7 mots de deux ou trois syllabes. Il en est ainsi pour les nombres. L'expérience a montré que grouper les éléments à retenir constitue une excellente méthode mnémotechnique.

Voilà ce que contient pour eux le terme anglais *cognition*. La théorie fait naître de grands espoirs à ses adeptes. Ils se croient éventuellement en mesure d'expliquer non seulement des phénomènes comme la compréhension, la pensée créatrice et la production du langage, mais encore ceux qu'englobent l'émotion, la personnalité et l'interaction sociale.

En raison de l'étendue du champ que couvre le paradigme du traitement de l'information, il nous paraît opportun, étant données les fins de notre étude et à la suite de cet exposé historique, de présenter, dans un premier temps, un certain type de développement théorique par l'explication du cheminement de l'information vers le cerveau, c'est-à-dire « la représentation mentale » et d'exposer, dans un second temps, la conception qu'on se fait de la mémoire et de l'apprentissage par l'appellation « structures cognitives ».

LA REPRÉSENTATION MENTALE

Un peu à la manière dont elle est traitée par un ordinateur, l'information ou l'image sensorielle passe par divers niveaux de traitement avant de parvenir au cortex, de se fixer dans la mémoire selon une organisation mentale particulière[3]. Aussi l'une des premières questions consiste à se demander, avant d'aborder les mécanismes des niveaux supérieurs, quels sont ceux de la représentation mentale? Aucun organisme vivant[4] ne pourrait se mouvoir dans un milieu donné sans se représenter l'espace qui l'entoure et posséder une certaine image des objets qui s'y trouvent. L'homme et l'animal reconnaissent les êtres et les choses présents dans leur environnement immédiat. À l'instar de la gestalt, le paradigme du traitement de l'information remet la perception au premier plan et s'attarde à étudier le processus de la reconnaissance des formes. Comment comprendre une langue sans se représenter les mots? Comment apprendre à lire sans reconnaître les symboles que sont les lettres? L'image mentale commence dans l'œil et dans l'oreille. « Rien n'est dans l'esprit qui ne passe d'abord par le sens », disait déjà

---

3. Du point de vue des mécanismes, l'image visuelle étalée dans l'espace est acheminée à l'intérieur de l'organisme selon un mode parallèle de transmission de l'information, alors que le symbole acoustique distribué dans le temps semble mieux adapté à un mode de transmission séquentiel.

4. Concernant les organismes vivants, on sait que les monocellulaires ne se meuvent pas vraiment. Ces organismes primitifs reçoivent la stimulation directement de l'environnement ; ils répondent par une fibrillation, une sécrétion, etc.

Aristote. Pas étonnant que Lindsay et Norman dans un large exposé de la théorie du traitement de l'information aient consacré les cinq premiers chapitres au phénomène de la réception sensorielle, avant d'aborder les processus qui prennent place dans les réseaux nerveux afférents. Leur texte constitue une illustration intégrale, bien que succincte, des mécanismes fondamentaux de la vision et de l'audition.

Il convient de rappeler brièvement ici que les sens agissent comme des filtres, qu'ils sont équipés pour saisir une faible part de l'immense quantité d'information disséminée dans l'environnement, que, dans le cas de la vision, l'énergie lumineuse réfléchie par les objets pénètre à travers la cornée, le cristallin, l'humeur vitrée pour venir s'imprimer sur la rétine. Entre alors en action tout un ensemble de mécanismes qu'il serait erroné de comparer à des sels d'argent ou à une émulsion en photographie. « Le processus commence avec les réponses d'environ 130 millions de cellules sensibles à la lumière dans chaque rétine » (Hubel, 1963b, p. 148). Une réaction photochimique prend place à l'intérieur des cellules réceptrices, cônes et bâtonnets, qui a pour effet de transformer l'énergie lumineuse en énergie électrique ou en influx nerveux. La réponse nerveuse est prête; elle pourrait être envoyée au cortex, mais la réalité est différente; tout un réseau de cellules (horizontales, bipolaires, amacrines) situées dans la rétine et riches en connexions synaptiques[5] recueillent les réponses des cônes et bâtonnets, leur font subir un traitement primaire, avant de les acheminer par la voie des 800 000 fibres qui constituent le nerf optique.

Au-delà de la rétine, l'influx nerveux est transporté sans interruption synaptique jusqu'à une paire de stations locales, les corps genouillés latéraux situés sous le centre du cerveau. Le signal sensoriel fait route sur les canaux afférents. Il est constitué de dépolarisations de la membrane nerveuse qui se produisent à un rythme varié. Mais comment décoder ce message? On rejoint certes ici les résultats des recherches dont nous avons parlé au chapitre des bases neurobiologiques de la psychologie, surtout celles qui concernent les fonctions élémentaires du neurone, les mécanismes de dépolarisation, le transfert d'énergie à la synapse, responsable, pense-t-on, d'un certain niveau d'analyse de l'information. Il faut surtout souligner pour le

---

5. Charles C. Michael (1969) dans une étude sur le traitement rétinien de l'image parue dans *Scientific American* produit des photos d'une grande précision prises à travers un microscope électronique par Charles Dowling de l'Université Johns Hopkins.

décodage de l'information la pertinence des travaux de Hartline et Ratliff (1957, 1958), de Lettvin, Maturana, McCulloch et Pitts (1959), de Hubel et Wiesel (1962, 1963), ces pionniers de la technique de l'enregistrement effectué par l'implantation d'électrodes minuscules dans un axone de neurone. Il est résulté de ces études une généralisation dont l'évidence apparaît de plus en plus : les unités du système nerveux, les neurones, réagissent et répondent en conformité avec certaines caractéristiques du champ visuel.

Au-delà des corps genouillés latéraux, le transport de l'information se continue ; Hubel et Wiesel (1965, 1968) utilisent les mêmes techniques pour étudier les mécanismes de la vision au niveau du cortex du chat et du singe. Ils identifient trois types de cellules corticales qui répondent différemment selon ce qui parvient à la rétine : ce sont les cellules simples, complexes et hypercomplexes. Les cellules corticales simples réagissent lorsqu'une ligne, une arête, une barre apparaissent sur la rétine ; ainsi certaines d'entre elles répondent uniquement si la ligne est orientée d'une manière précise, à la verticale, par exemple ; d'autres cellules du même type ne détectent une ligne que si elle apparaît à l'horizontale ; bref les cellules simples réagissent respectivement à des traits selon leur orientation dans l'espace. Les cellules complexes ne sont pas sensibles à un tracé fixe, mais à des lignes en mouvement ; en conséquence une ligne verticale qui tout en gardant son orientation se déplace, disons d'ouest en est, pourrait déclencher une forte réponse alors que d'autres cellules complexes répondent à des déplacements qui s'effectuent dans des directions différentes. Quant aux cellules hypercomplexes, elles répondent à des stimuli spécifiques tels que des courbes, des angles, des coins, divers types de contours ; ce sont là des éléments essentiels pour la reconnaissance des formes.

La recherche abondante effectuée sur les fibres nerveuses du système visuel fournit une meilleure connaissance des mécanismes de la vision que de ceux des autres systèmes perceptuels. Dans le cas de l'audition cependant, des études similaires faites sur le cortex de chats et de singes par Whitefield et Evans (1965), Lindsay et Norman (1977) et Uttal (1973) les amènent à supposer qu'il existe à l'intérieur de ces deux systèmes certaines analogies entre les mécanismes de l'analyse et du transfert de l'information.

Nous avons vu l'image sensorielle passer par étapes successives de l'œil au cortex visuel, c'est-à-dire aux aires 17 et 18 du lobe occipital. Du point de vue du traitement de l'information, une conclusion s'impose. À mesure que l'information progresse vers le cerveau, « les caractéristiques auxquelles répondent les cellules deviennent à la fois plus spécifiques et plus organisées à la manière d'exemplaires, de patrons, de modèles idéalisés des objets de l'environnement» (Lachman, Lachman et Butterfield, 1979, p. 504).

Cet énoncé, dont les termes généraux laissent paraître la pauvreté de notre connaissance des processus de la reconnaissance des formes, entend quand même établir que l'information pénètre l'organisme en chaîne linéaire, à partir d'unités multiples se combinant en éléments plus complexes, qu'elle procède de bas en haut, qu'elle est en définitive «dirigée par données». Toute l'investigation neurophysiologique des systèmes sensoriels, bien qu'elle conduise à une telle conclusion, n'explique pas le phénomène entier de la perception des formes, comme le montrent les divers programmes rédigés pour simuler la perception. «Lorsque nous essayons de réunir les mécanismes responsables de la reconnaissance des formes et de l'attention, nous faisons face à un paradoxe. Très souvent nous devons comprendre la signification d'un signal pour pouvoir en analyser adéquatement les composantes» (Lindsay et Norman, 1980, p. 257). Ainsi pour reconnaître un objet ou un visage ami, il faut déjà posséder en soi un répertoire complet autant des objets que des figures que nous sommes susceptibles de reconnaître, sans quoi nous ne pourrions décider que tel objet ou telle personne qui se présente à nos yeux est un tel ou une telle. En bref, il s'établit une comparaison rapide qui consiste à juger, dans le cas de telle personne, si les traits de la figure amie sont bien identiques à ceux que nous avons perçus dans les expériences antérieures. Les travaux de Broadbent sur l'attention (sa théorie du filtre), ainsi que ceux de Treisman (1964a, 1964b) et de Neisser (1967, 1969) indiquent déjà des pistes de solution; mais le dilemme est vraiment tranché en deux temps lorsque Norman en 1973, puis Norman et Bobrow en 1975 conçoivent que l'information peut être dirigée par données (les entrées sensorielles) et dirigée par concepts (le monde de la connaissance).

Lors de leur vaste synthèse du traitement de l'information, Lindsay et Norman présentent un intéressant modèle du fonctionnement complet du système de reconnaissance des formes en regard du rôle de l'attention. S'appuyant sur des idées émises par Selfridge (1959), Selfridge et Neisser (1960), ils élaborent un système habité par une multitude de petits démons divisés en deux camps: le camp n° 1 est celui de l'analyse des données, il groupe l'ensemble des démons chargés à chacun des niveaux de recevoir des informations contenues dans l'image visuelle. Ils ne font pas que transmettre les éléments reçus. À chacun d'eux échoit une tâche particulière déterminée par le niveau du traitement où ils sont placés. Dans ce camp n° 1, souvent nommé le « pandominium », on trouve en première ligne les démons de l'image ; ils ont à enregistrer le stimulus externe à son arrivée. Au second niveau les démons des caractéristiques, comme leur nom l'indique, décèlent une courbe, un angle, une ligne horizontale ou verticale. Puis les démons cognitifs sont responsables de la reconnaissance de formes spécifiques à partir des messages qu'ils reçoivent des démons des caractéristiques. Enfin, à l'échelon supérieur se tient le démon de la décision qui doit choisir la réponse finale, celle qui est suggérée avec le plus de force par les démons cognitifs. Le travail confié à ce camp consiste à analyser l'information dirigée par données. On ne peut résister à l'idée que chacun des petits démons représente un neurone qui, comme ce dernier, exécute une fonction bien particulière dans le cheminement de l'information.

Dans le camp n° 2, se trouvent les démons spécialistes de l'information dirigée par concept. Ce sont ceux plus spécialement affectés au contexte, aux attentes, à la syntaxe, à la sémantique, etc. Ils demeurent en étroite relation les uns avec les autres grâce à un tableau noir sur lequel, à partir de l'information qu'ils reçoivent par données, ils inscrivent leurs prévisions et leurs conjectures[6]. Enfin un démon, directeur général, supervise l'ensemble du travail de façon à ce que les analyses soient correctement dirigées.

Cette métaphore ne manque pas de finesse et d'intérêt ; elle pourrait s'appliquer à la compréhension d'une phrase parlée, d'un texte écrit aussi bien qu'à la reconnaissance des objets comme l'a montré Massaro (1975). Elle comporte des analogies avec les stratégies utilisées par les concepteurs de programmes de la perception des formes pour les automates ainsi qu'avec les conclusions auxquelles sont arrivés les chercheurs dans le domaine visuel. L'ensemble demeure pour une bonne part à l'état de vaste hypothèse, car la recherche concernant l'information dirigée par concepts est à peine commencée. Il semble assez évident que des facteurs internes à l'organisme influencent la perception, mais il est probable aussi que les processus impliqués soient vraiment plus complexes que les fonctions confiées aux démons spécialistes.

---

6. En effet Lindsay et Norman rappellent que le tableau noir permet d'entretenir des rapports avec les registres d'information sensorielle et la mémoire à court terme.

LES STRUCTURES COGNITIVES

Avant d'aborder les structures cognitives, quelques considérations d'ordre général s'imposent.

Premièrement, eu égard à la révolution intellectuelle que suppose le remplacement du paradigme behavioriste par celui du traitement de l'information, il convient de se demander ce qu'est devenu le concept de l'apprentissage. Selon le regard que jette la psychologie cognitive sur les processus humains, il faut reconnaître que l'apprentissage perd la place de choix qu'il occupait. « Nous sommes moins directement intéressés que les néo-behavioristes à l'apprentissage, disent Lachman, Lachman et Butterfield (1979, p. 42) ; ce genre de préoccupation ne fait pas partie du paradigme. » En réalité, l'apprentissage est vu maintenant comme une certaine aptitude humaine parmi d'autres ; il ne peut plus être considéré uniquement dans ses éléments externes, comme une corrélation entre la stimulation de l'environnement, la réponse du sujet et la conséquence de cette réponse. On ne définit plus l'apprentissage comme une modification relativement permanente du comportement qui survient comme résultat de l'expérience ; Lindsay et Norman définissent l'apprentissage « la construction de structures cognitives » (1980, p. 493). Or, étudier les structures cognitives à l'intérieur de la théorie du traitement de l'information consiste à chercher de quelle manière un être humain acquiert l'information, l'enregistre, la transforme, la reproduit et de quelle manière il prend des décisions. Dans ce contexte, apprendre consiste à modifier l'état interne de ses connaissances, ou selon l'expression devenue courante, de ses structures cognitives.

En deuxième lieu, non seulement l'apprentissage se fond dans l'ensemble des structures cognitives, mais on l'a dépouillé en quelque sorte de son identité au profit de la mémoire. Dans le style d'approche que privilégient les auteurs cognitivistes, il n'existe formellement que peu de différence entre apprentissage et mémoire. « Notre conception de l'apprentissage, disent Lindsay et Norman (1980, p. 492), est identique à celle de la mémoire : lorsque nous apprenons une nouvelle information, nous l'incorporons aux structures sémantiques déjà établies dans notre système de mémoire. » Toutefois, sur le plan expérimental, les travaux qui jalonnèrent le développement du paradigme du traitement de l'information, après s'être attachés aux mécanismes de l'attention avec Broadbent, se sont concentrés à partir de Sperling sur le phénomène mémoire avec une telle intensité que celui-ci a repris la place qu'il occupait au temps de James et Ebbinghaus, puis est devenu l'élément crucial à considérer au sein des structures cognitives.

En troisième lieu, il faut retenir que les sens par où l'information pénètre dans l'organisme ne sont pas que des transformateurs d'énergie, mais sont aussi associés au phénomène de rétention de l'information à son premier niveau. En effet la recherche a montré qu'il existe une mémoire échoïque (Peterson, 1963, Neisser, 1967)[7] dans l'oreille aussi bien qu'une mémoire iconique dans l'œil, fort utiles à l'encodage de l'information. Dans le cas de la perception visuelle, Sperling (1960), Averbach et Coriell (1961), Neisser (1961), Haber et Standing (1969) ont démontré que cette impression fugitive demeure quand même entre 200 et 300 ms (0,25 seconde), soit un espace de temps suffisamment long pour permettre une lecture sous une forme visuelle même après que la projection tachistoscopique a effectivement disparu. Ces résultats ont permis aux théoriciens de la psychologie cognitive d'étendre l'empire de la mémoire jusqu'à l'ensemble du système perceptuel, comme nous le verrons plus loin.

Après avoir considéré à la section 2 de ce chapitre le système complexe de l'entrée de l'information et l'organisation de celle-ci en vue de la représentation mentale, nous abordons maintenant les structures cognitives. Celles-ci recouvrent principalement l'enregistrement et le traitement de l'information, l'enregistrement étant confié au système qu'on nomme la mémoire. Les auteurs cognitivistes définissent la mémoire une propriété des organismes qui consiste à conserver l'information. Comme on le sait, tout système vivant ou artificiel, capable de mémoriser, fixe l'information, la conserve et en fait le rappel le moment venu. La mémoire ainsi définie peut s'appliquer à de multiples situations et revêt chez l'humain la forme d'un système cognitif complexe dont nous identifierons la structure et les sous-systèmes.

À partir d'une distinction de Tulving (1972), on différencie assez généralement la mémoire épisodique de la mémoire sémantique. La mémoire épisodique emmagasine tout ce qui fait référence au passé personnel, aux événements vécus par une personne; elle retient essentiellement les faits ayant pris place dans l'expérience de vie de quelqu'un à un moment précis dans un endroit particulier. La mémoire sémantique au contraire ne possède aucun caractère autobiographique. Elle emmagasine «la connaissance qu'une personne possède des mots et des symboles, de leur sens et de leur rapport, des règles, des algorithmes et des formules pour manipuler les concepts et les symboles» (Tulving, 1972, p. 386). Il s'agit plus d'une distinction préthéorique

---

7. Le terme «échoïque» est d'Ulric Neisser lui-même.

que d'une véritable hypothèse, car on n'a pas fait la preuve jusqu'ici que ce clivage correspond d'assez près à ce qui se passe effectivement à l'intérieur de la mémoire. Pour le moment cependant la distinction sert bien la cause de la recherche, puisqu'elle a permis à deux voies de se développer parallèlement et de se révéler aussi riches de conclusions scientifiques l'une que l'autre.

La mémoire épisodique

Bien avant la distinction de Tulving en 1972, un nombre considérable de recherches effectuées en neurophysiologie, en linguistique et en intelligence artificielle concernent indirectement la mémoire et fournissent des concepts inédits au sujet de l'acquisition de la connaissance chez l'homme. En psychologie, les travaux les plus importants sont exécutés exclusivement du côté de la mémoire épisodique et remontent à Broadbent (1954, 1957), Gibson (1950), Neisser (1954, 1963, 1964), Cherry (1953) et Miller (1956a, 1956b, 1962). Même si ces auteurs représentent une tendance originale à cette époque, les résultats obtenus dans le cadre de la psychologie cognitive sont encore fragmentaires, par conséquent incapables de constituer une théorie articulée de la mémoire. Mais un événement en ce sens ne tarde pas à se produire.

En 1965, R.C. Atkinson intéressé à l'aspect mathématique de l'apprentissage et R.M. Shiffrin, deux professeurs de l'Université Stanford, effectuent une recherche financée par la NASA, The National Aeronautics and Space Administration. Progressivement (1965, 1968, 1971), ils proposent un cadre théorique général de la mémoire humaine et donnent une signification cohérente à de nombreux travaux élaborés antérieurement[8]. L'analogie avec l'intelligence artificielle les amène à considérer deux dimensions dans le phénomène de mémorisation : l'une concerne les structures ; l'autre les processus contrôlés par le sujet.

> Si le système de mémorisation est regardé sous l'aspect d'un ordinateur dont le travail est dirigé d'une console à distance par un opérateur, l'appareillage de l'ordinateur (*computer hardware*) et la programmation particulière fixée dans le système ne peuvent être modifiés par le programmeur et sont analogues aux caractéristiques structurales. Par ailleurs, les pro-

---

8. Ces recherches antérieures au modèle d'Atkinson et Shiffrin ont surtout été effectuées par Peterson et Peterson (1959), Sperling (1960, 1963), Averbach et Sperling (1961), Melton (1963), Estes et Taylor (1964).

grammes et les instructions séquentielles[9] que le programmeur peut écrire à sa console et qui déterminent les opérations de l'ordinateur sont analogues aux processus (Atkinson et Shiffrin, 1968, p. 90).

Une seconde distinction inspirée des travaux de Broadbent (1954, 1958), Waugh et Norman (1965) se rapporte aux caractéristiques structurales du système de mémorisation et met en évidence trois niveaux de traitement de l'information : ce sont 1° le registre sensoriel, 2° la mémoire à court terme et 3° la mémoire à long terme. Une figure (Figure 16) proposée par Atkinson et Shiffrin illustre le système à trois niveaux.

FIGURE 16
Le modèle d'Atkinson et Shiffrin (1968)

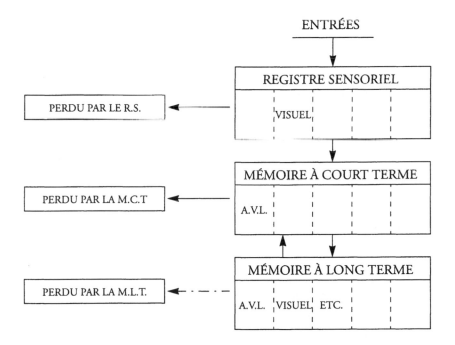

---

9. Il existe deux mémoires dans l'ordinateur : l'une ROM (*read-only memory*) est une mémoire permanente dont le contenu est fixé dans l'appareil par le manufacturier ; l'autre RAM (*random-access memory*) est celle que l'opérateur au clavier peut modifier à sa guise.

Lorsqu'une image pénètre l'organisme, il se produit dans le système visuel un premier enregistrement qui demeure approximativement 250 millisecondes ou peut être immédiatement effacé par l'arrivée d'une seconde image. La présence de ce registre s'explique par le fait que l'information doit être préservée assez longtemps pour permettre une transmission sélective à un autre niveau du système, soit la mémoire à court terme. Il semble évident à Atkinson et Shiffrin que tous les sens possèdent des mécanismes analogues pour l'enregistrement de l'information.

Au deuxième niveau, le système est constitué par la mémoire à court terme où des processus conscients prennent place. Le matériel enregistré peut y demeurer un temps relativement long pourvu qu'on lui prête une attention constante. L'expérience commune montre que les sept chiffres d'un numéro de téléphone lu dans l'annuaire téléphonique peuvent demeurer en mémoire aussi longtemps qu'on les répète en soi, mais qu'ils sont oubliés en 15 secondes, si l'attention est attirée ailleurs. En réalité, sans répétition consciente, on évalue la longueur de l'enregistrement dans la mémoire à court terme à une durée qui peut s'étendre de 15 à 30 secondes. Les auteurs du modèle considèrent ce niveau comme la partie la plus active de tout le système et le seul où la conscience est présente. Son rôle consiste à retenir d'une manière sélective une certaine quantité d'information extraite du registre sensoriel et d'y appliquer l'attention si ce matériel doit être confié à la mémoire à long terme.

> La mémoire à long terme constitue la dernière composante majeure de l'ensemble du système. Ce magasin diffère des précédents en ceci que l'information qui y est enregistrée ne s'efface pas et surtout ne se perd pas de la même manière qu'aux deux niveaux précédents. Éventuellement toute l'information est perdue complètement dans le registre sensoriel et dans la mémoire à court terme, tandis que l'information dans la mémoire à long terme est relativement permanente, bien qu'elle puisse être modifiée ou rendue temporairement irrecouvrable en raison de l'entrée d'autres informations (Atkinson et Shiffrin, 1977, p. 11).

Ce modèle proposé par Atkinson et Shiffrin en vue d'expliquer la mémoire humaine n'est certes pas le dernier mot de la théorie. Il a plus pour effet de susciter de nouvelles recherches que de provoquer un consensus. Sans trop l'affirmer, les collègues sont mal à l'aise devant ces trois niveaux de mémoire. Il ne tient pas assez compte, pense-t-on, des activités dirigées par la signification du contenu lors de la perception. De nouvelles études (Anderson, 1972, Shiffrin et Schneider, 1977,

Atkinson et Juola, 1974) apportent des corrections au modèle de 1968. Quant à Norman et Bobrow, ils abandonnent la recherche sur la mémoire épisodique pour étudier la mémoire sémantique.

La mémoire sémantique

Le contenu sémantique lorsqu'il a perdu toute référence autobiographique tend à s'organiser selon un mode particulier et prend place dans la mémoire à long terme. Le problème au centre de l'investigation de la mémoire sémantique consiste à se demander comment l'aptitude humaine à connaître organise la représentation de la réalité, la connaissance du monde, comment y avons-nous accès, comment l'information nouvelle est assimilée à celle déjà acquise, comment enfin des éléments déjà connus et répétés dans le présent sont ignorés ou rejetés. Voilà le territoire particulier de la mémoire sémantique! La psychologie cognitive a à peine abordé cette difficile question.

L'expérience quotidienne nous révèle l'extrême étendue du savoir humain. Or, les concepts considérés comme les unités de ce savoir semblent reliés les uns aux autres de manière à former un vaste réseau sémantique. Par quelle stratégie atteindre cet univers de la pensée? Les premiers essais de programmation au niveau de la compréhension du langage en intelligence artificielle fournissent aux psychologues de la mémoire des modèles hypothétiques concernant la représentation des connaissances dans des domaines spécifiques. Puis des expériences faites dans le but de vérifier certains modèles ont permis d'observer que la façon dont une personne organise son savoir a des incidences sur son comportement lors de réponses (durée, mode, performance, etc.) à des questions précises. La recherche se laisse guider par cette conclusion pour tenter de trouver certains modes d'organisation des concepts.

En programmation, il existe deux méthodes utilisées couramment. L'une est mise au point par Terry Winograd (1972) de l'Université Stanford. « Pour alimenter notre programme, dit-il, nous pensons à des entrées comme des mots anglais, des associations comme des ensembles de propositions, par exemple une série de définitions ou de faits concernant les concepts énumérés » (Winograd, 1975, p. 148). En réalité, son projet de 1972 identifie un concept par ses attributs. (Monsieur X est-il « socialiste » ? Le programme vérifie si X possède les qualifications a, b, c, propres aux membres du Parti socialiste). L'autre méthode séduit davantage les théoriciens du cognitivisme. Elle consiste à introduire un concept dans une structure graphique au moyen des définitions qu'il peut avoir et, par là même, à chercher ses relations aux autres concepts inscrits dans le modèle. Élaborée par D. Rumelhart, P. Lindsay et D. Norman (1972), cette méthode fournit de multiples exemples de types de représentations graphiques. Si, avec les auteurs, on considère le simple concept d'oiseau : on constate qu'il s'agit d'un animal à deux pattes, qui a des plumes, des ailes et qui vole ; l'hirondelle, la mésange et le rossignol sont des oiseaux. Une figure (Figure 17) fournit l'illustration graphique de cette théorie. Comme l'expriment Lindsay et Norman (1980, p. 381), « un nombre plutôt restreint de

FIGURE 17
Le concept d'oiseau

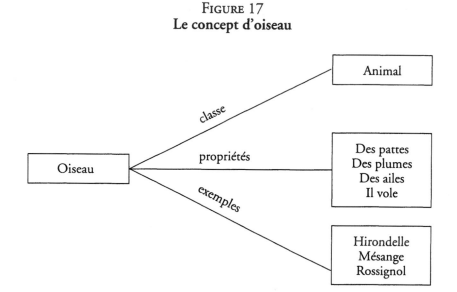

relations semble prédominer : la *classe* à laquelle le concept appartient, les *propriétés* qui tendent à rendre ce concept unique et des *exemples du concept* ». En dépit de ce fait, il faut voir que le diagramme pourrait se ramifier à des milliers d'autres concepts par des relations diverses à mesure que s'étendent nos connaissances de l'oiseau. Un ornithologue qui voudrait utiliser ce système pour ordonner son savoir n'aboutirait sans doute qu'à une représentation graphique bien fragmentaire d'un réseau complexe, impossible à schématiser. Si on applique ce mode de représentation, par exemple au concept de brasserie (Figure 18), on obtient un réseau plus étendu dont certains éléments peuvent servir à en ramifier d'autres.

Tout ce secteur a donné lieu à des recherches multiples et variées. Parmi les plus remarquées, nous signalons celles de Norman et Rumel-

FIGURE 18
Le concept de brasserie (Lindsay et Norman, 1977)

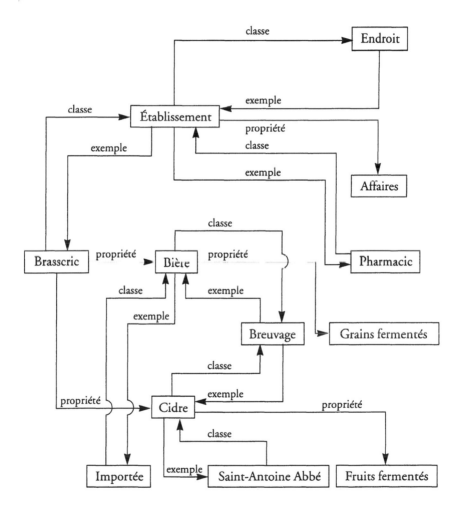

hart (1975), Collins et Quillian (1969), Collins et Loftus (1975), Smith, Shoben et Rips (1974) et Lachman (1973). À mesure que progressent des travaux de cet ordre, on aboutit à des conclusions qui ont des incidences en psycholinguistique.

Au-delà de la mémoire

Lorsqu'on aborde les théoriciens qui s'intéressent aux structures cognitives au-delà de la mémoire, on se rend compte que les voies divergent : quelques-uns parviennent au phénomène du langage par le biais de la linguistique ou de la psycholinguistique ; d'autres s'intéressent aux différentes méthodes de résolution d'un problème qui permettent des analogies avec les opérations programmées de l'intelligence artificielle ; enfin peu d'auteurs abordent les mécanismes de la pensée en eux-mêmes. Lindsay et Norman (1977) dans leur exposé sur le traitement de l'information intitulent un bref chapitre « les mécanismes de la pensée ». Ils passent en revue quelques stratégies de résolution d'un problème, identifient deux unités de traitement chez l'être humain, l'hémisphère droit et l'hémisphère gauche, montrent le rôle joué par un superviseur (S) central qui fait penser au contrôle de la conscience et disent honnêtement : « Nous n'avons produit qu'un brouillon et non un travail final ». Arrivés à ce stade de nos connaissances, serions-nous acculés à une barrière infranchissable ?

L'intelligent psychologue de l'Université Cornell qu'est Ulric Neisser, l'un des initiateurs du mouvement de psychologie cognitive et parfois un critique sévère de l'orientation du paradigme, dans un effort pour rapprocher mémoire et pensée, sert, à notre avis, quelques paragraphes pertinents sur les structures cognitives avant de les définir, car celles qu'on nous a expliquées jusqu'ici paraissent plus livresques qu'humaines, semblent convenir davantage à un programme d'ordinateur que s'appliquer à la succession réelle des pensées qui se précipitent dans le cerveau de l'homme de la rue.

> Lorsque nous percevons et imaginons quelque chose, écrit-il, le procédé de construction n'est pas limité à l'objet lui-même. Généralement, nous bâtissons (ou rebâtissons) un cadre conceptuel dans le temps et dans l'espace... Quand vous voyez un ami traverser la rue, vous ne voyez pas que lui. « Il », une personne d'un certain type ayant un rapport particulier à votre vie, apparaît « là » en un endroit spécifique de l'espace, et « alors », à un certain moment dans le temps. Dans le même ordre, une phrase dite n'est pas une série de mots à identifier, mais elle revêt un sens particulier parce qu'elle est dite par une certaine personne dans un endroit à un moment donné (Neisser, 1966, p. 286).

On peut enfin situer un concept dans un réseau sémantique ; il n'acquiert jamais la signification distincte, riche de ramifications, chargée des expériences de vie d'une personne qui a vécu dans un contexte particulier à une certaine époque. À titre d'exemple, le mot « foyer » appartient à la classe « domicile familial », dit le dictionnaire. Il possède des propriétés qui sont sans doute applicables à tous les foyers du monde. Mais que représente ce mot ? À quel niveau sémantique appartient-il si on le recueille de la bouche d'un Noir sous le soleil d'Afrique, d'un millionnaire américain retraité à La Jolla, d'un soldat, gardien de la paix au Liban, ou d'un Canadien en janvier à une température de -20 °C ? Non seulement le mot recouvre des étendues de signification fort différentes d'une personne à l'autre, mais dans l'esprit de chacun, il fait référence aux expériences heureuses ou malheureuses vécues réellement au foyer. Le mot est saisi avec un bagage affectif qui colore la pensée.

Ce cadre personnel de référence peut être regardé, selon Neisser, comme un troisième niveau de structures cognitives : il est personnel, subjectif, presque incommunicable parce qu'il s'est construit graduellement au hasard des situations. Le roman, le théâtre et la poésie parviennent à exprimer une partie de cet incommunicable par la métaphore et le symbole [10]. Si nous revenons au mode de pensée propre à la vie quotidienne, aux structures cognitives de tous les jours, Neisser les définit ainsi :

> Une représentation non spécifique, mais organisée des expériences antérieures. Notre compréhension de la géographie environnante, notre saisie de l'histoire américaine, notre « style » au volant d'une voiture, nos intuitions concernant les formes linguistiques sont les résultats d'un grand nombre d'expériences individuelles, mais ils ne reflètent pas ces expériences séparément. On oublie facilement les « occasions » dans lesquelles on a appris comment les rues sont orientées dans sa ville, ce que fut la guerre civile américaine, comment opérer le changement de marche de sa voiture ou comment s'exprimer correctement, mais elles laissent des résidus derrière elles. Précisément parce que ces résidus sont organisés de manière que leurs parties possèdent des relations véritables et contrôlantes, le terme « structures cognitives » est approprié pour eux (Neisser, 1967, p. 287).

---

10. Concernant les « forces imaginantes de l'esprit », il faut retourner à Gaston Bachelard que nous avons déjà cité.

Selon ce mode de construction de la pensée, il apparaît que plus une personne avance dans la vie, plus les connaissances nouvelles ont tendance à s'agglutiner aux anciennes, à s'agglomérer, selon des procédés encore mal connus. L'observation, la conversation, la lecture et toutes les autres activités de nature à nourrir l'esprit produisent un contenu intellectuel qui s'organise selon des structures préexistantes que Neisser appelle « schèmes ».

À ce niveau, curieusement, la recherche théorique est parvenue à un point de rencontre. Les propos de Neisser nous rapprochent des schèmes de Piaget aussi bien que de l'organisation isomorphique de la gestalt. Faut-il se surprendre que les théories cognitivistes finissent par se rejoindre ?

COMMENTAIRE

Même si cela nous semble paradoxal, il faut quand même l'affirmer : l'histoire des idées qui nous mène au traitement de l'information nous attire plus que l'exposé de la théorie. En effet ce mouvement n'est pas né comme le behaviorisme à l'occasion d'un manifeste fracassant ou comme la gestalt à la suite de troublantes expériences. Il s'appuie sur de lointains antécédents historiques dont quelques-uns sont demeurés obscurs jusqu'à ces dernières années. De fait, il faut remonter à Bartlett (1932), Broadbent (1952), Cherry (1953), Treisman (1960) en psychologie, à Wiener (1948) et Shannon (1948) en cybernétique et en communication, à tout le travail lent et pénible de la physiologie, enfin à certaines conceptions de la linguistique pour déceler les premiers indices de ce qui deviendra au cours des années 1960 une théorie de grande allure. Comme chacun le sait, sous le soleil behavioriste, certaines positions psychologiques mirent du temps à prendre la place à laquelle elles avaient droit.

À ceux qui en font partie comme à ceux qui le regardent grandir, ce mouvement donne les plus grands espoirs au point qu'à peine reconnu comme théorie en psychologie, il passe au rang de paradigme. Il en possède d'ailleurs toutes les qualifications : son histoire intellectuelle est longue, variée et possède des ramifications dans plusieurs sciences ; le traitement de l'information est son thème central ; ce mouvement développe plusieurs modèles de recherche, son propre vocabulaire et une langue particulière ; enfin un grand nombre d'hommes de science sérieux entretiennent à son égard une « communauté » de pensée qui n'exclut pas les discussions et les échanges. C'est ainsi qu'aux environs de 1965, le paradigme du traitement de l'information fait son entrée avec assurance et fierté sur la scène de la psychologie nord-américaine.

À partir de cette date, la recherche se fait abondante : elle s'applique à suivre la trace de l'information (ou du signal) à travers les mécanismes de la perception, pour ensuite la retrouver au sein de la mémoire. En dépit de sa signification, de sa variété et de sa profondeur, le travail exécuté jusqu'ici apporte des éclaircissements sur des phénomènes particuliers, fournit des interprétations intéressantes de certains mécanismes, mais semble incapable d'aboutir à un modèle d'ensemble bien articulé. Bref, la théorie implique des hypothèses sur les structures et les processus, mais la recherche a peine à les vérifier. Les théoriciens du paradigme répondent qu'il ne s'agit pas là d'une situation singulière, qu'elle se produit dans toutes les sciences expérimentales, y compris la physique.

La critique s'élève cependant à l'intérieur même du mouvement ; l'approche néo-gibsonnienne considère que toute l'investigation effectuée en laboratoire ne possède pas les caractéristiques véritables de la perception et de la mémoire telles qu'elles apparaissent dans la vie de tous les jours. Cette recherche « manque de validité écologique » disent-ils. Est-ce que l'ombre de l'ordinateur qui plane sur la théorie aurait pour effet d'orienter les travaux vers des stratégies qui conviennent plus ou moins à l'humain ? Même après vingt ans d'exploration, le paradigme semble, même de l'intérieur, avoir fait peu de progrès. Il est encore plus « dans l'air » que vraiment « incarné ».

Néanmoins, l'ensemble paraissait assez imposant en 1970 pour laisser croire à un développement rapide. À travers l'accumulation des conclusions fournies par les sciences connexes, la notion d'information avait surgi large et intégrante. L'ascendant que prenait cette idée neuve avait suscité l'engagement intellectuel de scientifiques de grande classe. On crut à une révolution scientifique... On ne s'est pas souvenu cependant que les mouvements lancés par Freud, Watson et Wertheimer sont arrivés à maturité entre 30 et 40 ans après avoir été lancés dans l'univers de la psychologie. Par ailleurs, rendre compte du comportement intelligent de l'être humain est une tâche éminemment ardue. Il est convenable de penser que nous sommes fort loin d'avoir recueilli les données suffisantes pour élaborer cette théorie tellement souhaitée, que nous possédons cependant un cadre théorique susceptible de recevoir des conclusions de recherche bien au-delà de ce que nous pouvons imaginer, enfin qu'il est possible que le problème puisse se poser en d'autres termes. Le traitement de l'information n'est certes pas la voie unique par laquelle il faille aborder l'explication des processus mentaux. Il demeure probablement aujourd'hui le paradigme qui offre l'extension la plus prometteuse.

Aujourd'hui, si William James, celui que l'on a surnommé l'un des grands architectes du développement de la psychologie en Amérique du Nord, pouvait constater la place importante qu'ont su prendre les sciences cognitives, il s'en réjouirait sans doute, comme le suppose David Hothersall (1990, p. 447) ; en effet, déjà au début du siècle, James s'intéressait vivement à l'école de Wurtzbourg dont les recherches se portaient sur la pensée et les processus supérieurs du comportement humain. Mais, en dépit des progrès réalisés par les théories de la connaissance, comme on les appelle parfois, la tâche à venir peut sembler colossale. En effet, dans une synthèse magistrale intitulée *Histoire de la révolution cognitive*, Howard Gardner en 1990 assignait aux cogniticiens un travail d'exploration de grande envergure

> l'objectif final de la science cognitive, écrivait-il, serait précisément de proposer une théorie scientifique cohérente sur la façon dont les êtres humains réalisent leurs productions symboliques les plus remarquables : comment nous parvenons à composer des symphonies, à écrire des poèmes, à inventer des machines (y compris les ordinateurs) ou à construire des théories (y compris celle de la science cognitive).

En définitive, lorsqu'on considère le chemin parcouru et celui qui reste à parcourir pour atteindre le projet proposé par Gardner, le bilan n'est ni positif, ni négatif. Il manifeste le cheminement habituel de la science qui cherche sa voie vers la vérité, disons plutôt qui cherche à vaincre l'ignorance pour mieux comprendre la réalité.

20 Développements
récents

La théorie sur le traitement de l'information lors de la première édition (1986) et de la seconde édition (1990) se terminait avec le commentaire qui précède, mais comme il fallait s'y attendre, d'importants travaux sont apparus depuis. Il me semble opportun d'ajouter dans la troisième édition de cet ouvrage quelques paragraphes de nature à rendre compte de développements qui font faire un pas de plus à cette théorie du traitement de l'information et donne suite aux espoirs exprimés dans le commentaire qui apparaît plus haut. En effet, l'aventure si grisante de la recherche s'est continuée intense et têtue sur les bancs de laboratoires. Des résultats dignes de mention apparaissent durant cette dernière décade du vingtième siècle, celle qu'on a baptisée aux États-Unis « la décade du cerveau ».

L'une des recherches qui semble aujourd'hui remuer le monde scientifique a été poursuivie durant les trente dernières années sur des cervelles de poulets. Réalisée par un neurobiologiste anglais, nommé Steven Rose, elle avait pour objectif d'élucider les mécanismes de la mémoire. Quand un animal apprend, dit Rose, certaines cellules spécifiques à l'intérieur de son système nerveux modifient leurs propriétés. Ces changements qu'on nomme des engrammes, observables au microscope électronique, peuvent se mesurer, qu'il s'agisse de la morphologie des neurones, de leurs connexions synaptiques, de processus biochimiques, physiologiques ou électriques et même de la structure ou de l'organisation générale du cerveau.

Il ne m'apparaît pas approprié d'entrer plus avant dans les aspects techniques de cette recherche qu'on pourra retrouver dans un texte paru en 1987 et un article dans *Behavioral Neuroscience* intitulé « *Memory in the chicks: multiple cues, distinct brain locations*» paru en 1992. Le paradoxe de la situation présente réside dans le fait que des travaux aussi pointus sur les cellules de cervelles de poussins d'un jour aient pu non seulement pénétrer le code de la mémoire, mais montrer comment le souvenir, l'une des principales activités de la mémoire, repose sur les réactions de l'ensemble des différentes parties du cerveau autant de l'humain que de l'animal.

En 1993, Steven Rose a fait paraître un livre d'une lecture fascinante sur l'ensemble de son travail, intitulé *The Making of Memory*. Il y explique l'ensemble de son programme expérimental, qu'il a inscrit dans toute l'histoire de la recherche depuis les données de Descartes sur l'âme, en passant par les études que Hebb et Penfield ont effectuées ici au Québec, jusqu'aux derniers travaux qui ont précédé ses propres résultats. En outre, si d'un côté son travail de tous les jours s'efforce de scruter ce qui se passe dans les neurones d'une cervelle de poulet quand, suite à un apprentissage, un poussin picote ou ne picote pas un grain de nourriture, Rose affirme lui-même qu'il a voulu sortir d'un réductionnisme stérile et d'un behaviorisme naïf.

À prime abord, ceci n'apparaît pas évident, si on ne regarde que ses études sur les mécanismes chimiques, physiques et électriques à l'intérieur du cerveau, mais il faut dire qu'il tente par ailleurs d'interpréter d'une manière scientifique la richesse de sa propre mémoire subjective, lorsqu'il ferme à clef la porte de son laboratoire et qu'il entre à son foyer en fin de journée : « Jour après jour, j'explore, dit-il, la biologie de la mémoire chez de jeunes poulets, le soir je reviens à la maison dans un monde habité par mes propres souvenirs personnels. Comment relier ces deux moitiés de ma vie ? » (Rose, 1993, p. 7). Comment traverser cet abîme, se demande-t-il, entre la mémoire objective, celle du laboratoire, et la mémoire subjective, cette dernière étant constituée de nos sentiments les plus profonds, de nos souvenirs les plus sacrés, de notre amour pour tous nos proches, de notre respect de l'univers ?

À cet égard, si nous pensons à la mémoire des musiciens, des poètes et des romanciers aussi bien qu'à l'ensemble des souvenirs qui ont pu habiter un Marcel Proust, une Marguerite Yourcenar ou un Jean d'Ormesson, nous découvrirons toute la richesse de la mémoire individuelle faite d'impressions, de sentiments et de souvenirs. Que dire au surplus, si cette mémoire se double de l'histoire d'une famille, d'une collectivité, d'un peuple et même de la somme des connaissances qui touchent à l'histoire universelle. Rose se demande alors comment notre patrie intérieure constituée de tout notre passé, comment cette richesse parvient-elle à s'inscrire dans les cellules de nos têtes par des synapses, des changements dans la composition des protéines ou d'autres processus spécifiques. Voilà la grande question! En d'autres termes, comment passe-t-on de la mémoire physiologique à la mémoire humaine, telle qu'elle nous sert chaque jour, ou en bref, comment «passe-t-on de la mémoire du cerveau à la mémoire de l'esprit» (Rose, p. 323).

Ce ne sont pas tous les gens qui sont prêts à accepter que des recherches sur des poulets puissent être applicables aux humains. Rose présente à ce sujet un plaidoyer assez convaincant: un neurone, explique-t-il, qu'il soit dans les hémisphères cérébraux d'un homme ou d'une femme, ne diffère en rien du neurone de la cervelle d'un singe, d'un chat, d'un rat ou d'un poulet. Les processus au plan des échanges entre les protéines, les propriétés neurophysiologiques et l'organisation générale du cerveau semblent identiques chez tous les mammifères, qu'ils soient humains ou non. C'est pourquoi, il conclut que «lorsque des engrammes s'inscrivent dans le cerveau d'un humain, leurs formations emploient le même type de mécanismes biochimiques que chez les autres vertébrés» (Rose, 1993, p. 324). Mais, la ressemblance s'arrête ici. L'être humain est quand même différent: Il est le seul animal, dit Rose, capable de parler et le seul à posséder une mémoire verbale. Ceci lui fournit la possibilité d'apprendre sans un comportement manifeste à l'extérieur de l'organisme. En second lieu, cette capacité de communiquer grâce à un code verbal a permis de créer à l'intérieur de l'espèce humaine un environnement social d'une extraordinaire richesse. Une troisième grande différence se situe dans le fait que seul l'humain entre tous les autres vertébrés a réussi à se doter d'un univers technologique qui lui permet de confier une assez grande partie de sa mémoire individuelle et collective d'abord à des tablettes de cire, à des feuilles de papyrus ou de papier, puis à des rubans électromagnétiques ou à des puces d'ordinateurs.

Comme on peut voir, les travaux de Rose le conduisent à de sérieuses questions sur sa propre mémoire subjective. Il tente d'expliquer ce qui se passe d'intéressant en lui-même, lorsqu'il se rappelle ou ne se rappelle pas un nom, le titre d'un livre, la couleur d'un coucher de soleil; il s'efforce d'explorer les stratégies auxquelles nous avons tous recourt lors du rappel d'un nom oublié. Il se rend compte que ce ne peut être que tout l'ensemble du cerveau qui concourt à ce travail de rappel. Selon lui, les comparaisons avec l'ordinateur nous ont un peu mal servis. Il rejette le point de vue selon lequel l'information ne serait inscrite qu'à un seul endroit des hémisphères comme un engramme auquel on retourne au moment voulu ; pour lui, au moment du rappel d'un fait ou d'un nom momentanément oublié, c'est l'ensemble du cerveau qui en est responsable. Au surplus, un neurone n'est pas une puce d'ordinateur ; il est vivant ; il est dynamique et peut communiquer avec tous les autres milliards de neurones qui l'entourent ; ce qui permettrait à la mémoire de s'enrichir à mesure que s'accumulent les diverses expériences de la vie.

Après avoir attaqué aussi des problèmes comme les maladies de la mémoire du genre de l'alzheimer et les effets de médicaments qu'il coiffe du terme anglais de « nootropics » sur certains processus particuliers de la mémoire, l'ensemble de ses travaux l'ont amené à nulle autre chose qu'à reposer le problème de l'âme. Il le fait dans un article intitulé « *Rethinking Descartes* » qu'il publiait en 1994 dans *The Guardian*, un journal de Londres ; ce texte a été reproduit par *The Globe and Mail* de Toronto, le 7 janvier 1995. Rose s'y applique à démontrer que les positions de Descartes sont renversées par les études de cette fin du vingtième siècle. Il nous fait voir en plus comment le dualisme a voulu régler le problème de l'âme aussi bien à la satisfaction des gens d'églises qu'à celle des physiologistes qui désiraient faire de la dissection. Puis, il passe à deux cent cinquante ans plus tard, pour nous dire que le XIXe siècle, s'appuyant sur son réductionnisme matérialiste, considérait le dualisme de Descartes « un refuge pour poules mouillées » et se moquait de ces neurobiologistes qui, en fin de carrière, tentaient de réfléchir dans une tentative pour sortir de ce matérialisme étroit et pouvoir un peu spéculer enfin sur l'esprit ou l'âme.

Des travaux récents à l'intérieur de la neurophysiologie, du genre de ceux exécutés par Rose, ont modifié du tout au tout les positions de la recherche. Aussi curieux que cela puisse paraître, l'approche expérimentale sur le cerveau a commencé à se demander s'il ne faut pas revenir au concept de conscience. Des philosophes qui jusqu'ici avaient ignoré la recherche en physiologie, entendant parler pour une fois de problèmes qui les concernent, se mirent à regarder de plus près les conclusions des hommes de science au point où certains sont venus s'asseoir eux-mêmes sur les bancs de laboratoire. Les ponts sont rétablis entre la science expérimentale et la philosophie : toute une série de chercheurs aussi bien en Europe que sur la Côte ouest américaine intéressés par l'orientation nouvelle prennent part à la discussion. Ils ont produit une avalanche de livres et de conférences sur le sujet et s'expriment dans une revue au titre significatif « *The new Journal of Consciousness Studies* », éditée à Oxford. Une des idées au centre de cette révolution idéologique repose sur la fameuse hypothèse développée par

Lindsay et Norman et exposée plus haut dans le chapitre précédent selon laquelle tout l'ensemble du cerveau est organisé d'une manière hiérarchique.

Si, à cet égard, on prend comme exemple le système visuel (voir plus haut Hubel et Wiesel)

> [...] les signaux arrivent à la rétine et sont analysés ensuite par différentes régions du cerveau en termes de couleurs, de contours, d'orientation, de mouvement et ainsi de suite ; le postulat qui en dérive, c'est que tous ces systèmes d'analyse font rapport à un niveau plus élevé ou à une certaine région pontificale, pour ainsi dire, qui fait l'interprétation de l'ensemble (Rose, 1995).

Mais ici, en définitive, il faut se demander à quoi ou à qui le rapport final est-il transmis. Au démon de la décision comme nous le proposaient Lindsay et Norman plus haut ? À un homunculus assis au dernier niveau observant un écran ? Même si cette région de niveau supérieur n'a jamais été repérée en laboratoire. Il va sans dire, comme le souligne Rose, que nous avons tous le sentiment d'une expérience cohérente et unifiée, d'une lumière intérieure capable de balayer tous les lobes et de faire fonctionner ensemble toutes les parties du cerveau.

Comme il fallait s'y attendre, ici s'engage un débat sur la conscience qui ne manque pas d'intérêt. Plusieurs savants y prennent part : des expérimentalistes et théoriciens de la biologie comme Francis Crick, prix Nobel pour ses travaux sur les acides nucléiques, Gerald Edelman, lui aussi prix Nobel pour ses recherches sur le système immunitaire ; des philosophes comme Walter Freeman, Patricia Churchland, John R. Searle, Colin McGinn, Magaret Boden et même un mathématicien nommé Roger Penrose.

En dépit de la vigueur avec laquelle la discussion se déroule, Steven Rose constate que l'on se retranche encore vers des explications timides et assez pauvres, lorsqu'on aborde les régions supérieures de l'esprit. Je vois la conscience, dit-il,

> [...] comme un procédé dynamique, comme un élément de la dialectique qui se déroule entre un individu et l'environnement social et physique dans lequel il vit. Pour nous tous, la conscience d'aujourd'hui a pris forme à partir de l'expérience passée – la nôtre propre et celle de l'histoire de la société dans laquelle nous sommes intégrés. – La conscience d'être Serbe ou Musulman en Bosnie, ou d'être Protestant ou Catholique en Irlande du Nord est beaucoup plus que d'être seulement éveillé ou de ne pas se trouver sous anesthésie générale (Rose, 1995).

Et Rose termine son article par ce souhait significatif : « Aussi longtemps que nous n'enrichirons pas notre compréhension du terme conscience, nous, neuroscientistes, avons-nous besoin d'être un peu plus modestes dans nos prétentions » (Rose, 1995).

Cette recherche donne sans doute un nouvel élan à la théorie du traitement de l'information. En effet, les études de ce neurobiologiste anglais ont eu l'immense mérite de susciter un questionnement beaucoup plus vaste concernant l'humain que celui auquel on nous avait habitué jusqu'ici ; en second lieu, elles ont déclenché dans les milieux scientifiques ce phénomène non négligeable qui a conduit les chercheurs en psychologie expérimentale à travailler de concert avec les philosophes. Les travaux de Rose, il va sans dire, ne règlent pas toutes les questions qu'on peut se poser encore sur le cerveau et la conscience, loin de là ! Il reste d'immenses problèmes à résoudre. En effet, dans l'avenir, les hommes et les femmes de science devront se tourner vers une des questions majeures, entre autres, celle de trouver des explications afin d'élargir notre compréhension sur la manière dont les activités des différentes régions du cerveau se réunissent et travaillent ensemble pour produire une expérience cohérente et unifiée.

*

*   *

Conclusion

Tout comme l'histoire tout court, l'histoire des théories de l'apprentissage nous sert une leçon d'humilité et de tolérance. En effet le problème posé par les Anciens sur l'origine de la connaissance a suscité pendant 2 000 ans deux ordres de réponses, auxquels à son tour la psychologie n'a pas échappé durant le dernier siècle. Diverses théories mises au jour en ont révélé des aspects nouveaux, mais quant au fond, qu'il s'agisse d'hérédité et de milieu, de gènes et de culture, de mécanisme et de vitalisme, d'inné et d'acquis, de nature et de *nurture*[1], l'interrogation demeure la même. L'étude de ces théories aussi bien que la réflexion qu'elles imposent dégagent une polarisation entre deux traditions de pensée, entre deux paradigmes : d'une part, tous les associationnistes se rangent du côté d'une interprétation des faits qui favorise un point de vue extérieur à l'organisme ; de l'autre, les cognitivistes font une place plus large aux processus internes. Cette dichotomie assez nette nous a permis des regroupements, mais qu'en est-il vraiment dans la réalité des choses ? Quel est le rôle de la nature et de la culture ? Bref, doit-on tout attendre des gènes ou mettre l'accent sur l'éducation ?

Établir la valeur relative de ces deux paradigmes s'avère une entreprise semée d'embûches, non seulement parce que les affrontements des protagonistes sont excessifs, mais en raison de la difficulté

---

1. Le mot anglais *nurture* a subi l'influence du vieux français *norriture*; opposé à « nature », il signifie la somme des influences susceptibles de modifier l'expression des potentialités génétiques d'un organisme.

intrinsèque du problème posé. Les positions de trois psychologues québécois sont assez précises sur le sujet : le premier, Donald Hebb, un homme de science qu'on peut qualifier d'empiriste, n'hésite pas à affirmer en 1974 :

> Quelquefois on reconnaît que l'hérédité et le milieu exercent l'un et l'autre un effet sur l'intelligence et l'auteur indiquera alors l'importance relative de chacun de ces effets. L'étudiant peut voir affirmer, par exemple, que 80 % de l'intelligence dépend de l'hérédité et 20 % du milieu. De telles affirmations sont, en elles-mêmes, dépourvues de sens. Cela voudrait dire que, si on ne lui avait jamais donné l'occasion d'apprendre un langage, d'apprendre comment les gens se comportent, etc., un homme n'aurait acquis que 80 % de son aptitude à résoudre des problèmes. Inversement, cela voudrait dire que tout animal acquerrait 20 % de la capacité de pensée de l'homme s'il était élevé dans un bon milieu, peu importe son hérédité, que ce soit celle d'une souris ou d'une vache. Ce qu'il faut dire, c'est que l'importance de chacune de ces deux variables est de 100 % ; leur rapport n'est pas additif, mais multiplicatif. Cela signifie que lorsqu'on s'interroge sur la contribution de l'hérédité à l'intelligence humaine, c'est comme si on se demandait quelle est la contribution de la largeur d'un champ à sa surface et quelle est la contribution de sa longueur. Ni l'une ni l'autre ne peut y contribuer à elle seule (Hebb, 1974, p. 184).

En 1982, Yves St-Arnaud de l'Université de Sherbrooke au Québec, dans un traité de psychologie humaniste intitulé *La personne qui s'actualise*, après avoir cité ce paragraphe de Hebb conclut :

> Appliquée à la personnalité, cette image de la surface permet d'aborder le sujet sans qu'il soit impérieux de répondre à la question suivante : quelle est la part de l'hérédité et quelle est la part de l'acquis dans le développement de la personnalité ? De toute façon, c'est là une question à laquelle il est impossible de répondre précisément dans l'état actuel des connaissances, puisque tout comportement étudié est inévitablement le résultat d'une interaction de ces deux facteurs (St-Arnaud, 1982, p. 169).

De son côté, Adrien Pinard de l'Université du Québec à Montréal, après avoir fait un relevé des attitudes diverses à l'égard des théories courantes, passe en revue avec lucidité les divergences et les convergences des deux grands paradigmes ; il finit par conclure que,

> [...] s'il est vrai que le behaviorisme et le cognitivisme ne sont pas en eux-mêmes des théories et ne sont donc pas comme tels ni vrais ni faux en soi, il est bien évident que chacun de ces deux paradigmes – quand

on ne choisit pas d'entretenir une attitude de méfiance systématique à l'endroit des théories psychologiques pour s'en tenir scrupuleusement à l'observation des faits – peut servir de cadre à une large diversité de théories susceptibles de s'affronter ou parfois de se compléter mutuellement et dont il appartient à l'expérimentateur d'examiner la valeur et la portée véritables, dans la mesure où ces théories satisfont au caractère essentiel d'être empiriquement testables (Pinard, 1983, p. 25).

Dans l'état actuel de la science, ces témoignages s'imposent avec pertinence et sagesse. Ils proposent sinon une solution du moins une attitude exempte de fanatisme aussi bien à l'égard du problèmes soulevé par les Anciens qu'à l'égard des réponses proposées par les deux grandes traditions de la psychologie expérimentale contemporaine. Au sujet des diverses conceptions théoriques de l'apprentissage, les commentaires formulés à la suite de chacun des exposés tentent d'en montrer autant les aspects négatifs que positifs. En conclusion dans un regard rétrospectif, on peut sans doute se demander maintenant si une théorie plus qu'une autre mérite d'être retenue. Nous nous voyons obligé d'affirmer qu'aucune ne possède une explication complète et définitive du phénomène de l'apprentissage, qu'aucune n'apparaît totalement satisfaisante pour l'esprit : soit que certains théoriciens se laissent entraîner à des extrapolations injustifiées, soit que d'autres établissent des cadres généraux où les hypothèses et les analogies, pour éclairantes qu'elles soient, ne s'appuient pas encore sur des données suffisamment vérifiées sur le plan expérimental. Par ailleurs, la tâche des chercheurs demeure énorme quant aux activités supérieures des primates... Que de phénomènes encore inexplorés ! Que de processus inconnus ! Faut-il s'étonner si l'aventure pleine de promesses que semblait offrir la psychologie scientifique à ses débuts n'ait pas su offrir de fruits plus savoureux ? Serait-ce là une nouvelle manifestation de la lenteur de l'esprit humain dans sa marche vers la Vérité ? Quoi qu'il en soit, on l'a vu, toute explication théorique des faits s'avère une entreprise hasardeuse, spécialement quand il s'agit de faire de l'homme un objet de science. Comprendre l'être humain, rendre compte des processus d'apprentissage sont au nombre des aventures les plus relevées, de celles qui ont le plus d'envergure. Il était, selon Eccles[2], plus facile de descendre sur la lune que de scruter les profondeurs du cerveau et d'atteindre les mécanismes sous-jacents à la pensée.

---

2. John Carew Eccles, neurologue australien, a partagé le Prix Nobel de médecine en 1963 avec A. L. Hodgkin et A. F. Huxley.

Si aucune théorie ne retient notre adhésion, la recherche des cent dernières années ne demeure pas vaine. Malgré la fragilité des conceptions scientifiques actuelles, il s'en dégage beaucoup d'idées acceptables, un nombre imposant d'hypothèses à vérifier, des aperçus de nature à laisser entrevoir sinon un consensus au sein de la communauté scientifique, tout au moins des convergences dans l'interprétation des faits. En outre la psychologie dans son ensemble a su mettre l'accent sur des aspects ignorés jusqu'ici de ce phénomène qu'on appelle désormais l'apprentissage, faire reculer les frontières du concept de l'instinct, fournir des applications aux sciences de l'éducation et de la santé, enfin élaborer des conclusions qui serviront sans doute dans l'avenir à des explications non seulement plus englobantes, mais surtout plus proches d'une réelle compréhension du réel, car la science de demain se bâtit sur les tâtonnements et les erreurs d'aujourd'hui.

Si de telles remarques paraissent trop négatives et déçoivent ceux des lecteurs qui s'attendaient à des conclusions finales, à des réponses définitives capables de rejoindre les énoncés d'une vérité immuable et intangible, il faut souligner le caractère passager, disons même éphémère d'une théorie scientifique. «Les théories passent, les grenouilles demeurent», disait Jean Rostand. À ce sujet, on peut considérer ce qui reste du structuralisme de Wundt et Titchener, du fonctionnalisme de Dewey; l'une et l'autre théories sont disparues certes, mais non sans jeter des jalons, sans mettre l'accent sur certains aspects du réel qui ont laissé des traces dans les conceptions que les chercheurs ont élaborées par la suite. Au moment de disparaître, les théories servent de tremplin à celles qui leur succèdent.

Un autre commentaire s'impose. Cet alignement des interprétations théoriques selon deux visions du réel, selon deux conceptions de l'homme qu'on identifie chez les psychologues de l'apprentissage se retrouve à l'origine de controverses majeures chez les scientifiques de l'éthologie, de l'anthropologie, de la neurobiologie, de la sociologie et, bien sûr, de la philosophie. Sans faire un état de la question à l'intérieur de chacune de ces disciplines, il suffit de remarquer que de vieilles discussions passent encore aujourd'hui par de nouvelles moutures et y soulèvent une interrogation identique à celle qui est vécue en psychologie.

En voici un premier exemple. Assez récemment un anthropologue australien, Derek Freeman, s'élève avec vigueur contre un ouvrage vieux de cinquante ans, celui de Margaret Mead. Déjà en 1938, celle-ci avait en effet pris position pour l'acquis de la culture, à l'instigation de son professeur, Franz Boas, dans *Coming of age in Samoa* (1938). Eliott

Marshall (1983) résume les commentaires de Freeman dans la revue *Science*:

> Elle n'avait que 23 ans quand elle décida de s'embarquer pour les îles Samoa; parce qu'elle était inexpérimentée et dépourvue d'une formation ethnologique suffisante, ce qu'elle crut voir aux Samoa ne correspondait pas à la réalité sociale existante... Résultat: une conception faussée de la culture samoane s'est enracinée dans l'anthropologie américaine qui, du même coup, a hérité du parti pris de Margaret Mead et de ses maîtres – à savoir que le comportement humain peut fort bien être analysé en dehors de toute référence à la biologie de l'espèce (Marshall, 1983, p. 1043).

Comme quoi le problème soulevé autour du rôle respectif des caractères innés et acquis est loin d'être tranché en anthropologie. Cette question lancinante, qui continue de hanter bon nombre d'esprits scientifiques, engendre toujours deux ordres de réponses.

Un second exemple mérite d'être rapporté. Au cours de la dernière décade fait surface une théorie nommée *sociobiologie* (1975) dont l'auteur, Edward O. Wilson, est professeur de zoologie à l'Université Harvard. Ce dernier en arrive à donner du comportement humain une explication calquée sur celui des insectes sociaux. Ce faisant, son schéma favorise les défenseurs des caractères innés au détriment de ceux qui sont favorables à l'éducation et à l'acquis. Puis, en collaboration avec Charles Lumsden dans *Mind, genes and culture* (1981), Wilson expose une position selon laquelle le comportement des sociétés humaines résulterait d'un processus particulier dans lequel l'évolution génétique se trouve jumelée avec l'évolution culturelle en un cycle d'action réciproque. Les adeptes de la sociobiologie espèrent que cette thèse donnera naissance à un paradigme capable de faire l'union non seulement entre les partisans de l'influence génétique et ceux de la culture, mais aussi entre les sciences de la nature et les sciences de l'homme. Il faudra auparavant apaiser le tumulte de la controverse, car les adversaires de la sociobiologie voient resurgir dans de telles idées des germes d'erreurs néfastes, tels l'eugénisme, la discrimination entre les sexes, le racisme du national-socialisme allemand des années 1930. Récemment un biologiste français, Pierre-Paul Grassé (1980), stigmatise avec des accents de la dernière vigueur ce qu'il appelle des contrevérités dans un livre intitulé *L'homme en accusation*. Il lui répugne surtout de voir s'imposer des idées qui prônent l'influence de la biologie dans le comportement humain parce qu'elles finiront par amener les experts de la génétique à remodeler la nature humaine à leur guise.

D'autres textes, fort divergents sur le plan de la théorie, qu'on pourrait verser au dossier de cette querelle sans cesse renouvelée, ne serviraient qu'à montrer l'importance que cette question a prise dans tous les domaines. Il n'est pas hors de propos de se demander si l'outil, la méthode adoptée par les sciences réussira jamais à trancher la question, si cette méthode ne détourne pas la question, en raison même de sa spécificité? À tout événement, il demeure qu'aujourd'hui derrière les théories scientifiques se profile un doute sérieux sur l'aptitude de la démarche des sciences expérimentales à poursuivre même l'atteinte de ce qu'on est convenu d'appeler la réalité objective. S'il ne s'agit pas ici de faire une réévaluation critique de la méthode adoptée par la psychologie pour percer le mystère de l'humain, un rappel de quelques événements historiques alliés à des faits récents peut fournir des éléments pleins de signification pour les années à venir.

Jadis, la vocation première de la recherche intellectuelle qui, au temps des Anciens, était sagesse (à ce moment-là, la philosophie incluait toutes les sciences modernes), consistait à faire comprendre la vérité. Peu à peu l'interrogation sur l'univers passe par des voies multiples telles que la philosophie, la poésie, la religion et la science, démarches de l'esprit qui favorisent, chacune à sa manière, une vision distincte des choses à connaître. À partir de la Renaissance, divers chapitres de la philosophie acquièrent leur autonomie et deviennent des disciplines susceptibles de se développer par elles-mêmes. La méthode scientifique fondée sur le quantitatif et réservée d'abord aux sciences de la nature se raffine, devient un instrument privilégié qui fait reculer toutes les autres manières de connaître comme appartenant à des âges teintés d'obscurantisme. Au grand matin du savoir moderne modelé par Descartes, les encyclopédistes et Auguste Comte, la fin du XIXe siècle impose avec vigueur par l'esprit et le ton la royauté de la méthode positive qui sait disséquer la nature et démontrer l'objet. On allait désormais nettoyer l'atmosphère des tabous, faire progresser la puissance de la logique dans sa course vers le vrai. Quant à l'approche qualitative, elle est selon l'expression de René Thom (1973, p. 7) rejetée dans « l'ère des tâtonnements préscientifiques ».

Il serait superflu de rappeler tous les apports des sciences expérimentales aussi bien au développement de notre connaissance de la nature qu'au bien-être matériel des peuples vivant au XXe siècle dans les pays dits développés; ces sciences n'ont pas pour autant répondu à quelques-unes des inquiétudes métaphysiques toujours inscrites au cœur de l'homme. Les certitudes qu'on avait entretenues au début du siècle sur la possibilité d'arriver à un modèle conceptuel de l'homme dans l'univers basé sur des grilles physico-chimiques, mathématiques ou mécaniques perdent de leur assurance. Les discussions animées que les savants entretiennent aujourd'hui sur l'interprétation des faits font chanceler le monument de la science bâti sur les évidences d'autrefois. Aux yeux des tenants de la science empiriste, il y a plus grave : le primat de la pensée discursive comme seul mode de connaître perd progressivement de son prestige. Entre autres, les deux constatations qui suivent sont significatives à ce sujet.

La première concerne le mode de recherche lui-même. Poussé par un ardent désir de connaître, le savant observe, démonte, dissèque, bref réduit l'objet à ses éléments premiers. Appliquée au vivant, cette méthode commence avec l'anatomie à isoler soigneusement les organes un à un. À son tour, chacun d'eux est étudié dans sa structure intime : l'histologie dissèque le tissu ; la cytologie considère la cellule, unité de la matière vivante. Ce faisant, on est parvenu à une large somme de connaissances précises sur la constitution des organismes vivants et sur des mécanismes propres à leur fonctionnement. Ce démontage systématique, malgré l'intérêt de sa démarche, n'a pu faire autrement que de sacrifier en cours de route, puis d'occulter souvent des aspects mystérieux de la vie et de grands mécanismes qui concernent l'être dans sa totalité. Aussi la vie n'a pas livré le secret de sa merveilleuse organisation, ni celui de la force qui préside à son développement. Poursuivant cette analyse descendante de niveau en niveau, la science investigue à l'intérieur de la cellule : le cytoplasme, le noyau, le nucléole, les mitocondries, les ribosomes, etc. Puis pressée de passer du complexe au plus simple, elle s'attaque aux substrats de la matière vivante que sont les protéines, ces macromolécules constituées de protéoses, ces dernières scindables en polypeptibles et finalement en acides aminés. Au fin du fin, on touche aux éléments de base qui se lient au carbone pour composer tous les êtres vivants, du plus humble au plus évolué. Même passé le seuil de l'atome, l'analyse est encore possible jusqu'aux subatomiques (nutrinos, électrons et quarks). Qu'en retirons-nous cependant ? À quoi sert d'affirmer que l'homme est un composé de carbone, d'hydrogène, d'oxygène, d'azote et de quelques autres éléments, dits sels minéraux ? L'analyse permet sans doute d'identifier les pierres de l'édifice sans révéler pour autant les principes de l'organisation de la vie. La méthode analytique a chemin faisant fait connaître une multitude de faits dont profitent les sciences de la santé, mais pour le reste, que nous apprend-elle de la vie elle-même, de l'homme, de sa conscience, de son mode de connaissance ? À ce sujet l'impasse est totale.

Toutefois, après avoir abouti aux éléments premiers, la science a déjà commencé à effectuer un mouvement inverse.

Même s'il est admis qu'il ne peut exister de science sans réductionnisme, selon les auteurs de la théorie quantique (Bohr, Planck, Bohn, Dirac, etc.) l'univers ne doit plus être regardé comme un immense ensemble d'unités indépendantes. Bien plus, après avoir rapproché la théorie de la relativité à celle des quanta, la recherche accède à un autre niveau et tente d'expliquer le monde subatomique en disant que non seulement la matière ne peut être réduite à des unités fondamentales, à des objets isolés du type, blocs de construction, mais que pour comprendre ce qui se passe on doit imaginer une autocohérence entre les particules. Ainsi lors d'une conférence de physiciens et de biologistes tenue en Angleterre à l'automne 1981, on a proposé une thèse à laquelle adhèrent des hommes de science de plus en plus nombreux. Selon ces derniers, les tout premiers éléments se seraient comportés depuis la naissance de l'univers comme s'ils étaient capables de diriger l'évolution des espèces et de fabriquer de la conscience. Le dernier mot n'est certes pas dit sur cette question ; on assiste cependant à un retour vers l'organisation, la symétrie, l'harmonie de l'ensemble, car jusqu'ici les approches théoriques traditionnelles n'étaient parvenues qu'à décrire la vie d'une manière partielle par des procédés de dépeçage et d'émiettement.

Cette première constatation en commande une seconde non moins importante pour l'orientation de la recherche. Jusqu'à une époque récente, les sciences de la nature ont posé sur l'objet à connaître un regard froid, détaché, absent de toute subjectivité, du moins dans la mesure où cette attitude est possible. Pourtant, Heisenberg, titulaire du Prix Nobel de physique en 1932, est l'un des premiers à rappeler que la science dorénavant devra se prêter au jeu réciproque entre la nature et l'homme. Einstein pour sa part exprime la même idée à savoir que l'observateur ne peut plus être séparé de l'objet. Ceci ne veut pas dire que la démarche de la raison discursive soit désuète, mais contribue à mettre en évidence le fait qu'il existe des modes d'approche du réel en quelque sorte plus larges que Karl Stern appelle « transrationnels ». Ces modes d'approche relèvent de la pensée intuitive, celle-là même qui règle la démarche de l'artiste, du poète et du mystique. Cependant « les états affectifs non contrôlés par la raison, constituent chacun à sa manière les symptômes d'un trouble de l'esprit... À la fin du dix-huitième siècle, Goëthe et Blake redoutaient que l'assaut du rationalisme ne ruinât la sagesse » (Stern, 1968, p. 53). De tels propos peuvent faire sursauter, mais, dans le débat qui nous occupe, on ne peut, à la suite de Bergson, Russell, Maritain, Bachelard et combien d'autres, récuser l'existence de deux grands modes de connaissance : l'un fort bien décrit par les empiristes et qualifié d'« objectif » ; l'autre « intuitif », intériorisé, d'une certaine manière plus mystérieux. Il approche la chose à connaître dans un regard intégrateur capable de s'unir avec l'objet, comme le donne à penser l'expression *homo sapiens, sapiens* étant une des formes du verbe latin *sapere*, goûter avec, d'où est dérivé le terme français, *sagesse*.

Dans l'acte de comprendre, de saisir par l'intelligence, bien avisé qui pourrait séparer les deux formes. On se rappelle qu'Archimède a trouvé dans sa baignoire le fameux principe qui porte son nom. L'histoire de l'*eurêka* révèle un mode d'appréhension du réel qui tient plus de l'intuition que d'une conclusion arrachée à un raisonnement rigoureux. Plus près de nous, des physiciens contemporains proposent une approche susceptible d'étonner : « En quelques années, dit Fritjof Capra de l'Université Berkeley, la physique moderne a abandonné la conception de l'univers de Descartes et de Newton au profit d'une vision globale, écologique semblable à celle des mystiques de toutes les traditions » (Roumanoff, 1982, p. 13). De son côté, Hubert Reeves (1982), physicien canadien, conseiller de la NASA, aujourd'hui directeur de recherches au Centre national de la recherche scientifique à Paris, publie sur l'évolution cosmique un ouvrage dans lequel éclate un émerveillement à peine contenu sur la musique des sphères. Ces positions nouvelles se sont fait entendre avec assez de fracas au colloque de Cordoue, tenu en 1979 sous l'égide de France-Culture. Le volume intitulé *Science et conscience. Les deux lectures de l'univers*, paru chez Stock en 1980, en rapporte fidèlement les actes.

À la suite de ces constatations, faut-il se surprendre que la psychologie, après avoir adopté la démarche des sciences expérimentales, ait subi à son tour, durant le premier siècle de son histoire, quelques soubresauts, quelques errements, car jusqu'ici l'être a toujours habité des zones de pénombre. Depuis trois cents ans, la science a survalorisé une vision rationnelle au détriment d'une autre, celle de la chaleur de l'émerveillement contemplatif devant l'objet à connaître. Ce qui se passe dans l'appareil à penser, voici comment le poète le décrit :

> Tout ne va pas bien dans le ménage d'animus et d'anima, l'esprit et l'âme. Le temps est loin, la lune de miel a été bientôt finie, pendant laquelle Anima avait le droit de parler tout à son aise et Animus l'écoutait avec ravissement. Après tout, n'est-ce pas Anima qui a apporté la dot et qui fait vivre le ménage ? Mais Animus ne s'est pas laissé long-

temps réduire à cette position subalterne et bientôt il a révélé sa véritable nature, vaniteuse, pédantesque et tyrannique. Anima est une ignorante et une sotte, elle n'a jamais été à l'école, tandis qu'Animus sait un tas de choses, il a lu un tas de choses dans les livres, il s'est appris à parler avec un petit caillou dans la bouche, et maintenant, quand il parle, il parle si bien que tous ses amis disent qu'on ne peut parler mieux qu'il ne parle. On n'en finirait pas de l'écouter. Maintenant Anima n'a plus le droit de dire un mot, il lui ôte comme on dit les mots de la bouche, il sait mieux qu'elle ce qu'elle veut dire et au moyen de ses théories et réminiscences il roule tout ça, il arrange ça si bien que la pauvre simple n'y reconnaît plus rien (Claudel, 1948, p. 55).

Bibliographie

AGRANOFF, B. (1971). « Memory and protein synthesis », *Physiological Psychology* (R.F. Thompson, édit.), San Francisco, W.H. Freeman.

ALLPORT, F.H. (1955). *Theories of perception and the concept of structure*, New York, John Wiley.

ALLPORT, F.H. (1966). *Theories of perception and the concept of structure*, New York, John Wiley.

AMERICAN PSYCHOLOGICAL ASSOCIATION (1958). « The American Psychological Association distinguished scientific contribution award for 1958 », *American Psychologist* 13, 729-738.

ANDERSON, J.R. (1972). FRAN : a simulation model of free recall. In G.H. Boyer, ed., *The psychological of learning and motivation : Advances in research and theory*. Vol. 5, New York, Academic Press.

ANDERSON, J.R. (1983). *The architecture of cognition*, Cambridge (Mass.), Harvard University Press.

ANDERSON, J.R. et BOWER, G.H. (1973). *Human associative memory*, Washington, D.C., V.H. Winston.

ANDLER, D. (1987). « Progrès en situation d'incertitude », *Le Débat* 47, Nov.-déc. 1987, 5-25.

ANGELL, F. (1928). « Titchener à Leipzig », *Journal of General Psychology* 1, 195-198.

ANGELL, J.R. (1907). « The province of functional psychology », *Psychological Review* 14, 61-91.

ANGERS, P. (1949). *Commentaire à l'Art poétique de Paul Claudel*, Paris, Mercure de France.

ARISTOTE (1966). *De l'âme*, Paris, Société d'édition « Les belles lettres ».

ARNHEIM, R. (1954). *Art and visual perception*, Los Angeles, University of California Press.

ARVANITAKI, A. (1938). *Propriétés rythmiques de la matière vivante*, Paris, Hermann.

ARVANITAKI, A. (1939). « Recherches sur la réponse oscillatoire locale de l'axone géant isolé de 'Sepia' », *Archives Internationales de Physiologie* 49, 209-246.

ASH, M.G. (1979). « The struggle against the Nazis », *American Psychologist* 34, 363-364.

ASHBY, W.R. (1952). *Design for a brain*, New York, Wiley.

ATKINSON, R.C. et SHEFFRIN, R.M. (1965). *Mathematical models for memory and learning*, Standford, Stanford University Press.

ATKINSON, R.C. et SHEFFRIN, R.M. (1968). « Human memory: A proposed system and its control processes », *The psychology of learning and motivation* (K.W. Spence et J.T. Spence, édit.), Vol. 2, New York, Academic Press.

ATKINSON, R.C. et SHEFFRIN, R.M. (1971). « The control of short-term memory », *Scientific American* CCXXV, 2, 82-90.

ATLAN, H. (1972). *L'organisation biologique et la théorie de l'information*, Paris, Hermann.

ATTALI, J. (1972). *Les modèles politiques*, Paris, P.U.F.

ATTNEAVE, F. (1971). « Multistability in perception », *Scientific American* CCXXV, 6, 63-71.

ATTNEAVE, F. et ARNOULT, M.D. (1956). « The quantitative study of shape and pattern perception », *Psychological Bulletin* LIII, 6, 452-471.

AUSUBEL, D., STAGER, M. et GAITE, A.J. (1968). « Protective effects in meaningfull verbal learning and retention », *Journal of Educational Psychology* 59, 250-255.

AVERBACH, E. et CORIELL, A.S. (1961). « Short-term memory in vision », *Information theory: Proceedings of the Fourth London Symposium* (C. Cherry édit.), London, Butterworth.

AVERBACH, E. et SPERLING, G. (1961). « Short-term storage of information in vision », *Information theory* (C. Cherry édit.), London, Butterworth.

BACHELARD, G. (1937). *La psychanalyse du feu*, Paris, Gallimard.

BACHELARD, G. (1941). *L'eau et les rêves*, Paris, José Corti.

BACHELARD, G. (1943). *L'air et les songes*, Paris, José Corti.

BACHELARD, G. (1948a). *La terre et les rêveries de la volonté*, Paris, José Corti.

BACHELARD, G. (1948b). *La terre et les rêveries du repos*, Paris, José Corti.

BACHELARD, G. (1957). *La poétique de l'espace*, Paris, José Corti.

BAIN, A. (1855). *The senses and the intellect*, London, E.S. Parker.

BAIN, A. (1868). *Mental science*, New York, American book.

BAKAN, D. (1966). « Behaviorism and american urbanization », *Journal of the history of the behavioral sciences* 2, 5-28.

BAPKIN, B.P. (1949). *Pavlov*, Chicago, The University of Chicago Press.

BARTLETT, F.C. (1932). *Remembering*, Cambridge (England), Cambridge University Press.

BATESON, G. et RUESCH, J. (1988). *Communication et société* (traduit de l'anglais), Paris, Seuil.

BELL, C. (1811). *Idea of a new anatomy of the brain*, London, Strahan and Preston.

BEKHTEREV, V.-M. (1913). *La psychologie objective*, Paris, Alcan.

BENZÉCRI, J.P. (1973). « La place de l'a priori », *Encyclopædia Universalis* (Encyclopædia Universalis, édit., 1968), Paris, vol. 17, p. 11-25.

BERGSON, H. (1907). *L'Évolution créatrice*, Paris, Alcan.

BERNARD, C. (1865). *Introduction à l'étude de la médecine expérimentale*, Paris, J.B. Baillière et fils.

BERNSTEIN, J. (1982). *Science observed : Essays out of my mind*, New York, Basic Books.

BERNSTEIN, A. et ROBERTS, M. de V. (1958). « Computer v. Chessplayer », *Computers and computation* (R.R. Fenichel et J. Weizenbaum, édit., 1971), San Francisco, W.H. Freeman.

BERWICK, R. et WEINBERG, A. (1983). « The role of grammars in models of language use », *Cognition* 13, 1-61.

BINET, A. (1903). *Étude expérimentale de l'intelligence*, Paris, Schleicher.

BIRCH, H.G. (1945). « The relation of previous experience to insightful problem-solving », *Journal of Comparative Psychology* 38, 367-383.

BITTERMAN, M.E. (1971). « The evolution of intelligence », *Contemporary psychology* (R.C. Atkinson, édit., 1971), San Francisco, W.H. Freeman.

BLOCK, N. (1983). « Mental pictures and cognitive science », *The Philosophical Review* 92, 499-541.

BLOOMFIELD, L. (1933). *Language* (2ᵉ éd.), New York, Holt, Rinehart & Wilson.

BLOOMFIELD, L. (1936). « Language or ideas ? », *Language* 12, 89-95.

BOGEN, J.E., FISHER, E.D. et VOGEL, P.J. (1965). « Cerebral commissurotomy », *Journal of the American Medical Association* CXCIV, 12, 1328-1329.

BOIVIN, A., VENDRELY, R. et VENDRELY, C. (1952). *L'acide désoxyribonucléique (D.N.A.) substance fondamentale de la cellule vivante*, Paris, A. Legrand.

BOLLES, R.C. (1972). « Reinforcement, expectancy, and learning », *Psychological Review* 79, 394-409.

BOLLES, R.C. (1975). *Theory of motivation* (2ᵉ éd.), New York, Harper and Row.

BORING, E.G. (1927). « Edward Bradfort Titchener, 1867-1927 », *American Journal of Psychology* 38, 489-506.

BORING, E.G. (1929). « The psychology of controversy », *Psychological Review* 36, 97-121.

BORING, E.G. (1932). « The physiology of consciousness », *Science* 75, 32-39.

BORING, E.G. (1957). *A history of experimental psychology* (2ᵉ éd.), New York, Appleton-Century-Crofts.

BOULANGER, C.R. (1968). « Qu'est-ce que la cybernétique ? », *Le dossier de la cybernétique*, Verviers, Éditions Gérard, p. 9-27.

BOWER, G.H. (1972). « A selective review of organisational factors in memory », *Organisation of memory* (E. Tulving et W. Donaldson, édit.), New York, Academic Press.

BOWER, G.H. (1978). « Contacts of cognitive psychology with social learning theory », *Cognitive Therapy and Research* 1, 123-147.

BRENTANO, F. (1874). *La psychologie du point de vue d'un empiriste* (ouvrage commencé par R.A. Flint, 1876), *Mind* 1, 116-122.

BRESNAN, J. (1978). « A realistic transformational grammar » (M. Halle *et al.*, édit.), *Linguistic theory and psychological reality*, Cambridge (Mass.), MIT Press.

BRESNAN, J. (1981). « An approach to universal grammar and the mental representation of language », *Cognition* 10, 39-52.

BRIDGMAN, P.W. (1927). *The logic of modern physics*, New York, Macmillan.

BRINGMANN, W.C. et TWENEY, R.D. (1980). *Wundt studies*, Toronto, C.J. Hogrefe.

BROADBENT, D.E. (1954). « The role of auditory localisation in attention and memory span », *Journal of Experimental Psychology* 47, 191-196.

BROADBENT, D.E. (1957). « Immediate memory and simultaneous stimuli », *Quarterly Journal of Experimental Psychology* 9, 1-11.

BROADBENT, D.E. (1958). *Perception and communication*, London, Pergamon Press.

BROCA, P. (1861). *Sur le siège de la faculté du langage articulé, avec deux observations d'aphémie*, Paris, V. Masson et fils.

BROWN, J.S. (1961). *The motivation of behavior*, New York, McGraw-Hill.

CABANIS, P. (1824). *Rapports du physique et du moral de l'homme* (3ᵉ éd.), Paris, J.B. Baillière, vol. III.

CAJAL, R.S. (1911). *Histologie du système nerveux de l'homme et des vertébrés*, Paris, Maloine.

CALDWELL, W. (1898). « Professor Titchener's view of the self », *Psychological Review* V, 5, 401-408.

CANGUILHEM, G. (1955). *La formation du complexe de réflexe aux XVIIᵉ et XVIIIᵉ siècles*, Paris, P.U.F.

CANNON, W.B. et ROSENBLUETH, E. (1937). *Autonomic neuro-effector systems*, New York, Macmillan.

CARLSON, N.R. (1977). *Physiology of behavior*, Boston, Allyn et Bacon.

CARRELL, A. (1950). *Réflexions sur la conduite de la vie*, Paris, Plon.

CARROLL, J.B. (1964). *Language and thoughts*, Englewood Cliffs (N.J.), Prentice-Hall.

CATTELL, J.McK. (1906). «A statistical study of american men of science», *Science* 24, 658-665, 669-707, 732-742.

CHAPLIN, J.P. (1978). *Dictionary of psychology*, New York, Dell Publishing.

CHASE, N.G. et SIMON, H.A. (1973). «Perception in chess», *Cognitive Psychology* 4, 55-81.

CHERRY, E.C. (1953). «Some experiments on the recognition of speech, with one and with two ears», *Journal of the Acoustical Society of America* 25, 975-979.

CHOMSKY, N. (1959). «Verbal behavior», *Language* 35, 26-58.

CHOMSKY, N. (1971). «The case of B.F. Skinner's verbal behavior», *The New York review of books*, 30 déc. 1971.

CHOMSKY, N. (1970). *Le langage et la pensée*, Paris, Payot.

CHOMSKY, N. (1972a). «Psychology and ideology», *Cognition, International Journal of Cognitive Psychology* I, 1, 11-46.

CHOMSKY, N. (1972b). *Language and mind*, New York, Hartcourt Brace Jovanovich.

CLAPARÈDE, E. (1917). «La psychologie de l'intelligence», *Scientia* 22, 253-268.

CLARK, R.W. (1975). *The life of Bertrand Russell*, London, Cape.

CLAUDEL, P. (1904). *Art poétique*, Paris : Mercure de France.

CLAUDEL, P. (1948). *Positions et propositions*, Paris, Gallimard.

COAN, R.W. et ZAGONA, S.V. (1962). «Contemporary ratings of psychological theorists», *Psychological Record* 12, 315-322.

COLLINS, A.M. et LOFTUS, E.F. (1975). «A spreading activation theory of semantic processing», *Psychological Review* 82, 407-428.

COLLINS, A.M. et QUILLIAN, M.R. (1969). «Retrieval time for semantic memory», *Journal of Verbal Learning and Verbal Behavior* 8, 240-247.

CONDILLAC, E.B. de (1746). *Essai sur l'origine des connaissances humaines*, Amsterdam, P. Mortier.

CREIGHTON, J.H. et TITCHENER, E.B. (1894). *Lectures on human and animal psychology, by Wilhelm Wundt*, New York, Macmillan.

CRESPI, L.P. (1942). «Quantitative variation of incentive and performance in the white rat», *American Journal of Psychology* 55, 467-517.

CRICK, F.H.C. (1979). «Thinking about the brain», *Scientific American* CCXLI, 3, 219-232.

CROS, R.C. (1970). «Informatique», *Encyclopædia Universalis* (Encyclopædia Universalis, édit., 1968), Paris, vol. 8, p. 1013-1017.

DELEDALLE, G. (1972). «Pragmatisme», *Encyclopædia Universalis* (Encyclopædia Universalis, édit., 1968), Paris, vol. 13, p. 441-443.

DENIS, H. (1973). «Embryologie moléculaire», *Encyclopædia Universalis* (Encyclopædia Universalis, édit., 1968), Paris, vol. 17, p. 309-313.

DE SAUSSURE, F. (1949). *Cours de linguistique générale*, Paris, Payot.

DESCARTES, R. (1664). « Traité de l'homme », *Œuvres de Descartes* (C. Adam et P. Tannery, édit., 1909), Paris, Cerf.

DESCARTES, R. (1897). « Deuxième méditation », *Œuvres de Descartes* (C. Adam et P. Tannery, édit.), Paris, J. Vrin, vol. IX.

DESCARTES, R. (1963). « Le discours de la méthode ». *Œuvres philosophiques*, Paris, Garnier Frères, tome 1.

DETHIER, V.G. et STELLAR, E. (1964). « Charting paths of behavior », *The Mind* (J.R. Wilson édit.) New York, Time incorporated.

DEUTSCH, J.A. et DEUTSCH, D. (1963). « Attention : some theorical considerations », *Psychological Review* 70, 80-90.

DE WAELHENS, A. (1972). « Phénoménologie », *Encyclopædia Universalis* (Encyclopædia Universalis, édit., 1968), Paris, vol. 12, p. 943-944.

DEWEY, J. (1896). « The reflex arc concept in psychology », *Psychological review* 3, 357-370.

DODGE, R. (1931). *Conditions and consequences of human variability*, New Haven, Yale University Press.

DOOLEY, P.K. (1987). « Personality, piety, and pragmatism of William James », *Journal of the history of behavioral sciences* 23, n° 1, 57-65.

DUBÉ, L. (1975). *Values and Education* (Speech content for the Canadian Association of Professors of Education), Alberta, University of Edmonton.

DUNCKER, K. (1935). « On problem-solving » (traduction de L.S. Lees, 1945), *Psychological Monography* LVIII, 270.

DUNCKER, K. (1945). « On problem-solving », *Psychological Monography* LVIII, 270.

EBBINGHAUSS, H. (1885). « Veber das Gedächtnis » (traduit en anglais par H.A. Ruger et C. Bossinger, 1913), *On memory*, New York, Teacher's College, Columbia University.

ECCLES, J.C. (1957). *Physiology of nerve cells*, Baltimore, Johns Hopkins University Press.

ECCLES, J.C. (1964). *The physiology of synapses*, New York, Academic Press.

ELKIND, D. (1977). « Mesurer l'intelligence : une introduction aux idées de Jean Piaget », *Mes idées* (J. Piaget), Paris, Denoël-Gonthier.

ESTES, W.K. et TAYLOR, H.A. (1964). « A detection method and probabilistic models for assessing information processing from brief visual displays », *Proceedings of the National Academy of Sciences of U.S.* LII, 2, 446-554.

EVANS, T.G. (1968). « A program for the solution of a class of geometric-analogy intelligence-test questions », *Semantic information processing* (M. Minsky, édit.), Cambridge, MIT Press, p. 271-353.

FARAH, M.J. (1984). « The neurological basis of mental imagery : a componentical analysis », *Cognition* 18, 243-261.

FEARING, F. (1930). *Reflex action ; a study in the history of physiological psychology*, New York, Hafner.

FECHNER, G.T. (1860). *Elemente der Psychophysik* (traduit en anglais par H.E. Adler, 1966). *Elements of psychophysics* (E.G. Boring et D.H. Howes, édit.), New York, Holt, Rinehart et Winston.

FEIGENBAUM, E.A. et FELDMAN, J. (édit., 1963). *Computer and thought*, New York, McGraw-Hill.

FERRIER, D. (1876). *The functions of the brain*, London, Smith and Elder.

FRAISSE, P. et PIAGET, J. (1963). *Traité de psychologie expérimentale. Histoire et méthode*, Paris, P.U.F., 1.

FREEMAN, D. (1983). *Margaret Mead and Samoa: The making and unmaking of an anthropological myth*, Cambridge (Mass.), Harvard University Press.

FREEMAN, F.S. (1977). «On the introduction of gestalt psychology into America», *American Psychologist* 32, 384-385.

FROLOV, Y.P. (1939). *Pavlov and his school*, New York, Johnson Reprint.

FURTH, H.G. (1969). *Piaget and knowledge*, Englewoods Cliffs (N.J.), Prentice-Hall.

GAGNÉ, R.M. (1965). *The conditions of learning*, New York, Holt, Rinehart and Winston.

GAGNÉ, R.M. et BOLLES, R.C. (1959). «A review of factors in learning efficiency», *Automatic teaching: the state of the art* (E. Galanter, édit.), New York, Wiley.

GALVANI, I. (1791). «De viribus electricitatis in motu musculari», *De Bononiensi Scientiarum et Artium Instituto atque Academia Commentarii*, Bologne, 7, 363-418.

GARDNER, H. (1985). *The mind's new science*. New York, Basic Books.

GARDNER, H. (1993). *Histoire de la révolution cognitive. La nouvelle science de l'esprit*, Paris, Payot.

GARNER, W.R. (1974). *The processing of information and structure*, Potomac (Maryland), Lawrence Erlbaum Associates.

GAZZANIGA, M.S. (1967). «The split brain in man», *The nature of human consciousness* (R.E. Ornstein, édit., 1973), New York, The Viking Press.

GAZZANIGA, M.S., BOGEN, J.E. et SPERRY, R.W. (1965). «Observations on visual perception after disconnexion of the cerebral hemisphere in man», *Brain* 88, 2ᵉ partie, 221-236.

GAZZANIGA, M.S. et SPERRY, R.W. (1967). «Language after section of the cerebral commissures», *Brain* 90, 1ʳᵉ partie, 131-148.

GESELL, A. (1928). *Infancy and human growth*, New York, Macmillan.

GESHWIND, N. (1979). «Specializations of the humain brain». *Scientific American*, CCXLI, 3, 180-199.

GIBSON, J.J. (1950). *The perception of the visual world*, Boston, Houghton Mifflin.

GIBSON, J.J. (1954). «The visual perception of objective motion and subjective movement», *Psychological Review*, 1954, 304-314.

GIBSON, J.J. (1966). *The senses considered as perceptual systems*, Boston, Houghton Mifflin.

GLICKSTEIN, M. (1966). «Neurophysiology of learning and memory», *Neurophysiology* (2ᵉ éd. par T.C. Ruch, H.D. Patton, J.W. Woodbury et A.L. Towe, 1966), Philadelphie, Saunders.

GOODALL, K. (1972). «Shapers at work», *Psychology today* VI, 6, 53-63.

GRASSÉ, P.P. (1980). *L'homme en accusation*, Paris, Albin Michel.

GRAY, G.W. (1971). «The great ravelled knot», *Physiological psychology* (R.F. Thompson, édit.), San Francisco, W.H. Freeman.

GRÉCO, P. (1959). «Apprentissage et développement», *Études d'épistémologie génétique*, vol. X, Paris, P.U.F.

GRÉCO, P. (1972). «Piaget (Jean)», *Encyclopædia Universalis* (Encyclopædia Universalis, édit., 1968) vol. 13, p. 22-25.

GREENBLATT, G., EASTLAKE, D. et CROCKER, S. (1967). «The Greenblatt chess program», *Proceedings of the fall joint computer conference*, Anaheim, Californie.

GREY, J.A. et WEDDERBURN, A.A. (1960). «Grouping strategies with simultaneous stimuli», *Quarterly Journal of Experimental Psychology* 12, 180-184.

GROSSBERG, S. (1974). «Classical and instrumental learning by neural networks», *Progress in theorical biology* (C. Pfeiffer, édit.), New York, Academic Press, p. 51-141.

GROSSBERG, S. (1975). «A neural model of attention, reinforcement and discrimination learning», *International Review of Neurobiology* 18, 253-327.

GROSSBERG, S. (1978). «A theory of human memory: self-organization and performance of sensory-motor codes, maps and plans», *Progress in theoretical biology* (R. Rosen et F. Snell, édit.), New York, Academic Press, vol. 5, p. 235-374.

GROSSBERG, S. (1980). «How does a brain build a cognitive code?», *Psychological Review* 87, 1-51.

GUIASU, S. et THEODORESCU, R. (1971). *Incertitude et information*, Québec, P.U.L.

GUILLAUME, P. (1937). *La psychologie de la forme*, Paris, Flammarion.

GUTHRIE, E.R. (1935). *The psychology of learning*, New York, Harper and Row.

GUTHRIE, E.R. (1952). *The psychology of learning* (2ᵉ éd.), New York, Harper and Row.

GUTHRIE, E.R. (1959). «Association by contiguity», *Psychology: a study of a science*, New York, McGraw-Hill, vol. 2.

GUZMAN, A. (1968). *Computer recognition of three-dimensional objects in a visual scene*, Cambridge, MIT Artificial Intelligence Laboratory, projet MAC-TR-59.

HABER, R.N. et STANDING, L.G. (1969). «Direct mesures of short-time visual storage», *Quaterly Journal of Experimental Psychology* 21, 43-54.

HALL, M. (1833). «On the reflex fonctions of the medulla oblongata and medulla spinalis», *The philosophical transactions of the Royal Society*, London, J. Mallett.

HALL, M. (1837). *Memoirs on the nervous system*, London, Sherwood, Gilbert and Piper.

HARDOUIN DUPARC, F. (1971). «Préface de la nouvelle édition» de *Cybernétique et société* (par N. Wiener), Paris, Union générale d'éditions.

HARRIS, T.G. (1971). «All the world's a box», *Psychology today*, août 1971, p. 33-37.

HARROWER-ERICKSON, M.R. (1942). «Kurt Koffka 1886-1941», *American Journal of Psychology* 55, 278-281.

HARTLEY, D. (1749). *Observations on man, his frame, his duty and his expectations*, London, réimpression par W. Eyres en 1801.

HARTLINE, H.K. et RATLIFF, F. (1957). «Inhibitory interaction of receptor units in the eye of limulus», *Journal of General Physiology* 40, 357-360.

HARTLINE, H.K. et RATLIFF, F. (1958). «Spatial summation of inhibitory influence in the eye of the limulus, and the mutual interaction of receptor units», *Journal of General Physiology* 41, 1049-1066.

HARTMANN, G.W. (1935). *Gestalt psychology; a survey of facts and principles*, New York, Ronald Press.

HARTWELL, Y. (1966). «À propos d'assimilation et d'accommodation dans les processus cognitifs», *Psychologie et épistémologie génétiques*, Paris, Dunod.

HAWKES, N. (1971). *Le monde des ordinateurs*, Hollande, Les Éditions du Groupe Express.

HEBB, D.O. (194. *The organization of behavior: a neurophysiological theory*, New York, Macmillan.

HEBB, D.O. (1958). *Psycho-physiologie du comportement*, Paris, P.U.F.

HEBB, D.O. (1966). *A Textbook of psychology*, Philadelphie, W.B. Saunders.

HEBB, D.O. (1974). *Psychologie science moderne*, Montréal, Les éditions HRW.

HEIDBREDER, E. (1933). *Seven psychologies*, New York, Appleton-Century.

HEIDER, F. (1958). *Psychology of interpersonal relations*, New York, John Wiley.

HEIDER, F. (1970). «Gestalt theory: early history and reminiscences», *Journal of the history of the behavioral sciences* VI, 2, 131-140.

HELMHOLTZ, H.L.F. von (1850). «On the rate of transmission of the nerve impulse», *Readings in the history of psychology* (W. Dennis édit., 1948), New York, Appleton-Century-Crofts.

HENLE, M. (1957). «Some problems of eclecticism», *Psychological Review* 64, 296-305.

HENLE, M. (1962). «On the relation between logic and thinking», *Psychological Review* 69, 366-378.

HILGARD, E.R. et BOWER, G.H. (1966). *Theories of learning* (3ᵉ éd.), New York, Appleton-Century-Crofts.

HILGARD, E.R. et BOWER, G.H. (1981). *Theories of learning* (5ᵉ éd.), Engle-wood Cliffs (N.J.), Prentice-Hall.

HILL, W.F. (1963). *Learning: a survey of psychological interpretation*, San Francisco, Chandler Publishing Co.

HITT, W.D. (1969). «Two models of man», *American Psychologist* XXIV, 7, 651-658.

HINTZMAN, D.L. (1968). «Explorations with a discrimination net model for paired-associate learning», *Journal of mathematical psychology* 5, 123-162.

HOCHBERG, J.E. (1957). «Effects of the gestalt revolution: the Cornell symposium on perception», *Psychological Review* 64, 73-84.

HOFSTADTER, D.R. (1983). «Artificial intelligence: subcognition as computation» (F. Machlup et U. Mansfield, édit.), *The study of information. Interdisciplinary messages*, New York, John Wiley.

HOLMES, S.J. (1911). *The evolution of animal intelligence*, New York, HRW.

HOLYOAK, K. (1983). «Toward a unitary theory of mind» (Recension de J.R. Anderson, *The architecture of cognition*), *Science* 222, 499-500.

HOTHERSALL, D. (1990). *History of psychology* (2ᵉ éd.), New York, McGraw-Hill Inc.

HOWARTH, W. (1981). «Following the tracks of a different man», *National Geographic* CLIX, 3, 349-360, 378-386.

HUBEL, D. (1963). «Integrative processes in central visual pathways of the cat», *Journal of the Optical Society of America* LIII, 1, 58-66.

HUBEL, D.H. (1971). «The visual cortex of the brain», *Perception* (R. Held et W. Richards, édit.), San Francisco, W.H. Freeman.

HUBEL, D.H. (1979). «The brain», *Scientific American*, CCXLI, 3, 45-53.

HUBEL, D.H. et WIESEL, T.N. (1962). «Receptive fields, binocular interaction and functional architecture in the cat's visual cortex», *Journal of Physiology* CLX, 1, 106-154.

HUBEL, D.H. et WIESEL, T.N. (1963a). «Shape and arrangement of columns in cat's striate cortex», *Journal of Physiology*, 165, 559-568.

HUBEL, D.H. (1963b). «The visual cortex of the brain», *Perception* (R. Held et W. Richards, édit.), San Francisco, W.H. Freeman.

HUBEL, D.H. et WIESEL, T.N. (1965). «Receptive fields and functional architecture in two nonstriate visual areas (18 and 19) of the cat», *Journal of Neurophysiology* (Londres) 28, 229-289.

HUBEL, D.H. et WIESEL, T.N. (1968). «Receptive fields and functional architecture of monkey striate cortex», *Journal of Physiology* (Londres) 195, 215-243.

HUBEL, D.H. et WIESEL, T.N. (1977). «Ferrier lecture: functional architecture of macaque monkey striate cortex», *Proceedings of the Royal Society of London*, Serie B, vol. 198, p. 1-59.

HUBEL, D.H. et WIESEL, T.N. (1979). «Les mécanismes cérébraux de la vision», *Pour la science* 25, 79-93.

HULL, C. (1943). *Principles of behavior*, New York, Appleton.

HULL, C. (1952). *A behavior system*, New Haven, Yale University Press.

HULL, C. (1952). « Texte autobiographique », *A history of psychology in autobiography*. (E.G. Boring et G. Lindsey) vol. 4, p. 143-162, New York, Russell and Russell.

HULL, C. (1978). « Mind, mechanism and adaptive behavior », *American psychology in historical perspective* (E.R. Hilgard, édit.), Washington, A.P.A.

HUME, D. (1739). *Traité de la nature humaine* (traduction de A.L. Leroy, 1946), Paris, Aubier.

HUNT, M. (1982). *The universe within*, New York, Simon & Schuster.

HYDEN, H. et EGYHÁZI, E. (1962). « Nuclear RNA changes of nerve cells during a learning experimental in rats », *Proceedings of the National Academia of Sciences*, vol. 48, p. 1366-1373.

HYDEN, H. et EGYHÁZI, E. (1964). « Changes in RNA content and base composition in cortical neurons of rats in a learning experiment involving transfer of handedness », *Proceedings of the National Academia of Sciences*, vol. 52, p. 1030-1035.

IMBERT, M. (1985). *The neurosciences. General survey and future prospects*, rapport pour l'UNESCO, été 1985.

JACKSON, T.A. (1942). « Use of the stick as a tool by young chimpanzees », *Journal of Comparative Psychology* 34, 223-235.

JACOB, F. (1979). « Discussion », *Théories du langage. Théories de l'apprentissage* (M. Piattelli-Palmarini, édit.), Paris, Seuil.

JACOBSON, R. (1963). *Essais de linguistique générale* (traduit de l'anglais par Nicolas Ruwet), Paris, Éditions de Minuit.

JAMES, W. (1890). *The principles of psychology* (réimprimé en 1950), New York, Holt.

JEANNEROD, M. (1983). *Le cerveau-machine*, Paris, Fayard.

JENNINGS, H.S. (1904). *Contributions to the study of the behavior of the lower organisms*, Washington, Carnegie Institute of Washington.

JOUVET, M. (1974). « Neurobiologie du rêve », *L'unité de l'homme*, Paris, Seuil, p. 364-398.

JOUVET, M. (1979). « Le comportement onirique », *Pour la science* 25 (nov. 1979).

KALIKOV, T. (1980). « Konrad Lorenz on human nature : ideology and theory » (Texte inédit présenté au congrès de la « Cheiron Society »), Brunswick (Maine), 18 au 21 juin 1980.

KANDEL, E.R. (1972). « Nerve cells and behavior », *Physiological psychology*, San Francisco, W.H. Freeman.

KANDEL, E.R. (1976). *Cellular basis of behavior*, San Francisco, W.H. Freeman.

KANDEL, E.R. et SPENCER, W.A. (1968). « Cellular neurophysiological approaches in the study of learning », *Physiological Review* XLVIII, 1, 65-134.

KANT, E. (1781). *Critique de la raison pure* (traduction de J. Barni, 1976), Garnier, Flammarion.

KATZ, B. et MILEDI, R. (1967). « A study of synaptic transmission in the absence of nerve impulses », *Journal of physiology* 192, 407-436.

KATZ, J. et FODOR, J. (1963). « The structure of a semantic theory », *Language* 39, 170-210.

KEYNES, R.D. (1958). « The nerve impulse and the squid », *Physiological psychology* (R.F. Thompson, édit., 1972), San Francisco, W.H. Freeman.

KIMBLE, G.A. (1961). *Hilgard and Marquis' conditioning and learning* (2ᵉ éd.), Englewood Cliffs (N.J.), Prentice-Hall.

KINDAKE, K. (1973). *A Walden two experiment: the first five years of Twin Oaks community* (Préface de Skinner), New York, W. Morrow.

KOESTLER, A. (1971). *The case of the midwife toad*, New York, Random House.

KOFFKA, K. (1922). « Perception: an introduction to the gestalt theory », *Psychological Bulletin* 19, 531-585.

KOFFKA, K. (1924). *Growth of mind* (traduction de R.M. Ogden), London, Kegan, Trench, Trubner.

KOFFKA, K. (1935). *Principles of Gestalt*, New York, Hartcourt.

KÖHLER, W. (1920). *Les formes physiques en état statique et de repos* (De larges extraits sont traduits par W.D. Ellis dans *A Source book of gestalt psychology*, 1924, London, Routledge et Kegan).

KÖHLER, W. (1925). *The mentality of ape* (3ᵉ éd., 1948), London, Routledge et Kegan.

KÖHLER, W. (1929). *Gestalt psychology*, New York, Liveright.

KÖHLER, W. (1930). « La perception humaine », *Journal de psychologie normale et pathologie* 27, 5-30.

KÖHLER, W. (1938). *The place of value in a world of facts*, New York, Liveright.

KÖHLER, W. (1940). *Dynamics in psychology*, New York, Liveright.

KÖHLER, W. (1942). « Kurt Koffka 1886-1941 », *Psychological Review* 49, 97-101.

KÖHLER, W. (1944). « Max Wertheimer 1880-1943 », *Psychological Review* 51, 143-146.

KÖHLER, W. (1967). « Gestalt psychology », *The selected papers of Wolfgang Köhler* (M. Henle, édit., 1971), New York, Liveright.

KÖHLER, W. et WALLACH, H. (1944). « Figural after effects ». *Proceedings of the American Philosophical Society* 88, 269-357.

KONORSKI, J. et MILLER, S. (1969). « On a particular form of conditioned reflex ». *Journal of the Experimental Analysis of Behavior* 12, 187-189.

KONORSKI, J. et MILLER, S. (1937). « On two types of conditioned reflex », *The Journal of General Psychology* 16, 272-279.

KORDON, M. *et al.* (1986). *Neurosciences et informatique*, rapport au directeur du C.N.R.S., Paris.

KUHN, T.S. (1962). *The structure of scientific revolutions*, Chicago, University of Chicago Press.

LABORIT, H. (1968). *Biologie et structure*, Paris, Gallimard.

LABORIT, H. (1968). « La cybernétique et la machine humaine », *Le dossier de la cybernétique*, Marabout Université, Verviers : Éditions Gérard, p. 171-195.

LABORIT, H. (1974). *La nouvelle grille*, Paris, Laffont.

LACHMAN, R. (1973). « Uncertainty effects on time to access the internal lexicon », *Journal of Experimental Psychology* 99, 199-208.

LACHMAN, R., LACHMAN, J.L. et BUTTERFIELD, E.C. (1979), *Cognitive psychology and information processing*, Hillsdasle (N.J.), Lawrence Erlbaum.

LAKOFF, G. (1980). « Whatever happened to deep structure ? », *The behavioral and brain sciences* 3, 22-23.

LAKOFF, G. et ROSS, J.R. (1976). « Is deep structure necessary ? » (J. McCawley, édit.), *Syntax and semantics* vol. 7, New York, Academic Press.

LALANDE, A. (1960). *Vocabulaire technique et critique de la philosophie* (8ᵉ éd.), Paris, P.U.F.

LASHLEY, K.S. (1916). « The human salivery reflex and its use in psychology », *Psychological Review* 23, 446-469.

LASHLEY, K.S. (1923). « The behavioristic interpretation of conciousness », *Psychological Review* 30, 237-272.

LASHLEY, K.S. (1929). *Brain mechanisms and intelligence*, Chicago, Chicago University Press.

LARSON, C.A. et SULLIVAN, J.J. (1965). « Watson's relation to Titchener », *Journal of the history of behavioral sciences* I, 4, 338-354.

LAZORTHES, G. (1983). *Le cerveau et l'esprit*, Paris, Flammarion.

LECOMTE DU NOÜY, P. (1964). *Entre savoir et croire*, Paris, Éditions Gonthier.

LEGENDRE-BERGERON, M.-F. (1980). *Lexique de la psychologie du développement de Jean Piaget*, Chicoutimi (Québec), Gaëtan Morin.

LETTWIN, J.Y., MATURANA, H.R., McCULLOCH, W.S. et PITTS, W.H. (1959). « What the frog's eye tells the frog's brain », *Proceedings of the IRE*, vol. 47, p. 1940-1951.

LEWIS, C.S. (1957). *The abolition of man*, New York, Macmillan.

LINDSAY, P.H. et NORMAN, D.A. (1977). *Traitement de l'information et comportement humain* (traduction, 1980), Montréal, Études Vivantes.

LING, G. et GÉRARD, R.W. (1949). « The normal membrane potential of frog sartorius filers », *Journal of cellular and comparative physiology* 34, 383-396.

LLINAS, R., SUGIMORI, M. et SIMON, S.M. (1982). « Transmission by presynaptic spikelike depolarization in the squid giant synapse », *Proceedings of the National Academy of Sciences*, vol. 79, n° 7, p. 2415-2419.

LOCKE, E. (1690). *An essay concerning human understanding*, London, T. Basset.

LONGUET-HIGGINS, H.C., LYONS, J. et BROADBENT, D. (1981). *The psychological mechanisms of language.* A joint symposium of the Royal Society and the British Academy, London.

LUCE, G. et PEPER, E. (1975). « Mind over body, mind over mind », *Readings in psychology 25/76* (Dushkin, édit.), Guilford (Conn.), The Dushking Publishing Group, p. 51-62.

MACH, E. (1883). *Science of mechanics* (traduction de T. McCormack), LaSalle (Ill.), Open Court.

MAGENDIE, F. (1823). *Mémoire sur quelques découvertes récentes relatives aux fonctions du système nerveux,* Paris, Mequignon-Marvis.

MAIER, N.R.F. (1930). « Reasoning in humans », *Journal of Comparative Psychology* 10, 115-143.

MALCUIT, G., GRANGER, L. et LAROCQUE, A. (1968). « Apprentissage et thérapies behaviorales », *Relint* (Numéro spécial et hors série), Montréal.

MALMSTADT, H.V., ENKE, C.G. et TOREN, E.C. (1963). *Electronics for scientists,* New York, W.A. Benjamin.

MANDLER, G. (1967). « Organization and memory ». *The psychology of learning and motivation: advances in research and theory* (K.W. Spence et J.T. Spence, édit.), New York, Academic Press.

MANDLER, G. (1968). « Association and organization: facts, fancies and theories », *Verbal behavior and general behavior theory* (T.R. Dixon et D.L. Horton, édit.), Englewood Cliffs (N.J.), Prentice-Hall.

MARCEL, V. (1933). *Étendue et conscience,* Paris, J. Vrin.

MARSHALL, E. (1983). « A controversy on Samoa comes of age », *Science* 219, 1042-1045.

MATTEUCI, C. (1841). « Note sur les phénomènes électriques des animaux », *C.R. Académie des sciences de Paris* 13, 540 ss.

McCARTHY, J. (1966). « Information », *Computers and computation* (R.R. Fenichel et J. Weizenbaum, édit., 1971), San Francisco, W.H. Freeman.

McCLELLAND, D.C., ATKINSON, J.W., CLARK, R.S. et LOWEL, E.L. (1953). *The achievement motive,* New York, Appleton-Century-Crofts.

McCONNELL, J.V. (1962). « Memory transfer through cannibalism in planarians », *Journal of Neuropsychiatry* 3, Suppl. 1, 42-48.

MEAD, M. (1928). *Coming of age in Samoa,* New York, Morrow and Co.

MELTON, A.W. (1963). « Implication of short-term memory for a general theory of memory », *Journal of Verbal Learning and Verbal Behavior* 2, 1-21.

MENDELEÏEV, D.I. (1869). « Classification périodique des éléments », *The principles of chemistry* (traduction de George Kamensky, 1897), London, Longmans.

MESSICK, D.M. (1968). *Mathematical thinking in behavioral sciences,* San Francisco, W.H. Freeman.

MICHAEL, C.R. (1969). « Retinal processing of visual images », *Scientific American* CCXX, 5, 104-114.

MILLER, G.A. (1956a). « The magical number seven, plus or minus two », *Psychological Review* 63, 81-97.

MILLER, G.A. (1956b). « Human memory and the storage of information », *IRE Transactions on Information Theory*, IT-2, p. 129-137.

MILLER, N.E. et DOLLARD, J. (1941). *Social learning and imitation*, New Haven, Yale University Press.

MILLER, G.A., GALANTER, E. et PRIBAM, K.H. (1960). *Plans and the structure of behavior*, New York, Holt, Rinehart et Winston.

MILLER, G.A. (1962). « Decision units in the perception of speech », *IRE Transactions on Information Theory*, IT-8, p. 81-83.

MILLER, N.E. (1969). « Learning of visceral and glandular responses », *Science* 163, 434-445.

MILLER, G.A. (1971). « Information and memory », *Perception* (R. Held et W. Richards, édit.), San Francisco, Freeman.

MILNER, B. (1970). « Memory and the temporal regions of the brain », *Biology of memory* (K.H. Pribam et D.E. Broadbent, édit.), New York, Academic Press.

MINSKY, M. (1966). « Artificial intelligence », *Mathematical thinking in behavioral sciences* (D.M. Messick, édit., 1968), San Francisco, W.H. Freeman, p. 141-148.

MINSKY, M. (1966). « Artificial intelligence », *Scientific American* CCXV, 3, 41-52.

MINSKY, M. (1968). *Semantic information processing*, Cambridge, MIT Press.

MIRSKY, A.E. et RIS, H. (1950). « The composition and structure of isolated chromosomes », *Journal of General Physiology* 34.

MONOD, J. (1970). *Le hasard et la nécessité*, Paris, Éditions du Seuil.

MORAY, N. (1959). « Attention in dichotic listening: affective cues and the influence of instructions », *Quarterly Journal of Experimental Psychology* 11, 56-60.

MORRISON, H.C. (1935). *Basic principles in education*, Boston, Houghton.

MUCCHIELLI, R. (1966). *Introduction à la psychologie structurale*, Bruxelles, Charles Dessart.

MUCCHIELLI, R. (1973). *Communication et réseaux de communications*, Paris, Les Éditions E.S.F.

MUËLLER, F.L. (1960). *Histoire de la psychologie*, Paris, Payot.

MUNN, N.L. (1970). *Traité de psychologie*, Paris, Payot.

MURDOCH, B.B. (1961). « The retention of individual psychology », *Journal of Experimental Psychology* 62, 618-625.

MUSIL, R. (1973). *L'homme sans qualités*, Paris, Seuil.

NAUTA, W. et FEIRTAG, M. (1979). « The organization of the brain », *Scientific American* CCXLI, 3, 88-111.

NEFF, W.S. (1936). « A critical investigation of the visual apprehension of movement », *American Journal of Psychology*, 48, 1-48.

NEISSER, U. (1954). « An experimental distinction between perceptual process and verbal response », *Journal of Experimental Psychology* 47, 399-402.

NEISSER, U. (1963). « The imitation of man by machine », *Science* 139, 193-197.

NEISSER, U. (1964). « Visual search » *Scientific American*, 210, 94-102.

NEISSER, U. (1967). *Cognitive psychology*, New York, Appleton-Century-Crofts.

NEISSER, U. (1969). « Selective reading. A method for the study of visual attention », *Nineteenth International Congress of Psychology*, London.

NEISSER, U. (1976). *Cognition and reality*, San Francisco, W.H. Freeman.

NEISSER, U. (1984). « Toward an ecologically oriented cognitive science », *Emory Cognition Project*, report 1, Atlanta, Georgia, janvier 1984.

NEWELL, A. (1983). « Intellectual issues in the history of artificial intelligence » (F. Machlup et U. Mansfield, édit.), *The study of information. Interdisciplinary messages*, New York, John Wiley.

NEWELL, A. et SIMON, H.A. (1961). « Computer simulation of human thinking », *Science* 134, 2211-2217.

NEWELL, A. et SIMON, H.A. (1972). *Human problem solving*, Englewood (N.J.), Prentice-Hall.

NEWELL, A., SHAW, J.C. et SIMON, H.A. (1958). « Elements of a theory of human problem solving », *Psychological Review* 65, 151-166.

NEWMAN, E.B. (1944). « Max Wertheimer, 1880-1943 », *The American Journal of Psychology* 57, 428-435.

NEWMEYER, F. (1980). *Linguistic theory in America: the first quarter century of transformational generative grammar*, New York, Academic Press.

NORMAN, D.A. (1969). *Memory and attention*, New York, John Wiley.

NORMAN, D.A. (1973). « Memory, knowledge, and the answering of questions », *Contemporary issues in cognitive psychology: The Loyola Symposium* (R.L. Oslo, édit.), Washington (D.C.), Winston.

NORMAN, D.A. (1980). « Twelve issues for cognitive science », *Cognitive Science* 4, 1-32.

NORMAN, D.A. et BORROW, D.G. (1975). « On data limited and resource limited processes », *Cognitive Psychology* 7, 44-64.

NORMAN, D.A. ET RUMELHART, D.E. et le LNR RESEARCH GROUP (1975), *Explorations in cognition*, San Francisco, W.H. Freeman.

NOTON, D. et STARK, L. (1971). « Eye movements and visual perception », *Perception: mechanisms and models* (R. Held et W. Richards, édit., 1972), San Francisco, W.H. Freeman.

OBONAI, T. et SUZUMURA, K. (1954). « Contribution to the study of psycho-physiological induction », *Japanese Psychological Research* 1, 45-54.

OETTINGER, A.G. (1966). « The uses of computer in science ». *Information*, San Francisco, W.H. Freeman.

OLDS, J. et MILNER, P. (1954). « Positive reinforcement producted by electrical stimulation of septal area and other regions of the rat brain », *Journal of comparative and physiological psychology* 47, 419-427.

PAILLARD, J. (1983). « Système nerveux et fonction d'organisation », (J. Piaget, J.P. Bronckart et P. Mounoux, édit.), *La psychologie*, Encyclopédie de la Pléiade, Paris, Gallimard.

PAPERT, S. (1967). « Épistémologie de la cybernétique », *Logique et connaissance scientifique* (J. Piaget, édit.), Paris, Gallimard, p. 882-840.

PAPERT, S. (1979). « Le rôle de l'intelligence artificielle en psychologie », *Théories du langage. Théories de l'apprentissage* (M. Piattelli-Malmarini, édit.), Paris, Seuil.

PARÉ, A. (1977). *Créativité et apprentissage*, vol. II. Laval (Québec), Les Éditions NHP.

PAVLOV, I.P. (1927). *Conditioned reflexes. An investigation of the physiological activity of the cerebral cortex* (traduction de G.V. Anrep), New York, Dover.

PAVLOV, I.P. (1928). *Lectures on conditioned reflexes* (traduit du russe par W.H. Gantt), New York, International Publishers.

PAVLOV, I.P. (1955). *Typologie et pathologie de l'activité supérieure*, Paris, P.U.F.

PAVLOV, I.P. (1963). *Réflexes conditionnels et inhibitions*, Suisse, Gonthier.

PEDLER, K. (1970). « The eye as a computer », *Science journal* VI, 2, 49-54.

PENFIELD, W. (1958). *The excitable cortex in conscious man*, Liverpool, Liverpool University Press.

PENFIELD, W. (1969). « Consciousness, memory and man's conditioned reflexes », *On the biology of learning* (K.H. Pribam, édit.), New York, Hartcourt, Brace and World.

PERIN, C.T. (1942). « Behavioral potentiality as a joint function of the amount of training and the degree of hunger at the time of extinction », *Journal of Experimental Psychology* 30, 93-113.

PETERMANN, B. (1950). *The gestalt theory and the problem of configuration* (traduction de M. Fortes), London, Routledge and Kegan.

PETERSON, L.R. (1963). « Immediate memory : data and theory », *Verbal behavior and learning : problems and processes* (C.N. Cofer et B.S. Musgrave, édit.), New York, McGraw-Hill.

PETERSON, L.R. et PETERSON, M.J. (1959). « Short-term retention of individual verbal items », *Journal of Experimental Psychology* 58, 193-198.

PIAGET, J. (1941). *La genèse du nombre chez l'enfant*, Paris, Delachaux et Niestlé.

PIAGET, J. (1946). *Le développement de la notion de temps chez l'enfant*, Paris, P.U.F.

PIAGET, J. (1947). *La psychologie de l'intelligence*, Paris, Armand Colin.

PIAGET, J. (1959). « Apprentissage et connaissance », *Études d'épistémologie génétique* VII. (J. Piaget et P. Gréco), Paris, P.U.F.

PIAGET, J. (1964). *Six études de psychologie*, Genève, Gonthier.

PIAGET, J. (1966). *La naissance de l'intelligence chez l'enfant*, Neuchatel, Delachaux et Niestlé.

PIAGET, J. (1967). *Biologie et connaissance*, Paris, Gallimard.

PIAGET, J. (1968). « Texte autobiographique ». *A History of psychology in autobiography* (E.G. Boring, édit.) vol. IV, p. 237-256, New York, Russell et Russell.

PIAGET, J. (1969). « Autobiography ». *Piaget and knowledge* (H. Furth). Englewoods Cliffs (N.J.), Prentice-Hall.

PIAGET, J. (1970). *Psychologie et épistémologie*, Paris, Éditions Gonthier.

PIAGET, J. (1972). *Problèmes de psychologie génétique*, Paris, Denoël-Gonthier.

PIAGET, J. (1977). *Mes idées*, Paris, Denoël-Gonthier.

PIAGET, J. (1979). *Épistémologie génétique*, Paris, P.U.F.

PIAGET, J. et alii (1957). « Épistémologie génétique et recherche psychologique », *Études d'épistémologie génétique*, Paris, P.U.F., vol. I.

PIAGET, J. et alii (1963). « L'intelligence », *Traité de psychologie expérimentale*, Paris, P.U.F., vol. VII.

PIAGET, J. et INHELDER, B. (1948). *La représentation de l'espace chez l'enfant*, Paris, P.U.F.

PIAGET, J. et INHELDER, B. (1951). *La genèse de l'idée de hasard chez l'enfant*, Paris, P.U.F.

PIAGET, J. et INHELDER, B. (1955). *De la logique de l'enfant à la logique de l'adolescent*, Paris, P.U.F.

PIÉRON, H. (1908). *L'évolution du psychisme*, Paris, Éditions de la Revue du mois.

PINARD, A. (1983). « Réflexion sur deux paradigmes en psychologie génétique : cognitivisme et behaviorisme », *Revue québécoise de psychologie* IV, 3, 12-28.

POINCARÉ, H. (1908). *Science et méthode*, Paris, Flammarion.

POSTMAN, L. (1964). « Acquisition and retention of consistent associative responses », *Journal of Experimental Psychology* 67, 183-190.

PRENTICE, W.C.H. (1959). « The systematic psychology of Wolfgang Köhler », *Psychology: a study of a science* (S. Koch, édit.), New York, McGraw-Hill, vol. 1, p. 427-455.

PUMPLIN, D.W. et REESE, T.S. (1978). « Membrane ultrastructure of the giant synapse of the squid », *Neuroscience* III, 8, 685-696.

PUTNAM, H. (1973). « Reductionism and the nature of psychology », *Cognition, International Journal of Cognitive Psychology* II, 1.

RALPH, J. (1976). « Avant et après les rudiments », *Piaget à l'école*, Paris, Denoël-Gonthier.

RAPHAEL, B. (1976). *The thinking computer*, San Francisco, W.H. Freeman.

RAJCHMAN, J.A. (1967). « Integrated computer memories », *Computers and computation* (R.R. Fenichel et J. Weizenbaum, édit., 1971), San Francisco, W.H. Freeman, p. 28-41.

RENAN, E. (1890). *L'avenir de la science*, Paris, C. Levy.

REEVES, H. (1982). *Patience dans l'azur*, Québec, Presses de l'Université du Québec.

REITMAN, W.R. (1964). « Information-processing models in psychology », *Science* 14, 1192-1198.

REITMAN, W. et WILCOX, B. (1968). « Pattern recognition and pattern-directed inference in a program for playing Go », *Pattern-directed inference systems* (D.A. Waterman et F. Hayes-Roth, édit.), New York, Academic Press, p. 503-524.

RICHARD, J.F. (1970). « Intelligence », *Encyclopædia Universalis* (Encyclopædia Universalis, édit., 1968), Paris, vol. 8, p. 1081-1084.

RICHARDSON, H.M. (1932). « The growth of adaptive behavior in infants : an experimental study at seven age levels », *Genetic Psychology Monographs* 12, 195-359.

RICHELLE, M. (1977). *B.F. Skinner ou le péril behavioriste*, Bruxelles, Pierre Mardaga.

RIEBER, R.W. (1983). *Dialogues on the psychology of language and thought. Conversations with Noam Chomsky, Charles Osgood, Jean Piaget, Ulric Neisser et Marcel Kinsbourne*, New York, Plenum Press.

ROBERT, J.M. (1984). *Comprendre notre cerveau*, Paris, Éditions du Seuil.

ROBIN, L. (1935). *Platon*, Paris, Félix Alcan.

ROSE, S. et PATTERSON, T.A. (1987). *Molecules and Minds*, Londres : Open University Press.

ROSE, S. (1992). « Memory in the chicks : Multiple cues, distinct brain locations », *Behavioral Neuroscience* 106, 465-470.

ROSE, S. (1993). *The Making of Memory*, Londres, Bantam Books.

ROSE, S. (1995). « Rethinking Descartes », *The Globe and Mail*, January 7, 1995.

ROSENZWEIG, M.R. (1962). « The mechanisms of hunger and thirst », *Psychology in the making* (L. Postman, édit.), New York, Alfred A. Knopf.

ROSNAY, J. DE, (1975). *Le macroscope*, Paris, Seuil.

ROSEN, C. (1968). « Machines that act intelligently », *Science journal* IV, 10, 109-114.

ROUMANOFF, D. (1982). « Entretien avec Fritjof Capra », *Psychologie* 149, 12-28.

RUMELHART, D.E., LINDSAY, P.H. et NORMAN, D.A. (1972). « A process model for long-term memory », *Organization of memory* (E. Tulving et W. Donaldson, édit.), New York, Academic Press.

RUSSELL, B. et WHITEHEAD, A.N. (1925). *Principia mathematica* (2e éd.), Cambridge, The University Press.

RYLE, G. (1949). *The concept of mind*, London, Hutchinson.

SABATIER, A. (1897). *Esquisse d'une philosophie de la religion d'après la psychologie et l'histoire*, Paris, Fischbacher.

SAMUEL, A.L. (1963). « Some studies in machine learning using the game of checkers », *Computers and thought* (E.A. Feigenbaum et J. Feldman, édit., 1963), New York, McGraw-Hill, p. 71-105.

SCHWEBEL, M. et RALPH, J. (1976). *Piaget à l'école*, Paris, Denoël-Gonthier.

SECHENOV, I.M. (1863). « Reflexes of the brain ». *Selected works* (A.A. Subkov, édit., 1935), Moscow, State Publishing House.

SELFRIDGE, O.G. (1959). « Pandemonium : a paradigm for learning », *The mechanisation of thought processes*, London, H.M. Stationery Office.

SELFRIDGE, O.G. et NEISSER, U. (1960). « Pattern recognition by machine », *Computers and computation* (R.R. Fenichel et J. Weizenbaum, édit., 1971), San Francisco, W.H. Freeman, p. 95-103.

SHANNON, C.E. (1948). « A mathematical theory of communication », *The Bell system technical journal* XXVII, 3, 379-423.

SHAPIRO, M.M. (1961). « Salivery conditioning in dogs during fixed-interval reinforcement contingent upon lever pressing », *Journal of Experimental Analysis of Behavior* 4, 361-364.

SHEFFIELD, F.D. et ROBY, T.B. (1950). « Reward value of a non-nutritive sweet taste », *Journal of comparative and physiological psychology* 43, 461-481.

SHIFFRIN, R.M. et SCHNEIDER, W. (1977). « Controlled and automatic human information processing », *Psychological Review* 84, 127-190.

SIMON, H.A. et BARENFELD, M. (1969). « An information-processing analysis of perceptual process in problem-solving », *Psychological Review* 76, 473-483.

SIMON, H.A. et FEIGENBAUM, E.A. (1964). « An information processing theory of some effects of similarity, familiarization, and meaning-fulness in verbal learning », *Journal of Verbal Learning and Verbal Behavior* 3, 385-396.

SKINNER, B.F. (1931). « The concept of the reflex in the description of behavior », *The Journal of General Psychology* 5, 427-458.

SKINNER, B.F. (1936). « The reinforcing effect of a differential stimulus », *The Journal of General Psychology* 14, 263-278.

SKINNER, B.F. (1938). *The behavior of organisms*, New York, Appleton-Century-Crofts.

SKINNER, B.F. (1945). « Baby in a box », *Ladies' Home Journal*, octobre 1945.

SKINNER, B.F. (1945). « The operational analysis of psychological terms », *Psychological Review* 52, 270-277.

SKINNER, B.F. (1948). *Walden two* (édition de 1976), New York, Macmillan.

SKINNER, B.F. (1956). « A case history of scientific method », *American Psychologist* 11, 221-233.

SKINNER, B.F. (1957). *Verbal behavior*, New York, Appleton.

SKINNER, B.F. (1960). « Pigeons in a Pelican », *American Psychologist* 15, 28-37.

SKINNER, B.F. (1967). Texte autobiographique. *A history of psychology* (E.G. Boring et Lindzey), New York, Appleton, vol. 5.

SKINNER, B.F. (1968). « Superstition in the pigeon », *Contemporary research in operant behavior* (C.A. Catania, édit.), Glenview (Ill.), Scott Foresman.

SKINNER, B.F. (1971). Entrevue accordée à un journaliste du magazine *Time*, *Time*, 20 sept. 1971, p. 55-61.

SKINNER, B.F. (1971). *L'analyse expérimentale du comportement*, Bruxelles, Dessert et Mardaga.

SKINNER, B.F. (1972a). *Cumulative record* (3ᵉ éd.), New York, Appleton-Century-Crofts.

SKINNER, B.F. (1972b). *Par delà la liberté et la dignité*, Paris et Montréal, Robert Laffont et HMH.

SKINNER, B.F. (1974). *About behaviorism*, New York, Alfred A. Knoff.

SKINNER, B.F. (1978). *Reflections in behaviorism and society*, Englewood Cliffs (N.J.), Prentice-Hall.

SKINNER, B.F. (1979). *The shaping of a behaviorist*, New York, Knopf.

SMITH, B. et WILSON, D. (1979). *Modern linguistics: The results of Chomsky's revolution*, Middlesex, Pinguin Book.

SMITH, S. et GUTHRIE, E.R. (1921). *General psychology in terms of behavior*, New York, Appleton.

SMITH, E.E., SHOBEN, E.J. et RIPS, L.J. (1974). « Structure and process in semantic memory: a featural model for semantic decision », *Psychological Review* 81, 214-241.

SPENCE, K.W. (1942). « The basis of solution by chimpanzees of the intermediate size problem », *Journal of Experimental Psychology* 31, 257-271.

SPERLING, G.A. (1960). « The information available in brief visual presentation », *Psychological Monographs* LXXIV, 11, en entier.

SPERLING, G.A. (1963). « A model for visual memory tasks », *Human Factors* 5, 19-31.

SPERRY, R.W. (1964). « The great cerebral commissure », *Contemporary psychology* (R.C. Atkinson, édit., 1971), San Francisco, Freeman.

ST-ARNAUD, Y. (1979). *La psychologie, modèle systémique*, Montréal, P.U.M.

ST-ARNAUD, Y. (1982). *La personne qui s'actualise*, Chicoutimi (Québec), G. Morin.

STERN, K. (1965). *The flight from woman*, New York, Ferrar, Strauss and Giroux.

STERN, K. (1968). *Refus de la femme*, Montréal, HMH.

STEVENS, S.S. (1935a). « The operational basis of psychology », *American Journal of Psychology* 47, 323-330.

STEVENS, S.S. (1935b). « The operational definition of psychological concepts », *Psychological Review* 42, 517-527.

STEVENS, S.S. (1936). « Psychology: the propaedeutic science », *Philosophical Science* 3, 90-103.

STEVENS, S.S. (1939). « Psychology and the science of science », *Psychological Bulletin* 36, 221-263.

STIEL, N. (1994). « La crise d'I.B.M. et la restructuration de l'industrie informatique », *Universalia 1994*, Paris, Éd. Encyclopædia Universalis.

TERRACE, H.S. (1973). « Classical conditioning », *Contemporary experimental psychology* (G.S. Reynolds et B. Schads, édit.), Chicago, Scott, Foresman.

THOM, R. (1973). « La science malgré tout… », *Encyclopædia Universalis* (Encyclopædia Universalis, édit., 1968), Paris, vol. 17, p. 5-10.

THORNDIKE, E.L. (1911). *Animal intelligence*, New York, Macmillan.

THORNDIKE, E.L. (1913). *The psychology of learning*, New York, Teacher's College, Colombia University.

THORNDIKE, E.L. (1913). *Educational psychology*, New York, Teacher's College, Colombia University.

THORPE, L.P. et SCHMULLER, A. (1956). *Les théories contemporaines d'apprentissage*, Paris, P.U.F.

TILQUIN, A. (1950). *Le behaviorisme*, Paris, Librairie philosophie J. Vrin.

TITCHENER, E.B. (1896). *An outline of psychology*, New York, Macmillan.

TITCHENER, E.B. (1898). « The postulates of a structural psychology », *The Philosophical Review* VII, 5, 449-465.

TITCHENER, E.B. (1899). « Structural and functional psychology », *The Philosophical Review* 8, 290-299.

TITCHENER, E.B. (1909). *Experimental psychology of the thought processes*, New York, Macmillan.

TITCHENER, E.B. et GULLIVER, J.H. (1897). *Ethics: an investigator of the facts and laws of the moral law, by Wilhelm Wundt*, New York, Macmillan.

TOLMAN, E. (1949). « There is more than one kind of learning », *Psychological Review* 56, 144-156.

TREISMAN, A.M. (1960). « Contextual cues in selective listening », *Quarterly Journal of Experimental Psychology* 12, 242-248.

TREISMAN, A.M. (1964a). « Monitoring and storage of irrelevant messages in selective attention », *Journal of Verbal Learning and Verbal Behavior* 3, 449-459.

TREISMAN, A.M. (1964b). « Selective attention in man », *British Medical Bulletin* 20, 12-16.

TULVING, E. (1968). « Theoretical issues in free recall », *Verbal behavior and general behavior theory* (T.R. Dixon et D.L. Horton, édit.), Englewood Cliffs (N.J.), Prentice-Hall.

TULVING, E. (1972). « Episodic and semantic memory », *Organization of memory* (E. Tulving et W. Donaldson, édit.), New York, Academic Press.

TURING, A.M. (1936). « On computable numbers with an application to the entzcheidungs problems », *Proceedings of the London Mathematical Society* 42, 230-265.

UHR, L. et VOSSLER, C. (1961). « A pattern-recognition program that generates, evaluates, and adjusts its own operators », *Proceedings of the western joint computer conference* (1961), p. 555-569.

UHR, L. (édit., 1966). *Pattern recognition*, New York, Wiley.

ULAM, S.W. (1964). « Computers », *Computers and computation* (R.R. Fenichel et J. Weizenbaum, édit., 1971), San Francisco, W.H. Freeman.

UNGAR, G. (1968). « Un code moléculaire », *Encyclopædia Universalis* (Encyclopædia Universalis, édit. 1968), Paris, vol. 17, p. 424-428.

UNGAR, G. (1970a). *Molecular mechanisms in memory and learning*, New York, Plenum Press.

UNGAR, G. (1970b). « Molecular mechanisms in information processing », *International Review of Neurobiology* 13, 223-253.

UNGAR, G. (1972). « Le code moléculaire de la mémoire », *La Recherche* III, 19, (janvier 1972) 20-27.

UNGAR, G. (1973). « Mémoire », *Encyclopædia Universalis* (Encyclopædia Universalis, édit., 1968) vol. 17, p. 424-428.

UTTAL, W.R. (1973). *The psychobiology of sensory coding*, New York, Harper and Row.

VOLTA, A. (1800). « On the electricity excited by the mere contact of conducting substances of different kinds », *Philosophical transactions of the Royal Society* 90, p. 403-431.

WALLACH, H., O'CONNELL, D.N. et NEISSER, U. (1953). « The memory effect of visual perception of three-dimensional form », *Journal of Experimental Psychology* 45, 360-368.

WALTER, W.G. (1953). *The living brain*, New York, Norton.

WATSON, J.B. (1913). « Psychology as the behaviorist views it », *Psychological Review* 20, 158-177.

WATSON, J.B. (1914). *Behavior: an introduction to comparative psychology*, New York, HRW.

WATSON, J.B. (1916). « The place of conditionned reflex in psychology », *Psychological Review* XXIII, 2, 89-116.

WATSON, J.B. (1919). *Psychology from the standpoint of a behaviorist*, Philadelphie, J.B. Lippincott.

WATSON, J.B. (1925). *Behaviorism*, New York, Norton.

WATSON, J.B. (1961). Texte autobiographique : *History of psychology in autobiography* (C. Murchison, édit.), Worcester (Mass.), Clark University Press, vol. 3.

WATSON, J.B. et MC DOUGALL, W. (1929). *The battle of behaviorism*, New York, Norton.

WATSON, J.B. et RAYNER, R. (1920). « Conditioned emotional reactions », *Experimental Psychology* 3, p. 1-14.

WATSON, R.I. (1965). « The historical background for national trends in psychology », *Journal of the history of behavioral sciences* I, 2, 130-138.

WAUGH, N.C. et NORMAN, D.A. (1965). « Primary memory », *Psychological Review* 72, 89-104.

WEAVER, W. (1949). « The mathematical of communication », *The mathematical thinking in behavioral sciences* (D.M. Messick, édit., 1968), San Francisco, W.H. Freeman.

WEIGEL, J.A. (1977). *B.F. Skinner,* Boston, Twaine.

WEIMER, W.B. (1973). « Psycholinguistics and Plato's paradoxes of the Memo », *American Psychologist* 28, 15-33.

WERTHEIMER, M. (1950). « Uber Gestalttheorie », *A source book of gestalt psychologie* (W.D. Ellis, édit.), London, Routledge and Kegan.

WERTHEIMER, M. (1959). *Productive thinking,* New York, Harper and Row.

WHITEFIELD, I.C. et EVANS, E.F. (1965). « Responses of auditory cortical neurons to stimuli of changing frequency », *Journal of Neurophysiology* 28, 655-672.

WHYTT, R. (1763). *An essay on the vital and other involuntary motions of animals* (2ᵉ éd.), Édimbourg, G. Balfour.

WICKELGREN, W.A. (1979). *Cognitive Psychology,* Englewoods Cliffs (N.J.), Prentice-Hall.

WIENER, N. (1948). « Cybernetics », *Mathematical thinking in behavioral sciences* (D.M. Messick, édit., 1968), San Francisco, W.H. Freeman.

WIENER, N. (1961). *Cybernetics or control and communication in the man and the machine,* Cambridge (Mass.), M.I.T. Press.

WIENER, N. (1971). *Cybernétique et société,* Paris, Union générale d'éditions.

WILLIAMS, S.B. (1938). « Resistence to extinction as a function of the number of reinforcements », *Journal of Experimental Psychology* 23, 506-521.

WILLIAMS, D.R. (1965). « Classical conditioning and incentive motivation », *Classical conditioning* (W.F. Prokasy, édit.), New York, Appleton-Century-Crofts.

WILSON, E.O. (1975). *Sociobiology,* Cambridge (Mass.), Harvard University Press.

WILSON, E.O. et LUMSDEN, C.J. (1981). *Genes, mind and culture,* Cambridge (Mass.), Harvard University Press.

WINKIN, Y. (1981). « Le télégraphe et l'orchestre », *La nouvelle communication* (Y. Winkin, édit.), Paris, Seuil.

WINOGRAD, T. (1972). « Understanding natural language », *Cognitive Psychology* 3, 1-191.

WINOGRAD, T. (1975). « Frame representations and the declarative-procedural controversy », *Representations and understanding* (D. Bobrow et A. Collins, édit.), New York, Academic Press.

WINSTON, P.H. (1970). *Learning structural descriptions from exemples,* Cambridge, MIT Artifical Intelligence Laboratory, project MAC-TR-231.

WOLFENSBERGER, W. (1970). *The principle of normalization in human services,* Toronto, National Institute on Mental Retardation.

WOLMAN, B. (1960). *Contemporary theories and systems in psychology,* New York, Harper.

WOODWORTH, R. (1951). *Contemporary schools of psychology*, London, Methuen.

WOODWORTH, R. et SHEEHAN, H. (1964). *Contemporary schools of psychology*, New York, The Ronald Press.

WOODWORTH, R. et SCHLOSBERG, H. (1965). *Experimental psychology*, New York and Toronto, Holt, Rinehart and Winston.

WRIGHT, C. (1966). *Les cols blancs*, Paris, Maspero.

WUNDT, W. (1863). *Worlesungen über die Menschen-und Thierseele* (traduit en anglais par J.E. Creighton et E.B. Titchener, 1894). « Lectures on human and animal psychology », New York, Macmillan.

WUNDT, W. (1873). *Grundzüge der Physiologischen Psychologie*, Leipzig, Verlag von Wilhelm Engelmann.

WUNDT, W. (1886). *Éléments de psychologie physiologique*, vol. II, Paris, Félix Arcand.

YULE, G.U. et KENDALL, M.G. (1968). *Introduction to the theory of statistics* (14ᵉ éd.), London, Griffin.

Index des noms

Index des sujets

AGMV
MARQUIS

Québec, Canada
2000